LES ENFANTS DU VERSEAU

DU MÊME AUTEUR

chez le même éditeur

LA RÉVOLUTION DU CERVEAU

MARILYN FERGUSON

LES ENFANTS DU VERSEAU

Pour un nouveau paradigme

Traduit et adapté de l'américain par
GUY BENEY

CALMANN-LÉVY

Titre original de l'ouvrage
THE AQUARIAN CONSPIRACY

ISBN 2-7021-0393-6

Imprimé en France

A Eric. Kris et Lynn

Il arrive quelquefois que le temps, les événements ou l'effort individuel et solitaire des intelligences, finissent par ébranler ou par détruire peu à peu une croyance, sans qu'il en paraisse rien au-dehors... On ne se réunit point pour lui faire la guerre... Comme ses ennemis continuent à se taire, ou ne se communiquent qu'à la dérobée leurs pensées, ils sont eux-mêmes longtemps sans pouvoir s'assurer qu'une grande révolution s'est accomplie.

Alexis de TOCQUEVILLE

Je m'efforce de faire un signe à mes compagnons... Puissé-je avoir le temps de jeter à mes compagnons un mot d'ordre, comme à des conspirateurs... Ah ! Pouvoir leur dire comment j'imagine cette marche, vers quoi je pressens que nous marchons, et comment régler à l'unisson nos pas et nos cœurs !... Créons un cerveau et un cœur pour la terre. Créons, donnons le sens humain à l'inhumain combat !

Nikos KAZANTZAKIS

Cette âme ne peut être qu'une conspiration d'individus.

Pierre TEILHARD DE CHARDIN

REMERCIEMENTS

Impossible de rendre compte pleinement de ma dette envers les centaines de personnes qui ont contribué à ce projet depuis 1976 : elles sauront, je l'espère, se reconnaître à travers les informations qu'elles m'ont fournies. Je tiens à les remercier, ainsi que tous ceux qui ont pris le temps de répondre à l'enquête sur la « Conspiration du Verseau », malgré leurs occupations.

Un remerciement tout particulier à Anita Storey, amie de longue date et collaboratrice, pour son soutien infatigable, sa perspicacité et son humeur, à Sandra Haper, extraordinaire assistante de recherche au flair infaillible, et à mes enfants Eric, Kris et Lynn Ferguson, pour la compréhension précoce dont ils ont fait preuve, durant cette période souvent éprouvante.

Par-dessus tout, ma profonde gratitude à Jeremy Tarcher dont la créativité et le soutien éditoriaux m'ont suivie tout au long de ce travail.

INTRODUCTION

Au début des années soixante-dix, alors que je préparais un ouvrage sur le cerveau et la conscience, je fus profondément impressionnée par les découvertes scientifiques démontrant l'existence de capacités humaines bien au-dessus de notre idée de « la norme ». A cette époque, les implications sociales de cette recherche ne faisaient pas, pour la plupart, l'objet d'une étude scientifique et étaient inconnues du public. La recherche était spécialisée, dispersée dans de nombreuses disciplines, rédigée dans un vocabulaire technique et publiée, après une latence de deux ou trois ans, dans des journaux que l'on trouve rarement hors des bibliothèques spécialisées.

Tandis que la science, selon le mode objectif, se mettait à accumuler des données surprenantes sur la nature de l'homme et de la réalité, je m'apercevais que des centaines de milliers d'individus étaient personnellement impliqués dans des expériences subjectives spontanées. Par l'exploration systématique de l'expérience consciente et au moyen de méthodes multiples, ils découvraient des phénomènes psychiques tels que l'apprentissage accéléré, l'expansion de conscience, l'utilité de l'imagerie mentale pour guérir et résoudre certains problèmes, la capacité de recouvrer des souvenirs enfouis... Ces personnes voyaient leurs valeurs et leurs relations avec autrui modifiées par les prises de conscience provenant de ces explorations. Désormais, elles étaient à la recherche de toute information pouvant les aider à dégager un sens de leurs expériences.

Mon livre, *La Révolution du cerveau*[1], peut-être parce qu'il fut l'une des premières tentatives de synthèse, fit de moi une sorte d'office central utile aux chercheurs qui devinaient les implications de leurs découvertes, aux individus désireux de comparer et d'échanger leurs impressions, et

1 Calmann Lévy, Paris 1974, traduction de Jean Sendy.

aux journalistes à la recherche de données de base sur l'intérêt croissant pour l'étude de la conscience. Afin de satisfaire ce besoin apparent de liaison et de communication, je lançai, fin 1975, un bulletin bihebdomadaire, le *Brain/Mind Bulletin* traitant de sujets aussi divers que la santé, la psychiatrie, la psychologie, les états de conscience, les rêves ou la méditation.

Ce bulletin se révéla un véritable paratonnerre pour cette énergie que j'avais largement sous-estimée. La réaction, en effet, fut immédiate, sous la forme d'une avalanche d'articles, de correspondance et d'appels, confirmant qu'un nombre toujours plus grand de personnes exploraient ce nouveau territoire, à la fois de l'extérieur, par la science la plus poussée et de l'intérieur, par les expériences les plus profondes.

Au cours de mes déplacements dans l'ensemble du pays, lors de conférences que je donnai ou auxquelles j'assistai, j'ai trouvé ces pionniers partout. Et les nouvelles perspectives ont commencé à être mises en pratique. L'activisme social des années soixante et la « révolution de la conscience » au début des années soixante-dix, ont semblé converger en une synthèse historique : la transformation sociale résultant d'une transformation personnelle — le changement venant de l'intérieur vers l'extérieur.

En janvier 1976, je publiai un éditorial, intitulé « Le mouvement qui n'a pas de nom ». En voici le contenu partiel :

> Quelque chose de remarquable est en cours et se développe à une vitesse vertigineuse. Mais ce mouvement n'a pas de nom et il échappe à toute description.
>
> A mesure que le *Brain/Mind Bulletin* rapporte l'existence de nouvelles organisations, de groupes dont l'intérêt converge dans les nouvelles approches de la santé, de l'éducation humaniste, de la nouvelle politique et de la gestion, nous avons été frappés par la qualité indéfinissable du *Zeitgeist*.
>
> L'esprit du temps que nous vivons est chargé de paradoxes. Il est à la fois pragmatique et transcendantal. Il apprécie l'illumination et le mystère, le pouvoir et l'humilité, l'interdépendance et l'individualité. Il est simultanément politique et apolitique. Ses auteurs et ses acteurs se recrutent aussi bien auprès des conservateurs que parmi leurs adversaires.
>
> En quelques années, le mouvement a contaminé, par ses implications, la médecine, l'éducation, les sciences sociales, les sciences exactes et même le gouvernement.
>
> Il est caractérisé par des organisations fluides opposées aux dogmes et qui répugnent à créer des structures hiérarchiques. Il opère selon le principe que le changement peut seulement être facilité, et non pas décrété. Il est dépourvu de manifestes. Il semble, par son désir

d'intégrer la magie et la science, l'art et la technologie, traiter d'un sujet très ancien.

Peut-être, écrivais-je, cette force indéfinissable est-elle une idée dont le temps est venu et qui paraît suffisamment robuste désormais pour recevoir un nom. Mais comment caractériser cette lame de fond ?

La réponse des lecteurs à mon éditorial et les demandes d'autorisation de le réimprimer dans d'autres journaux me confirmèrent que nombreux étaient ceux qui ressentaient l'existence d'un même courant.

Quelques mois plus tard, alors que je rédigeais les grandes lignes du présent ouvrage, consacré à l'émergence de solutions sociales de rechange, je considérai de nouveau l'aspect particulier de ce mouvement : sa direction atypique, l'intensité patiente de ses adhérents, leurs succès improbables. Je pris soudain conscience que, par le fait qu'ils partageaient les mêmes stratégies, par leurs liens et leur façon de se reconnaître entre eux au moyen de signaux subtils, les participants ne faisaient pas que coopérer. C'étaient des complices. Ce mouvement était une conspiration !

Au début, je répugnai à employer ce terme. Je ne désirais pas faire du sensationnalisme ; en outre, le mot *conspiration* présente habituellement une connotation négative. Puis je tombai sur un livre d'exercices spirituels de l'écrivain grec Nikos Kazantzakis. Kazantzakis écrivait qu'il faisait signe à ses compagnons, « comme à des conspirateurs », qu'ils devaient s'unir pour le salut de la terre. Le jour suivant, le *Los Angeles Times* publia le compte rendu d'un discours du Premier ministre canadien Pierre Trudeau. Trudeau y citait un passage de Pierre Teilhard de Chardin homme de religion et de science, qui recommandait une « conspiration d'amour ».

Conspirer, dans son sens littéral, signifie « souffler ensemble ». Dans son ouvrage *L'énergie humaine,* Teilhard de Chardin donne au mot conspiration la définition suivante : « suppose à son principe *l'aspiration* commune exercée par une espérance. » On peut dire qu'une conspiration réunit des individus qui respirent le même air et aspirent aux mêmes buts. C'est une union intime. Afin de rendre claire la nature bénévole de cette union, je décidai d'y adjoindre le mot *Verseau* Malgré mon ignorance de l'astrologie, j'étais attirée par le pouvoir symbolique de ce rêve pénétrant de notre culture populaire, à savoir qu'après un âge d'obscurité et de violence — les Poissons — nous pénétrons dans un millénium d'amour et de lumière, « l'Ere du Verseau », le temps de « la vraie libération de l'esprit ».

Nous semblons être, en effet, entrés dans une époque différente, qu'elle ait été ou non écrite dans les astres, et le Verseau, le porteur d'eau de l'ancien zodiaque, est un symbole approprié puisqu'il représente le courant qui vient étancher une vieille soif.

Les trois années suivantes furent une période de recherches sans fin, pendant laquelle ce livre fut repensé et révisé. L'idée de la *Conspiration du Verseau* en vint à se répandre, provoquant invariablement une réaction de surprise et d'amusement lorsque les conspirateurs se reconnaissaient comme tels. Cette étiquette semblait évoquer parfaitement le mélange de solidarité et d'intrigue qui caractérise ce mouvement.

A mesure que ses réseaux se développaient, la conspiration se confirmait de semaine en semaine. Des groupes semblèrent s'organiser spontanément dans tout le pays et à l'étranger. Dans leurs avis et leurs communications internes, ils exprimaient la même conviction : « Nous sommes au cœur d'une grande transformation... » « Dans cette période d'éveil culturel... » Certains d'entre eux me mirent en relation avec d'autres conspirateurs : des politiciens, des célébrités, des professionnels s'efforçant de changer leur profession et des gens « ordinaires » qui accomplissaient des miracles de changement social. Ceux-ci, à leur tour, m'en firent connaître d'autres.

Ces aides bénévoles ne désiraient rien en retour ; tout ce qu'ils voulaient, c'est que d'autres ressentent ce qu'ils avaient éprouvé, qu'ils entrevoient notre potentiel collectif.

Fin 1977, j'envoyai un questionnaire à un certain nombre de personnes que je savais impliquées dans la Conspiration. Leurs réponses me permirent d'affirmer mon étude du mouvement.

Bien sûr, attirer l'attention sur ce mouvement jusqu'ici anonyme et qui a opéré avec tant d'efficacité sans publicité ne va pas sans risques. Il y a toujours la possibilité que ce grand réalignement culturel soit récupéré, banalisé ou exploité ; cela s'est même déjà produit jusqu'à un certain point. En outre, le danger existe que les signes extérieurs et les symboles de transformation soient pris, par erreur, pour le difficile sentier lui-même.

Mais quels que soient les risques que peut courir la conspiration une fois mise à jour, elle est l'œuvre de nous tous, tant sont anciennes et profondes ses racines dans l'histoire humaine. Ce livre tente d'en effectuer en quelque sorte le relevé, pour ceux qui appartiennent en esprit à cette conspiration, mais ne savent pas combien ils sont nombreux à partager leur sens du possible, et pour ceux, aussi, qui désespèrent et, pourtant, veulent considérer les signes d'espérance.

Un peu comme quand on répertorie une nouvelle étoile, de nommer la conspiration et d'en dégager les grandes lignes ne fait que rendre visible une lumière présente depuis le début, mais qui demeurait invisible car nous ignorions dans quelle direction tourner notre regard.

Marilyn Ferguson
Los Angeles, Californie
Janvier 1980

CHAPITRE PREMIER

LA CONSPIRATION

Après le non final vient un oui
Et de ce oui dépend l'avenir du monde.
Wallace STEVENS

UN puissant réseau, pourtant dépourvu de dirigeants, est en train de produire un changement radical aux Etats-Unis. Ses membres se sont débarrassés de certains éléments clés de la pensée occidentale ; ils pourraient même avoir rompu la continuité de l'histoire.

Ce réseau, c'est la Conspiration du Verseau. Il s'agit d'une conspiration sans doctrine politique. sans manifeste. Avec des conspirateurs qui ne recherchent le pouvoir que pour mieux le remettre à d'autres, dont les stratégies sont pragmatiques, voire scientifiques, mais dont la perspective présente une telle résonance mystique qu'ils hésitent à en parler.

Plus étendue qu'une réforme, plus profonde qu'une révolution, cette douce conspiration pour un nouveau programme de l'homme a déclenché le réalignement culturel le plus rapide de l'histoire. Ce grand, cet irrévocable changement qui vient nous surprendre et nous faire frissonner n'a rien d'un nouveau système politique, religieux ou philosophique. C'est un nouvel état d'esprit ; la montée d'une vision du monde surprenante dont le cadre rassemble à la fois les plus récentes percées de l'investigation scientifique et les prises de conscience de la plus ancienne pensée qui nous soit parvenue.

Les Conspirateurs du Verseau se rencontrent sur toute l'étendue de l'échelle des revenus et de l'éducation, des plus humbles aux plus éminents. On trouve parmi eux des instituteurs, des employés de bureau, des scientifiques célèbres, des fonctionnaires et des législateurs du gouvernement, des artistes et des millionnaires, des conducteurs de taxi et des célébrités, des autorités dans les domaines de la médecine, de l'éducation, de la loi, de la psychologie. Certains ne craignent pas d'afficher leur engagement, et leurs noms peuvent être familiers ; d'autres ne le laissent pas apparaître, pensant qu'ils peuvent être plus efficaces si l'on ne leur attribue pas des idées qui, bien trop souvent, ont été mal comprises.

Les conspirateurs sont légion. On les trouve dans les corporations, les universités et les hôpitaux, le personnel des écoles publiques, les usines, les cabinets médicaux, les corps législatifs des Etats, les organisations de volontaires ; ils sont virtuellement dans toutes les arènes politiques du pays, et jusque dans l'équipe de la Maison-Blanche.

Quelles que soient leur condition, leurs recherches, les conspirateurs sont unis, devenus membres d'une même famille par leurs découvertes sinon leurs « tremblements de terre » intérieurs. Par leur vie, ils témoignent que l'on peut dépasser les vieilles limites, l'inertie du passé et la peur, pour atteindre des niveaux d'accomplissements qui jadis semblaient impossibles. On peut gagner en richesse de choix, en liberté et en intimité humaine, être plus productif, confiant, à l'aise dans l'insécurité. On peut ressentir les problèmes comme des défis, comme des occasions de renouveau plutôt que de stress. La défensive et les soucis habituels s'écroulent. *Tout peut être autrement.*

Au début, la plupart des conspirateurs n'avaient pas en tête de changer la société. C'était certes une conspiration bien étrange. Mais ils découvrirent dans leurs *vies* le lieu où se faisaient les révolutions. Une fois qu'un changement personnel s'est produit pour de bon en eux, ils ont été conduits à tout repenser, examinant les anciennes hypothèses, considérant sous un nouveau jour leur travail, leurs relations, la santé, le pouvoir politique, les « experts », leurs valeurs et leurs buts.

Ils se sont assemblés en petits groupes dans chaque ville et institution. Ils ont formé ce que l'on a appelé des « non-organisations nationales ». Certains conspirateurs sont profondément conscients de la portée nationale et même internationale du mouvement et s'activent à tisser des liens. Ils sont simultanément l'antenne et le transmetteur, ils sont à la fois à l'écoute et en communication. Ils amplifient les activités de la conspiration en développant des réseaux et en diffusant des brochures, expliquant comment s'articulent les nouvelles options par des livres, des conférences, des programmes scolaires, et jusque dans des séances du Congrès et au moyen des médias nationaux.

D'autres ont centré leur activité à l'intérieur de leur spécialité, formant des groupes au sein même des organisations et institutions existantes. Ils exposent à leurs collègues les nouvelles idées, faisant souvent appel à tout le réseau pour recevoir des informations, un appui et des conseils en retour.

Enfin, il y a les millions d'autres qui ne se sont jamais imaginés comme faisant partie d'une conspiration, mais qui pressentent que leurs expériences et leurs luttes s'inscrivent dans quelque chose de plus vaste, une transformation sociale plus large et qui se révèle peu à peu si l'on sait où la chercher. Habituellement, ils n'ont pas connaissance des réseaux nationaux et de leur influence en haut lieu ; ils peuvent n'avoir jamais rencontré qu'un ou deux esprits-frères sur leur lieu de travail, dans leur voisinage ou leur cercle d'amis. Et pourtant, même dans des petits groupes à deux ou trois, huit ou dix, ils ont une influence certaine.

On ne les retrouvera pas regroupés sous une forme habituelle : en partis politiques, en groupes idéologiques, en clubs ou en organisations fraternelles. On dénombre des dizaines de milliers de points d'entrée dans cette conspiration. Partout où les gens partagent leurs expériences, tôt ou tard ils viennent à s'assembler et, à la longue, à constituer des cercles de plus en plus larges. Chaque jour leur nombre va croissant.

Si ce mouvement peut apparaître audacieux et romantique, nous verrons qu'il a émergé d'une séquence d'événements historiques qui aurait difficilement pu évoluer autrement. Il repose en outre sur des principes de la nature qui viennent tout juste d'être décrits et confirmés par la science. Dans son estimation du possible, il est rigoureusement rationnel.

« Nous sommes à un moment vraiment passionnant de notre histoire, peut-être à un tournant », a déclaré Ilya Prigogine, qui obtint le prix Nobel en 1977 pour l'élaboration d'une théorie des transformations, non seulement en sciences physiques, mais aussi dans la société, et qui montre le rôle du stress et des « perturbations » comme propulseur vers un nouvel ordre plus élevé. Les poètes et les philosophes avaient raison de considérer l'univers comme ouvert et créatif ; la transformation, l'innovation et l'évolution sont autant de réponses naturelles à une crise.

Il devient de plus en plus évident que les crises de notre temps représentent l'impulsion nécessaire pour la révolution en marche. A partir du moment où l'on comprend les pouvoirs transformatifs de la nature, on s'aperçoit que celle-ci est notre puissant allié, et non pas une force qu'il faut craindre ou réfréner. *Notre pathologie est notre occasion de changement.*

Le philosophe et scientifique Pierre Teilhard de Chardin a prophétisé le phénomène central de ce livre : une conspiration d'hommes et de femmes dont la nouvelle perspective est susceptible de déclencher une cruciale contagion de changement.

Au long de l'histoire, pratiquement tous les efforts pour changer la société ont commencé en modifiant ses formes et ses organisations extérieures. On admettait qu'une structure sociale rationnelle conduirait à l'harmonie par un système de récompenses, de punitions et de manipulations de pouvoir. Mais les tentatives périodiques d'accéder à une société juste au moyen de démarches politiques semblent avoir été contrecarrées par l'esprit de contradiction de l'homme. Alors, quoi d'autre ?

La Conspiration du Verseau représente ce « Quoi d'autre ». Il nous faut pénétrer dans l'inconnu. Le connu n'a déjà que trop failli aux espoirs que nous y avons fondés.

En considérant une perspective historique plus étendue et une évaluation plus profonde de la nature, la Conspiration du Verseau est une forme différente de révolution, avec des révolutionnaires d'un nouveau style. Elle vise le retournement de conscience d'un nombre critique d'individus, suffisant pour provoquer un renouveau de la société.

« Nous ne pouvons pas attendre que le monde tourne, a dit la philosophe Béatrice Bruteau, que les temps changent et que nous changions avec eux, que la révolution vienne et nous emporte dans son nouveau cours. C'est nous qui *sommes* le futur. Nous *sommes* la révolution. »

Le changement de paradigme

De nouvelles perspectives donnent naissance à de nouvelles périodes historiques. L'humanité a connu de nombreuses et spectaculaires révolutions dans son interprétation de la réalité, de grands sauts, de soudaines libérations hors des anciennes limites. Nous avons découvert les emplois du feu, de la roue, le langage et l'écriture. Si la terre *semble* plate, si le soleil *semble* tourner autour de la terre, si la matière *semble* solide, nous savons que tout cela n'est qu'apparence. Nous avons appris à communiquer, à voler, à explorer.

Pour décrire correctement de telles découvertes, on parle de « changement de paradigme », un terme introduit par l'historien des sciences et philosophe Thomas Kuhn, dans son livre *La Structure des révolutions scientifiques,* publié en 1962 et qui a fait date. Les idées de Kuhn sont d'une grande importance, parce qu'elles nous aident non seulement à comprendre le mécanisme d'émergence d'une nouvelle conception, mais aussi comment et pourquoi ces nouvelles visions sont invariablement accueillies par une période de résistance.

Un paradigme est un cadre de pensée (du grec *paradeigma,* « exemple »). Un paradigme est une sorte de structure intellectuelle permettant la compréhension et l'explication de certains aspects de la réalité. Bien que Kuhn ait employé ce terme en science, celui-ci a été adopté très largement. Certains parlent de paradigme en éducation, de paradigmes pour la planification urbaine, du changement de paradigme en médecine...

Un changement de paradigme est, sans équivoque, une nouvelle façon de penser les vieux problèmes. Par exemple, pendant plus de deux siècles, les penseurs de premier plan admettaient que le paradigme d'Isaac Newton décrivant les forces mécaniques prévisibles finirait par tout expliquer en termes de trajectoires, de gravité, de force, cernant les ultimes secrets d'un univers perçu comme un mouvement d'horlogerie.

Mais à mesure que les scientifiques poussaient leur investigation en direction des dernières et insaisissables réponses, certaines données apparurent ici et là, refusant de coller avec la conception de Newton. C'est ce qui arrive à tout paradigme. Finalement, les observations s'accumulent à l'extérieur de l'ancien cadre d'explication et, devenant trop nombreuses, le mettent à l'épreuve. C'est habituellement à ce point de la crise qu'un individu a une grande idée hérétique, une prise de conscience puissante et neuve qui vient expliquer les apparentes contradictions. En poussant à l'élaboration d'une théorie plus complète, la crise n'est pas *destructive* mais *instructive*.

La théorie de la Relativité d'Einstein constitua le nouveau paradigme qui a supplanté la physique newtonienne. Elle a permis de résoudre bien des travaux inachevés, des anomalies et des énigmes qui ne pouvaient s'intégrer à l'ancienne physique. Et quelle solution renversante : les vieilles lois mécaniques n'étaient pas universelles ; leur domaine de validité ne s'étendait pas à la galaxie et à l'électron.

Un nouveau paradigme fait apparaître un principe qui avait toujours été présent, mais que nous n'avions pas reconnu. Il inclut l'ancienne conception comme une vérité partielle, un aspect de la réalité, de la façon dont « les choses fonctionnent », tout en leur permettant de fonctionner aussi bien d'autres façons. Par sa perspective plus large, il transforme le savoir traditionnel et les nouvelles observations rebelles en réconciliant leurs contradictions apparentes.

Le nouveau cadre en fait plus que l'ancien. Ses prévisions sont plus précises, et il perce de nouvelles portes et fenêtres dans l'édifice de l'investigation scientifique.

Compte tenu de son pouvoir supérieur et de sa portée, on pourrait s'attendre à ce que la nouvelle idée l'emporte assez rapidement, mais cela n'arrive à peu près jamais. Le problème, c'est qu'on ne peut saisir le nouveau paradigme tant qu'on n'a pas abandonné l'ancien. On ne peut effectuer cette transformation petit à petit, dans la tiédeur. Kuhn la compare avec le changement de forme, connu en gestalt-psychologie et qui doit se produire d'un coup. On n'a pas à comprendre le nouveau paradigme ; on le voit seulement tout soudain.

Les nouveaux paradigmes sont à peu près toujours accueillis avec froideur, et même moquerie et hostilité. Ils apparaissent comme des hérésies et suscitent l'attaque. L'histoire en fournit maints exemples : Copernic, Galilée, Pasteur, Mesmer, et bien d'autres. La nouvelle idée semble *a priori* bizarre, voire déconcertante, car le découvreur vient juste de faire un saut intuitif sans avoir encore agencé toutes les données.

La nouvelle perspective exige un revirement profond dont les scientifiques conservateurs sont rarement capables. Comme Kuhn l'a montré, ceux qui ont travaillé avec fruit dans l'ancien cadre y sont effectivement attachés par l'habitude. Même confrontés à l'évidence accablante, ils s'entêtent et s'en tiennent à leur conception, fausse mais familière. La plupart du temps, ils emportent leur foi inébranlée dans la tombe.

Mais le nouveau paradigme gagne en influence. Une nouvelle génération reconnaît son pouvoir explicatif. Lorsqu'un nombre suffisant de penseurs a accepté la nouvelle idée, un changement de paradigme collectif s'est produit. Il y a suffisamment de gens qui ont saisi la nouvelle perspective ou qui ont été élevés dans ce cadre pour que se forme un consensus. Puis, après une période, ce paradigme est à son tour troublé par des contradictions ; une autre percée se produit, et le processus se répète. C'est ainsi que le cadre scientifique est constamment en train de craquer et de s'étendre.

Un réel progrès dans la compréhension de la nature est rarement linéaire. Toutes les avances conceptuelles importantes sont des intuitions soudaines, de nouveaux principes, de nouvelles façons de voir. Ce processus de saut en avant n'a pas été pleinement reconnu en partie parce que les manuels tendent à édulcorer les révolutions, qu'elles soient culturelles ou scientifiques. Ils font l'historique des progrès comme s'ils avaient été amenés logiquement et sans troubles en leur temps.

En effet, un pont d'explications ayant été bâti, avec peine, dans les années qui ont suivi le saut intuitif, ces grandes idées apparaissent désormais et rétrospectivement raisonnables et même inévitables. Nous les tenons pour évidentes, alors qu'au début elles apparaissaient insensées.

En donnant un nom à un phénomène difficile à reconnaître, Kuhn nous a rendus conscients des processus de révolution et de résistance. Dès lors que nous commençons à comprendre la dynamique des prises de conscience révolutionnaires, nous pouvons apprendre à favoriser notre propre et salubre changement et coopérer en encourageant le changement d'esprit collectif sans attendre que s'instaure l'ambiance fiévreuse d'une crise. Cela, nous pouvons le faire en posant les questions autrement, en mettant en question nos vieilles conceptions. Celles-ci sont l'air que nous respirons, notre décor familier. Elles font partie intégrante de notre culture. Nous ne sommes pas aveugles au point de ne pas les voir ; elles doivent faire place à des perspectives plus fondamentales si nous voulons découvrir ce qui ne va pas, et pourquoi. La plupart des problèmes, comme ces *koans* que les maîtres zen donnent à méditer à leurs novices, ne peuvent être résolus au niveau auquel ils ont été posés. Il faut en changer le cadre, les situer dans un contexte plus large Quant aux conceptions injustifiées, elles doivent être abandonnées

Actuellement, nous tentons de résoudre les problèmes avec des outils qui proviennent du contexte ancien, sans nous apercevoir que la crise qui s'envenime est un symptôme de notre attitude butée.

Par exemple, nous nous demandons comment nous allons pouvoir garantir une assurance santé suffisante sur le plan national, compte tenu de l'augmentation des coûts des traitements médicaux. Automatiquement, on assimile la santé aux hôpitaux, aux médecins, à la prescription de médicaments, la technologie. Ne pourrions-nous pas, au contraire et avant tout, nous demander ce qui rend les gens malades ? Quelle est la nature de la santé ? Autre exemple : nous discutons sur les meilleures méthodes d'enseignement pour le programme des écoles publiques, mais nous nous posons rarement la question de savoir si le programme lui-même est approprié. Il est encore plus rare que nous nous interrogions sur la nature de l'apprentissage.

Les crises que nous connaissons montrent de quelle façon nos institutions ont trahi la nature. Nous avons confondu le bien-vivre et la consommation matérielle, nous avons déshumanisé le travail et l'avons rendu compétitif sans nécessité, nous sommes inquiets au sujet de nos capacités à apprendre et enseigner. Des soins médicaux hors de prix n'ont permis qu'un faible progrès contre la maladie chronique et catastrophique, tout en devenant de plus en plus impersonnels et importuns.

La possibilité de sauvetage en cette époque de crise ne repose ni sur la chance et le hasard, ni sur les vœux pieux. Armés que nous sommes d'une compréhension plus profonde de la manière dont les choses changent, nous savons que les forces-mêmes qui nous ont conduits, la planète et nous, au bord de l'abîme, portent en elles les germes du renouveau. Le déséquilibre actuel — personnel et social — laisse prévoir un nouveau type de société. Les rôles, les relations, les institutions et les vieilles idées sont en cours de réexamen, pour être reformulés dans un nouveau projet.

Pour la première fois dans l'histoire, l'humanité a accès au panneau de contrôle du processus de changement, à la compréhension de la manière dont les transformations se produisent. Nous vivons désormais à l'ère du *changement du changement,* où il nous est possible d'adopter les processus naturels pour notre propre rénovation et celle de nos institutions croulantes.

Le paradigme de la Conspiration du Verseau conçoit l'humanité comme enracinée dans la nature et encourage l'individu autonome dans une société décentralisée en nous considérant comme des intendants de toutes nos ressources, extérieures et intérieures. Il ne nous voit pas comme des victimes ou des pions limités par les conditions ou le conditionnement, mais comme les héritiers des richesses de l'évolution, capables d'imagination, d'invention et d'expériences que nous n'avons encore qu'entr'aperçues.

La nature humaine n'est ni bonne ni mauvaise, mais ouverte vers une continuelle transformation et transcendance. Elle n'a qu'une chose à faire, se découvrir elle-même.

Les changements de paradigmes personnels : cherchez le motif caché

Lorsqu'un individu en fait l'expérience, le changement de paradigme peut être comparé à la découverte de dessins cachés dans le jeu « cherchez l'intrus » des magazines pour enfants. De prime abord, on ne voit que le dessin d'un arbre et d'un étang. Mais on vous demande de regarder plus attentivement, de chercher quelque chose qui n'a pas de raison d'être là. Et soudain surgissent des objets, jusque-là camouflés dans le tableau : des branches émerge un poisson ou une fourche, les lignes autour de l'étang cachaient une brosse à dents.

Personne ne peut nous amener à voir les dessins cachés. On ne peut nous *persuader* de la présence de ces objets. On les aperçoit, ou pas. Mais une fois qu'ils se sont révélés, ils sont désormais pleinement tangibles chaque fois qu'on regarde le dessin et on se demande comment on a pu les manquer auparavant.

Durant nos années d'éducation, nous avons fait l'expérience de changements de paradigmes mineurs, de prises de conscience, par exemple de principes de géométrie ou d'un jeu ; ou bien, nos croyances politiques ou religieuses ont pu s'élargir soudain. Chaque prise de conscience s'est traduite par une expansion du cadre de pensée, par une façon neuve de percevoir les rapports entre les choses.

La saisie d'un nouveau paradigme nous rend plus humbles et nous vivifie tout à la fois. Nous n'étions pas tant dans l'erreur que partiaux, comme si nous n'avions regardé qu'avec un seul œil. Le changement ne consiste pas en un acquis de connaissances, mais en un *regard neuf*. Le scientifique et poète Edward Carpenter, remarquable visionnaire social de la fin du XIXᵉ siècle, a décrit ainsi ce changement :

> Si l'on arrête la pensée et qu'on persévère, on atteint finalement une région de la conscience située en dessous ou en arrière de la pensée ; on réalise alors un soi bien plus vaste que celui auquel nous sommes habitués. Et puisque la conscience ordinaire, celle de la vie de tous les jours, est l'écran du petit soi local sur lequel s'inscrivent toutes choses, il s'ensuit que la laisser s'éteindre équivaut à mourir au soi et au monde ordinaires.
>
> C'est mourir, dans le sens habituel, mais d'un autre côté c'est s'éveiller, en découvrant que le « je », le soi le plus vrai, le plus intime, pénètre l'univers et tous les autres êtres.
>
> Cette expérience est à ce point merveilleuse, qu'on peut dire que questions et doutes se relativisent et s'effacent devant elle ; c'est par

milliers qu'on dénombre de telles expériences, confirmant que le fait pour un individu d'en avoir vécu une ne serait-ce qu'une fois, bouleverse complètement sa conception du monde et le reste de sa vie.

Carpenter a saisi l'essence de l'expérience transformative : l'élargissement de la conscience, le rapport nouveau entre les choses, le pouvoir de transformer en permanence une vie. Comme il l'a dit, cette « région de la conscience » s'ouvre à nous lorsque nous sommes vigilants et calmes, plutôt qu'affairés à réfléchir et à planifier.

Que ce soit par accident ou délibérément, des gens ont vécu de telles expériences tout au long de l'histoire. De profonds changements intérieurs peuvent se produire en réponse à divers facteurs : une pratique contemplative, une grave maladie, des randonnées en région sauvage, des émotions paroxystiques, un effort créatif, des exercices spirituels ou de respiration contrôlée, des techniques pour « arrêter la pensée », des drogues psychédéliques, certains mouvements, l'isolement, la musique, l'hypnose, la méditation, la rêverie ou les conséquences d'une intense lutte intellectuelle.

A travers les siècles et partout dans le monde, les techniques capables d'induire de telles expériences n'étaient pratiquées que par de rares initiés à chaque génération. Des fraternités dispersées, des ordres religieux et certains petits groupes ont exploré les richesses extraordinaires et potentielles de l'expérience consciente. Ils ont parfois mentionné dans leurs doctrines ésotériques le caractère libérateur de leurs expériences illuminatives. Mais ils étaient trop peu nombreux ; ils n'avaient pas les moyens de propager leurs découvertes ; et la plupart des habitants de la terre avaient plus pour souci leur propre survie que la transcendance.

Et soudain, voilà que ces dix dernières années, ces systèmes à la simplicité trompeuse, les richesses des littératures des nombreuses cultures du passé et du monde entier sont accessibles à l'ensemble de la population, dans leur forme originale ou bien adaptées à la sensibilité d'aujourd'hui. Des grands magasins aux aéroports, on trouve désormais la sagesse du monde en collection de poche. Des cours d'université, des séminaires de week-end, des cours d'éducation aux adultes et des centres commerciaux se mettent à proposer des techniques pour stimuler son énergie personnelle, favoriser l'intégration et l'harmonie dans sa vie. Ces systèmes visent à éveiller la conscience des participants à leur vaste potentiel inexploité, à étendre la sensibilité du système nerveux, à harmoniser le corps et l'esprit. C'est un peu comme si on s'équipait d'un sonar, d'un radar et de puissantes lentilles.

Comme nous le verrons au chapitre II, cette idée d'une rapide transformation de l'espèce humaine, précédée d'une avant-garde, se retrouve chez nombre de penseurs, artistes et visionnaires, parmi les plus doués de l'histoire.

Tous les systèmes d'expansion et d'approfondissement de la conscience emploient des stratégies semblables et conduisent à des découvertes personnelles étrangement similaires. Mais voici qu'en plus, nous savons désormais que ces expériences subjectives ont des corrélats objectifs. Comme nous le verrons, l'investigation en laboratoire permet d'apprécier l'influence de ces méthodes sur l'activité du cerveau ; elles rendent le fonctionnement de celui-ci moins aléatoire et témoignent d'un degré d'organisation accru. *Littéralement, le cerveau entreprend une transformation accélérée.*

Les techniques transformatives nous donnent accès à la créativité, à la guérison, à la liberté de choix. La faculté d'effectuer des prises de conscience, de dégager par l'imagination de nouveaux rapports, jadis le privilège de quelques individus doués par nature, peut être dorénavant acquise par quiconque fait preuve d'une solide volonté d'expérimenter et d'explorer.

La plupart du temps, les expériences illuminatives ont été accidentelles. Nous les attendons un peu comme l'homme primitif attendait la foudre pour faire du feu. Mais notre instrument d'apprentissage le plus crucial est notre faculté mentale de faire des rapprochements, de forger des liens ; c'est l'essence même de l'intelligence humaine de dépasser le donné pour explorer le contexte et trouver des structures, des relations. Le processus qui conduit à la prise de conscience peut être à ce point accéléré que le déploiement de nouvelles possibilités peut nous étourdir et même nous effrayer. Pourtant, chacune d'elles nous permet de mieux comprendre et de prévoir plus précisément notre route dans la vie.

Il n'est pas étonnant que ces changements de conscience soient vécus comme un éveil, une libération, une transformation et une unification. Etant donné la récompense, on comprend qu'en quelques années des millions d'individus se soient mis à de telles pratiques. Ils découvrent qu'ils n'ont pas à attendre que le monde, que les autres changent. Leur vie et leur environnement viennent à se transformer à mesure que change leur état d'esprit. Ils s'aperçoivent qu'ils ont en eux un centre plein de santé, les ressources pour composer avec le stress et pour innover, enfin qu'ils ont des amis partout.

Ils ont du mal à faire connaître ce qui leur est arrivé, à ordonner leur exposé et ils peuvent se sentir quelque peu insensés ou prétentieux à parler de leur expérience. L'un tentera de la décrire en parlant d'éveil après des années de sommeil, de réunification des parties éclatées de lui-même, l'autre par l'image de la guérison ou du retour chez soi.

La réaction des amis ou des parents n'est, pour beaucoup, qu'une douloureuse condescendance, du genre de celle de ces adultes qui mettent en garde un adolescent contre sa naïveté et son idéalisme.

Confiance, crainte et transformation

Ayant trouvé au cœur d'eux mêmes force et santé, ceux qui ont appris à avoir confiance en eux ont tendance à avoir plus confiance dans les autres. Les cyniques qui ne croient pas au changement sont habituellement cyniques vis-à vis d'eux mêmes, doutant de leur propre capacité d'amélioration. La transformation, comme nous le verrons, requiert un minimum de confiance.

Nous pouvons avoir peur de perdre le contrôle de nous-mêmes, soupçonnant que nous risquons de trouver en nous les sombres forces inconscientes décrites aussi bien par les enseignements des religions que par Freud. Nous pouvons craindre de nous éloigner trop de notre famille et de nos amis et de nous retrouver seuls.

Enfin, notre peur d'y investir nos espoirs nous fait examiner cette perspective dans tous les sens, comme si c'était un truc de magicien. Nous vérifions ses poches, nous cherchons des miroirs et autres accessoires, d'autant plus soupçonneux que nous sommes blasés. Après tout, nous avons déjà si souvent essuyé de déceptions, venant d'autrui comme de soi, que ce soit dans les jeux, la propagande politique, les façades ou les courbettes pleines d'imagination de la publicité.

Oui, nous avons été déçus bien souvent, escroqués par des promesses qui se sont révélées trop belles pour être vraies. Et il est certain que l'or mythique du processus de transformation a de tout temps inspiré des faussaires.

Le nouveau paradigme, avec ses promesses sans fin, semble lui aussi trop riche et universel. Mais il faut voir que nos craintes sont aussi nos protections. Avec le temps, nous avons appris à nous identifier à nos limites. Alors qu'on nous convie à avoir confiance dans les promesses d'une oasis, nous défendons les mérites du désert. Notre conformisme est dû en partie à notre peur de nous-mêmes, à nos doutes quant à la justesse de nos propres décisions; et puis, dans la collection de nos préjugés culturels figure cette conviction que le malheur est la marque de la sensibilité et de l'intelligence.

Ceux qui s'inquiètent de ce que les nouvelles idées ébranlent la culture en ses racines sont dans le vrai. Le processus de transformation, même s'il peut paraître étranger a priori, se révèle bientôt irrévocablement juste. Quelles que soient les appréhensions initiales, on ne peut plus parler de charge une fois que l'on a abordé ce que l'on croyait à jamais perdu, le chemin du retour.

Dès que le voyage a commencé sérieusement, plus rien ne peut nous en dissuader. Aucun parti politique, aucune religion établie ne pourraient ordonner une plus grande loyauté. C'est un engagement avec la vie elle-même, une seconde occasion de lui trouver un sens.

Liens et communications

Si l'on veut que ces découvertes transformatives deviennent notre héritage commun pour la première fois dans l'histoire, nous devons les répandre largement. Elles doivent devenir notre nouveau consensus notre évidence.

Au début du XIXᵉ siècle, Alexis de Tocqueville nota que le comportement culturel et les croyances non verbales se modifient bien avant que les gens reconnaissent ouvertement que les temps ont changé. La tradition orale peut prolonger pendant des années, voire des générations, des idées qui ont été depuis longtemps abandonnées en privé. Personne ne conspire pour détruire ces vieux cadres de pensée, remarquait Tocqueville ; ainsi ils continuent à nous influencer et à décourager les innovateurs. Mais si nous avons le courage de reconnaître et de partager nos doutes et nos défections, quant au vieux paradigme, d'en exposer les manques et les défauts, la structure rachitique, alors nous pouvons le démanteler. Nous n'avons pas besoin d'attendre qu'il s'écroule sur nous.

La Conspiration du Verseau utilise la variété de ses avant-postes d'influence pour révéler les mythes dangereux et la magie de l'ancien paradigme, pour en attaquer les idées et les pratiques surannées. Les conspirateurs nous invitent à revendiquer le pouvoir que nous avons livré à la coutume et à l'autorité, et pour découvrir, en deçà du fouillis de notre conditionnement, le cœur d'intégrité qui transcende les conventions et les codes.

Nous bénéficions du phénomène prévu en 1964 par Marshall McLuhan : l'*implosion* de l'information. La planète est vraiment devenue un village global Personne n'avait prévu la vitesse avec laquelle les applications techniques seraient mises au service de l'individu, notre vitesse à nous adapter et même à accepter les nouveaux modes de relations. Le conformisme qui désolait Tocqueville fait place à un éveil d'authenticité, à une épidémie sans équivalent dans l'histoire.

Désormais, nous pouvons vraiment nous rencontrer entre nous et nous confier ce que nous avons abandonné et ce à quoi nous croyons maintenant. Nous pouvons conspirer contre les vieilles conceptions périmées. Nous pouvons *vivre* contre elles.

« Peut-être pour la première fois dans l'histoire du monde, disait en 1978 le psychologue Carl Rogers, les gens s'ouvrent réellement, exprimant leurs sentiments sans peur d'être jugés. La communication est qualitativement différente de celle du passé, plus riche et plus complexe. »

Ces catalyseurs humains que sont les Conspirateurs du Verseau répandent les nouvelles options dans les salles de classe, à la télévision, dans des publications, des films, des œuvres d'art, des chansons, des journaux scientifiques, par les circuits de conférences, durant les pauses café ou les parties, dans les documents gouvernementaux comme dans les nouvelles organisations politiques et législatives. Ceux qui, au départ, n'osaient pas mettre en question les opinions qui prévalent viennent à s'enhardir.

Les idées transformatives trouvent également des vecteurs de propagation dans des domaines aussi variés que la santé, le sport, la diététique, la gestion d'affaires, l'affirmation de soi, le développement de soi, le stress, les relations humaines. Au lieu des anciens livres du genre « comment faire ceci ou cela », se répand une littérature qui met l'accent sur l'attitude et non pas le comportement. Les exercices et les expériences qu'on y recommande ont pour but de déboucher directement dans le vécu et selon la nouvelle perspective.

Car il n'y a vraiment que ce qui est ressenti profondément qui peut nous changer De simples arguments rationnels ne peuvent pénétrer les couches de peur et de conditionnement qui bloquent nos systèmes de croyance. La Conspiration du Verseau crée des occasions, partout où c'est possible, visant à susciter chez les gens des modifications de conscience. Les cœurs aussi bien que les esprits doivent changer. Il faut que la communication, après son élargissement, gagne en profondeur.

En descendant jusqu'aux racines des peurs et des doutes, nous pouvons changer radicalement. Certains commencent à s'occuper de problèmes sociaux et à agir selon des voies qui n'ont jamais été empruntées par ces influences extérieures comme la persuasion, la propagande, le patriotisme, les injonctions religieuses, les menaces ou les prédications de fraternité. Comme l'ont toujours dit les mystiques, un nouveau monde est un nouvel esprit.

Du désespoir à l'espérance

Ceux qui critiquent la société contemporaine ne font trop souvent qu'étaler leur propre désespoir ou une forme de cynisme à la mode pour masquer leur propre constat d'impuissance. « L'optimisme est de mauvais goût, remarque le philosophe Robert Solomon. Ce qui apparaît comme une préoccupation n'est en fait que de l'indulgence envers soi-même, une amère satisfaction de soi. On déclare que la société est « pourrie » afin d'avoir pitié de soi qui en est « prisonnier ». On tient le monde entier responsable de son propre malheur — ou les erreurs politiques. »

S'il faut nous frayer un chemin en eaux troubles, il vaut mieux que nous recherchions la compagnie de ceux qui ont bâti des ponts, qui, rejetant désespoir et inertie, ont fait bouger les choses. L'espoir qui anime les Conspirateurs du Verseau ne vient pas de ce qu'ils en savent moins que les cyniques, mais de ce qu'ils en savent *plus,* enrichis par leurs expériences personnelles, par leur connaissance du front de l'investigation scientifique et par la récolte, partout dans le monde, d'informations sur des tentatives sociales couronnées de succès.

Ils ont observé des changements en eux, chez leurs amis, dans leur travail. Ils sont patients et pragmatiques, rassemblant les petites victoires dont l'accumulation doit conduire au grand éveil culturel. Ils savent que l'occasion peut prendre différentes formes, que la dissolution et la souffrance sont des étapes nécessaires pour le renouveau et que les « échecs » peuvent leur apprendre beaucoup. Sachant qu'un profond changement chez une personne ou une institution ne peut venir que de l'intérieur, ils ne recherchent pas la confrontation. Jour après jour ils travaillent et agissent à leur façon, affrontant les mauvaises nouvelles. Ils ont choisi leur manière de vivre, quel qu'en soit le coût. Pour la plupart, ils savent la puissance qu'ils représentent ensemble désormais.

Voir la culture émergente

La société occidentale est à un tournant. De nombreux penseurs clefs ont connu ce changement de paradigme qui permet de saisir comment se produisent les changements de paradigmes ; ils ont vécu cette révolution qui permet de comprendre comment naissent les révolutions : dans le ferment des vieilles questions sans réponse et dans le constat tranquille qu'elles le resteront.

Dans son livre *Démocratie en Amérique,* Tocqueville écrit que l'imminence d'une révolution se caractérise par une période critique d'agitation pendant laquelle s'établit entre une poignée de réformateurs clefs un contact suffisant pour qu'ils se stimulent mutuellement et pour que « les nouvelles opinions changent soudain la face du monde ».

Comme nous le verrons, les premiers signes d'une révolution sont des tendances, des comportements non ordinaires qui sont facilement mal compris car ils sont interprétés selon le contexte de l'ancien paradigme. En outre et pour augmenter la confusion, ces nouveaux comportements peuvent être imités et exagérés par ceux qui n'ont pas vécu le retournement intérieur qui seul permet de les comprendre. Toutes les révolutions attirent les mercenaires, les amateurs de sensationnel et les instables, qui viennent se mêler à ceux qui sont vraiment engagés

Une révolution débutante, tout comme une révolution scientifique, est d'abord considérée comme folle ou improbable. Quand son progrès est manifeste, elle semble alarmante et menaçante. Après coup, lorsque le pouvoir a changé de mains, il apparaît clairement qu'elle devait se produire.

Ne connaissant pas le processus de changement historique des valeurs et des cadres de pensée, n'ayant pas conscience de la nature continue et pourtant radicale du changement, nous pouvons être emportés ou rejetés par des révolutions culturelles, sans rien savoir de leurs causes ni de leurs buts. Nous ne sommes pas préparés à détecter les premières secousses des convulsions culturelles naissantes, ni à remarquer les lueurs ou les obscurcissements subtils qui animent l'horizon.

Qu'elles soient sociales, scientifiques ou politiques, toutes les révolutions prennent leurs contemporains par surprise, à l'exception des visionnaires qui semblent, à partir de bribes d'informations, pouvoir détecter dès l'origine l'amorce du changement. Comme nous le verrons, la seule logique est insuffisante pour prévoir ; il faut y ajouter l'intuition pour saisir globalement la situation.

Par définition, les révolutions ne sont pas des processus linéaires, se déroulant pas à pas, l'événement *A* amenant l'événement *B*, et ainsi de suite. Les causes sont en même temps multiples et intriquées. Les révolutions arrivent d'un seul coup, comme le motif d'un kaléidoscope. Elles cristallisent plus qu'elles n'évoluent.

La sagesse populaire nous rappelle que « pour l'aveugle, toutes choses sont soudaines ». Cette Conspiration du Verseau ne s'annonce pas dans un futur lointain. Elle est notre futur immédiat et, même par maints aspects, la dynamique de notre présent. Pour ceux qui la voient, la nouvelle société n'est pas une contreculture, ni une réaction au sein de l'ancienne, mais une culture émergente, la fusion d'un nouvel ordre social, une collection de cultures « parallèles » fusionnant en un nouvel ordre social.

Stress et transformation sont les deux idées corrélées qui reviennent comme une litanie dans la littérature de la Conspiration du Verseau.

Selon l'Association pour la psychologie humaniste, « nous vivons une période d'une extraordinaire signification évolutionnaire. Le véritable chaos que nous connaissons fournit le matériel nécessaire à la transformation. Nous sommes à la recherche de visions du monde et de mythes nouveaux. »

Le *Times* de Londres, rendant compte des quelque quatre-vingt-dix mille personnes qui ont participé en 1978, près de Londres, au « Festival pour l'Esprit et le Corps », prévoyait un rapide développement de l'intérêt populaire pour la vision transformative :

> « Les participants du festival étaient à la recherche de quelque chose : non pas la certitude mais la compréhension ; la compréhension d'eux-mêmes. La plupart des voies proposées convergeaient vers le même but, la quête de la vie intérieure

Ce sujet revient aujourd'hui avec plus d'insistance que jamais dans l'histoire. La marée humaine qui déferla à l'Olympia n'est que la première goutte de la vague qui doit bientôt balayer politiciens et idéologues et noyer leurs prétentions vides sous la confiance de soi née de la saisie *authentique* de leur propre nature. »

La déclaration d'ouverture d'un symposium sur le futur de l'humanité tenu en 1979 disait en substance : « Notre défi majeur est de créer un consensus autour de cette idée qu'un changement fondamental est possible — de créer un climat, un cadre capable d'organiser et de coordonner l'ensemble des forces qui de nos jours, tentent péniblement de se développer selon des voies séparées et pourtant semblables. Nous voulons élaborer une vision vibrante et irrésistible, un nouveau paradigme pour une action humaniste constructive. Tant que nous n'aurons pas dépeint ce contexte fondamental, toute discussion sur la stratégie n'aura pas de sens. »

Le sujet de ce livre est précisément la description de ce contexte fondamental. Il atteste le changement personnel et culturel en profondeur que connaît notre époque, en fournissant des preuves, certaines accessoires, d'autres péremptoires. C'est un guide pour discerner les paradigmes, poser de nouvelles questions, saisir les changements grands et petits impliqués dans cette immense transformation.

Il traite de tout ce qui a trait à ce changement, des techniques, des conspirateurs, des réseaux, des périls, des ambitions, des promesses, etc. Il cherche aussi à montrer que ce mouvement, considéré par certains comme élitiste, concerne en fait tout le monde et est ouvert à quiconque désire en faire partie.

De cette idée qu'une conspiration peut engendrer une nouvelle société, nous explorerons les racines historiques, et nous rechercherons des signes précurseurs de cette transformation. Forts de l'évidence que le cerveau humain possède des capacités impressionnantes pour transformer et innover, nous passerons en revue les différentes méthodes destinées à favoriser une telle transformation en les illustrant de témoignages d'expériences individuelles et décisives.

Nous verrons comment les circonstances culturelles et historiques ont préparé la société au changement actuel et comment l'Amérique en particulier avait depuis longtemps un tel tournant. Nous décrirons les structures de ce nouveau monde au moyen des conceptions nouvelles sur la nature ; celles-ci peuvent étonner *a priori,* mais prennent tout leur sens à la lumière de la convergence de nombreuses branches scientifiques et de percées heuristiques.

Nous étudierons les courants sous-jacents de changement en politique et l'émergence d'une nouvelle forme sociale, de l'institution de notre temps, les réseaux, sources de possibilités sans précédent pour les individus. Nous détaillerons les profonds changements de paradigme en cours dans les domaines de la santé, de l'éducation, du travail et des systèmes de valeur. Dans chacun de ces domaines, nous observerons le retrait du soutien populaire aux institutions établies.

Nous aborderons l' « aventure spirituelle », qui est le fond de la Conspiration du Verseau, la quête d'un sens qui devient une fin en soi. Nous dégagerons les traits du processus transformatif et de son influence puissante et souvent perturbatrice dans les relations avec autrui. Finalement, nous évoquerons son extension probable à l'échelle mondiale.

Tout au long de l'ouvrage, la description de certains projets et le vécu de nombreuses personnes serviront d'illustration. Ces citations n'ont pas valeur d'arguments d'autorité, il faut plutôt les voir comme des fragments d'une grande mosaïque, d'une nouvelle et irrésistible direction de l'effort et de l'esprit humains en ce moment de l'histoire. Les lecteurs pourront s'inspirer de ces exemples de changement en les adaptant et les personnalisant.

Ces nouveaux paradigmes pourront susciter certaines questions que beaucoup préfèrent laisser dans l'ombre. Des lecteurs pourront avoir à faire face à certaines conséquences cruciales dans leur propre vie. Les nouvelles perspectives ont la faculté de déstabiliser les anciennes croyances et valeurs ; elles peuvent percer le mur de refus et de défenses érigé de longue date. Même une petite révolution personnelle présente des ramifications qui peuvent nous sembler plus alarmantes que la menace d'un grand changement culturel.

Ce voyage nous conduira à aborder certaines idées clés importantes, capables d'enrichir et d'élargir notre vie, alors que, jusque-là, elles restaient plutôt l'affaire des spécialistes et des politiciens.

Il nous faudra construire des ponts entre l'ancienne et la nouvelle vision du monde. Il suffit que l'on ait saisi le changement de base qui est en cours dans un des domaines essentiels, pour que la compréhension dans les autres domaines en soit facilitée. Cette saisie d'un nouveau modèle transcende toute explication ; c'est une mutation qualitative, soudaine, le résultat de processus neurologiques trop rapides et trop complexes pour être suivis par le mental.

Si l'évidence d'un nouveau concept n'apparaît pas du premier coup, cela viendra au cours de la lecture, par analogie, en quelque sorte. Les exemples, métaphores, comparaisons et illustrations feront qu'en leur temps les déclics se produiront, les motifs émergeront. D'un seul coup, les anciennes questions paraîtront hors de propos à la lumière de la nouvelle perspective.

Une fois que l'on a saisi l'essence de cette transformation, de nombreux événements et tendances qui nous entourent de près ou de loin et demeuraient inexplicables, trouvent une cohérence. Il devient plus facile de comprendre les changements qui s'opèrent au sein de sa famille, de sa communauté, de la société. Finalement, nous en venons à considérer certains événements parmi les plus sinistres comme faisant partie d'un tableau historique qui s'éclaire peu à peu, de même que l'on prend du recul devant une peinture pointilliste pour en apercevoir la signification.

En littérature, il existe une technique éprouvée : le Moment noir, la phase obscure, le point où tout semble perdu juste avant le sauvetage final. Son contraire, dans le domaine de la tragédie, est le Moment blanc, brusque et ultime sursaut avant l'inévitable désastre.

Certains spéculeront que la Conspiration du Verseau, avec sa promesse d'un retournement *in extremis*, n'est qu'un Moment blanc dans l'histoire de la terre, une tentative héroïque et désespérée qu'éclipsera la tragédie écologique, totalitaire ou nucléaire. L'humanité quitte la scène. Rideau.

Et pourtant... existe-t-il une autre option du futur qui mérite d'être essayée ?

Nous sommes à l'aube d'une nouvelle ère. Considérée avec un regard neuf, notre vie peut être transformée d'accident en aventure. Nous pouvons transcender notre vieux conditionnement, nos pauvres attentes poussiéreuses. L'homme dispose désormais de nouvelles techniques de mise au monde, de tout un soutien humain et symbolique pour mourir, de modes d'enrichissements autres que matériels ; des communautés sont là pour soutenir chacun dans son périple unique, tissant de nouveaux types de rapports humains et nous amenant à découvrir ce que nous sommes les uns pour les autres. Après les guerres tragiques, l'aliénation et le saccage de la planète, voici peut-être l'avènement de la réponse de Wallace Stevens : après le Non final, le Oui, dont dépend l'avenir du monde.

L'avenir, disait Teilhard, est entre les mains de ceux qui peuvent proposer aux générations de demain des raisons valables de vivre et d'espérer.

Le message de la Conspiration du Verseau est que nous sommes mûrs pour le Oui.

CHAPITRE II

LES PRÉMICES

Cela commença au matin. Avant mon réveil, je fis un rêve dans lequel j'entendais un battement, un tambour, une marche unissant les premiers chamanes de Neanderthal aux visionnaires védiques et à tous les patriarches. Il semblait que rien ne pouvait l'arrêter.

Michael MURPHY, *Jacob Atabet*

L'ÉMERGENCE de la Conspiration du Verseau en cette fin du XXe siècle est enracinée dans les mythes et les métaphores, les prophéties et la poésie du passé. Tout au long de l'histoire, ici et là, des individus solitaires, ou de petits groupes à la frange de la science et de la religion, se fondèrent sur leurs propres expériences, et crurent à cette idée qu'un jour nous pourrions transcender notre conscience « normale », étroite, et extirper de la condition humaine la brutalité et l'aliénation.

Le pressentiment qu'une minorité d'individus constitueraient un jour un ferment suffisant à faire lever toute une société apparut de temps à autre. Comme un aimant, ces hommes seraient capables d'attirer et d'ordonner ce qui les entoure, transformant le tout.

L'idée centrale ne variait pas : ce n'est que par un nouvel état d'esprit que l'humanité peut se régénérer, et notre capacité pour un tel changement est naturelle.

Ces quelques individus courageux ont joué le rôle de radars dans l'histoire de l'humanité. Comme nous le verrons, certains d'entre eux ont exprimé leurs idées dans une veine romantique, d'autres avec des concepts intellectuels, mais tous mettaient l'accent sur l'élargissement de notre vision. « Ouvrez vos yeux, disaient-ils, il y a plus. » Plus de profondeur, de hauteur, de dimensions, de perspectives, de choix que nous ne l'avions imaginé. Ils célébraient cette liberté qu'ils avaient trouvée en élargissant le contexte habituel, et mettaient en garde contre le dangereux aveuglement des conceptions couramment admises. Bien avant que viennent nous frapper la guerre globale, le stress écologique et la crise nucléaire, ils craignaient pour l'avenir d'une humanité dépourvue de perspective.

Ces hommes avaient beau se trouver bien au-delà des idées dominantes de leur époque, rares furent leurs contemporains qui les suivirent. La plupart du temps, ils restèrent incompris et solitaires, au point d'être parfois mis au ban de la société. Avant le XXe siècle et l'avènement de moyens de communication rapides, il y avait peu de chance que ces individus dispersés se rencontrent. Pourtant, leurs idées ont pu servir à alimenter la réflexion des générations suivantes.

Ceux qui avaient pressenti la transformation croyaient que les générations futures pourraient détecter les lois et les forces invisibles qui nous entourent ; les réseaux vitaux de relations, les liens entre tous les aspects de la vie et du savoir, l'intrication des gens, des rythmes et des harmonies de l'univers, les rapports qui emprisonnent les parties pour en faire des touts, les motifs qui permettent de donner un sens aux entrelacs du monde. L'humanité, disaient-ils, devrait reconnaître les voiles subtils qui limitent la vision, prendre conscience de l'écran des coutumes, de la prison du langage et de la culture, des liens de circonstance.

Les thèmes de transformation ont émergé avec une force et une clarté croissantes au cours des siècles, gagnant en élan avec l'expansion de la communication. Au début, les traditions se transmettaient de façon intime et hermétique chez les alchimistes, les gnostiques, les cabalistes. Avec l'invention du caractère mobile, au milieu du XVe siècle, elles devinrent une sorte de secret ouvert, mais ne restaient accessibles qu'aux rares lettrés et subissaient la censure de l'Eglise et de l'Etat.

Parmi ces voix audacieuses et isolées, on trouve au XIVe siècle, Maître Eckhart, le théologien et mystique de Cologne, Pic de la Mirandole au XVe, Jacob Boehme au début du XVIIe, Emanuel Swedenborg au début du XVIIIe.

Nous sommes spirituellement libres, disaient-ils, nous sommes les gérants de notre propre évolution. L'être humain peut choisir et réaliser sa vraie nature. En exploitant à plein ses ressources intérieures, il est capable d'atteindre une nouvelle dimension de l'esprit, de saisir plus.

« Je ne vois pas avec mon œil, mais à travers lui », a dit le poète et graveur William Blake au début du XIXe siècle. Selon lui, l'ennemi de la vision globale, c'est le divorce entre l'imagination et notre faculté de raisonnement, qui « se contracte comme l'acier ». Cette moitié d'esprit passe son temps à énoncer des lois et des jugements moraux en étouffant la spontanéité, les sentiments, l'art. Pour Blake, son époque se dressait elle-même en accusatrice, par la peur, la conformité, la jalousie, le cynisme et l'esprit de machine qui la caractérisait. Pourtant, cette sombre force n'était qu'un « spectre », qu'un fantôme hantant les esprits et qu'on pourrait exorciser. Blake, comme les mystiques qui ont suivi, voyait dans les révolutions américaine et française les tout premiers stades vers une libération mondiale, spirituelle autant que politique.

En 1836, neuf ans après la mort de Blake, une poignée d'intellectuels américains découvrirent leur intérêt et leur passion mutuels pour de nouvelles tendances philosophiques et formèrent le noyau de ce qu'on connaît historiquement sous le nom de mouvement transcendantaliste américain.

Les transcendantalistes — Ralph Waldo Emerson, Henry Thoreau, Bronson Alcott et Margaret Fuller, parmi des dizaines d'autres — se rebellèrent contre l'intellectualisme apparemment mort et desséché de l'époque. Quelque chose manquait, une dimension invisible de la réalité qu'ils appelèrent parfois la sur-âme. Ils cherchèrent à comprendre en puisant à de nombreuses sources : l'expérience personnelle, l'intuition, la notion de lumière intérieure des quakers, la *Bhagavad Gita,* les philosophes romantiques allemands, l'historien Thomas Carlyle, le poète Samuel Coleridge, Emanuel Swedenborg, les écrivains métaphysiques anglais du XVIIe siècle.

Pour eux, l'intuition était « la raison transcendantale ». Ils anticipèrent la recherche contemporaine sur la conscience en imaginant que l'autre mode de connaissance n'est pas une seconde forme de la raison normale, mais une sorte de logique transcendante — trop rapide et complexe pour que nous puissions la suivre avec le mode de raisonnement linéaire de notre conscience ordinaire.

Tout comme Boehme influença Swedenborg, qui influença Blake, ces trois auteurs marquèrent les transcendantalistes. Ceux-ci, à leur tour, affectèrent la littérature, l'éducation, la politique et l'économie des générations successives, influençant Nathaniel Hawthorne, Emily Dickinson, Herman Melville, Walt Whitman, John Dewey, les fondateurs du parti travailliste britannique, Gandhi, Martin Luther King.

A la charnière des XIXe et XXe siècles, l'industrialisme fit florès. L'extension d'une transformation sociale fondée sur un changement du cœur semblait un rêve éloigné. Cependant, en Angleterre, Edward Carpenter prédit qu'un jour viendrait où la tradition que charrient les siècles perdrait sa forme et ses contours comme la glace qui fond. Des réseaux d'individus se constitueraient peu à peu ; l'élargissement des cercles les ferait se rencontrer, se recouvrir pour se refermer autour d'un nouveau centre pour l'humanité, le vieux centre du monde, une fois de plus révélé.

Cette connexion ultime pourrait se comparer à l'intrication des fibres et des nerfs dans un corps qui se tiendrait à l'intérieur du corps externe de la société. Les réseaux permettraient d'approcher ce rêve toujours fuyant qu'est « la société libre et achevée ».

Carpenter ajoutait que les idées propres aux religions orientales pourraient être le germe de ce grand changement en élargissant la conception de la réalité de l'Occident.

En 1902, William James, le grand psychologue américain, redéfinit la religion, non pas comme un dogme, mais comme une expérience — la découverte d'un nouveau contexte, d'un ordre invisible grâce auquel l'individu peut atteindre l'harmonie. Notre conscience ordinaire filtre et rejette la perception de cette dimension mystérieuse et élargie ; pourtant, jusqu'à ce que nous parvenions à faire face à cet autre domaine, nous devons prendre garde qu'une expérience précoce ne conduise pas à une « forclusion prématurée de la réalité ».

Selon James, de toutes les créatures terrestres, seuls les êtres humains peuvent changer leurs structures. « L'homme seul est l'architecte de sa destinée. La plus grande révolution de notre génération est que les êtres humains, en changeant les attitudes intérieures de leur esprit, peuvent changer les aspects extérieurs de leur vie. »

Peu à peu, les penseurs occidentaux ont commencé à attaquer les fondations mêmes de la pensée occidentale. Quelle naïveté y avait-il dans notre attente de voir les mystères de la vie expliqués par la seule science mécaniste ! Ces porte-parole d'une vision du monde élargie ont montré combien nos institutions violent la nature, combien notre éducation et notre philosophie ont échoué en ne reconnaissant pas la valeur de l'art, des sentiments, de l'intuition.

Dans les années vingt, Jan Christian Smuts, le général Boer qui fut deux fois Premier ministre d'Afrique du Sud, formula un brillant concept qui anticipait de nombreuses percées scientifiques de la fin du XXe siècle. Dans *Holisme et Evolution,* Smuts attira l'attention sur un principe organisateur invisible, mais puissant, inhérent à la nature. Si l'on ne considère pas les totalités, si l'on manque de voir l'élan de la nature vers une organisation toujours plus haute, alors on ne sera pas capable de donner une signification aux découvertes scientifiques qui vont s'accélérant.

L'idée d'une expansion des pouvoirs de l'esprit s'est développée également dans la littérature. De « nouveaux » êtres humains à la sensibilité plus profonde sont apparus souvent dans l'œuvre de Hermann Hesse. Dans son roman *Demian* (1919), qui connut un énorme succès, Hesse dépeint une fraternité d'hommes et de femmes ayant découvert des capacités paranormales et un lien invisible qui les relie les uns aux autres : « Nous n'étions pas séparés de la majorité des hommes par une frontière, dit le narrateur, mais simplement par un autre mode de vision. » Ces êtres étaient les prototypes d'une façon de vivre différente.

Dans ***The open conspiracy : blueprints for a world revolution*** (La Conspiration ouverte : Projets pour une révolution mondiale) (1928), l'historien et romancier H. G. Wells avançait que les temps étaient presque venus de l'union de petits groupes en un réseau flexible qui pourrait engendrer un changement global ; « le monde est gros de la promesse de grandes choses ».

Carl Jung, le psychanalyste suisse, attirait l'attention sur une dimension transcendante de la conscience, généralement ignorée en Occident : l'union de l'intellect et de l'esprit intuitif qui perçoit les structures. Jung introduisit un contexte encore plus large, l'idée d'inconscient collectif : la dimension de symboles universels de mémoire raciale, d'un réservoir de connaissances commun à toute l'espèce. Il évoqua ce « daimon » qui pousse le chercheur à entreprendre la quête de la totalité.

En 1929, Alfred North Whitehead, philosophe et mathématicien, publia *Process and Reality* (Processus et Réalité), un livre qui décrivait la réalité comme un flux dont le contexte est l'esprit, plutôt que quelque chose de tangible et d' « extérieur ». Il tenta d'articuler de remarquables principes de la nature qui furent d'ailleurs officiellement découverts par les chercheurs des générations suivantes.

Après la visite qu'il fit aux Etats-Unis en 1931, Pierre Teilhard de Chardin quitta San Francisco pour la Chine. Durant le voyage, le jésuite et paléontologiste rédigea un essai, « l'Esprit de la Terre », inspiré par sa conviction croissante qu'une « conspiration d'individus », appartenant à toutes les couches de la société américaine, était engagée dans un effort pour « élever » d'un nouvel étage l'édifice de la vie ».

De retour à Pékin, il se mit à sa thèse majeure, à savoir que l'esprit a entrepris des réorganisations successives à travers l'histoire de l'évolution, jusqu'à ce qu'il ait atteint un point crucial, la découverte de sa propre évolution.

Cette nouvelle conscience — un esprit en évolution reconnaissant le processus évolutionnaire — « est la future histoire naturelle du monde ». Il deviendra finalement collectif, enveloppant la planète, et se cristallisera en une illumination aux dimensions de l'espèce, appelé le « Point Oméga ». Certains individus, attirés à la fois vers une vision transcendante de l'avenir et les uns vers les autres, semblent former un fer de lance dans la « tâche familiale » de mener l'humanité à cette conscience plus large. « La seule issue est dans la direction d'une passion commune, d'une conspiration. »

Et, comme Teilhard le disait à un ami, rien dans l'univers ne pourrait résister à « l'ardeur cumulative de l'âme collective », un nombre suffisamment grand de personnes transformées œuvrant ensemble.

Selon Teilhard, bien que cette idée d'évolution de l'esprit rencontre une forte résistance, elle finira par être acceptée. « Il suffit, pour la vérité, d'apparaître une seule fois, dans un seul esprit, pour que rien ne puisse, jamais plus, l'empêcher de tout envahir et tout enflammer. D'après lui, des preuves de ce dynamisme évolutif émanent de toutes les sciences et il faut être aveugle pour refuser de les voir. « L'évolution est... une condition générale à laquelle doivent se plier et satisfaire désormais pour être pensables et vrais, toutes les théories, toutes les hypothèses, tous les systèmes. Une lumière éclairant tous les faits, une courbure que doivent épouser tous les traits. »

Le Phénomène humain fut, du vivant de Teilhard, condamné à circuler discrètement, l'Eglise ayant interdit sa publication. Son auteur prévenait qu'un esprit éveillé à ce concept évolutionnaire pourrait se sentir désorienté et effrayé, qu'il lui faudrait créer un nouvel équilibre pour tout ce qui, jusque-là, était resté cantonné à son monde intérieur et dont il prenait conscience désormais. « Il est ébloui lorsqu'il émerge de sa prison obscure. »

Il est maintenant absolument manifeste que nous entrons dans la plus grande période de changement que le monde ait jamais connue, ajoutait Teilhard : « Le siège du mal dont nous souffrons est localisé dans les assises mêmes de la Pensée terrestre. Quelque chose se passe dans la structure générale de l'Esprit. C'est une autre espèce de vie qui commence. »

Nous sommes les enfants de la transition, pas encore pleinement conscients des nouvelles potentialités que nous avons dégagées : « ... il y a pour nous, dans l'avenir, sous quelque forme, au moins collective, non seulement survivance, mais *survie*. »

L'historien Arnold Toynbee affirmait, en 1935, qu'une minorité créative, « se tournant vers le monde intérieur de la psyché », pourrait conduire notre civilisation inquiète à la vision d'un nouveau mode de vie. Il prévoyait aussi que le développement le plus significatif de l'époque viendrait de l'influence qu'aurait sur l'Occident la perspective orientale.

A la fin des années trente, un comte polonais, Alfred Korzybski, mettait déjà l'accent sur un autre aspect de la conscience, le langage. Pour lui, le langage moule la pensée selon les principes de la sémantique générale. Si nous le confondons avec la réalité, cela peut créer de fausses certitudes. Avec les mots, nous essayons d'isoler des éléments qui ne peuvent exister en continuité. Nous passons à côté du processus, du changement, du mouvement. D'après Korzybski et ses successeurs, si nous voulons faire l'expérience de la réalité, il nous faut reconnaître les limites du langage.

Dans une lettre datant de 1940, Aldous Huxley disait que, bien qu'il fût profondément pessimiste quant à l'humanité collective en cette période de guerre il était « profondément optimiste quant aux individus et aux groupes d'individus existant en marge de la société ». Cet auteur britannique, vivant à Los Angelès, fut le centre d'une sorte de préconspiration du Verseau, d'un réseau international d'intellectuels, d'artistes et de scientifiques intéressés par les notions de transcendance et de transformation. Ils disséminèrent de nouvelles idées, se soutenant mutuellement dans leurs efforts, mais se demandant aussi si quelque chose naîtrait jamais de tout cela. Nombre des concepts d'Huxley étaient si en avance qu'ils n'ont pris corps qu'une dizaine d'années après sa mort. Il fut le défenseur de la recherche sur la conscience, de la décentralisation du gouvernement et de l'économie, de la guérison paranormale, de l'utilisation de la conscience non ordinaire, du réentraînement visuel, de l'acupuncture, lorsque de telles idées étaient encore jugées hérétiqes.

Il fut aussi un des premiers à s'intéresser au travail de Ludwig von Bertalanffy, biologiste allemand qui formula une science du contexte qu'il nomma d'abord « perspectivisme », puis « Théorie générale des systèmes ». Cette théorie, qui s'est développée progressivement au contact de nombreuses autres disciplines, considère toute la nature, y compris le comportement humain, comme interconnectée. D'après la théorie générale des systèmes, rien ne peut être appréhendé isolément, tout doit être compris comme faisant partie d'un système.

Au milieu des années cinquante, le psychanalyste Robert Lindner déclencha une controverse par son avertissement prophétique d'une imminente « mutinerie des jeunes ». Venant après le livre du sociologue David Riesman, *La Foule solitaire,* qui décrivait l'aliénation et la conformité de la société d'après-guerre, le titre de son livre écrit en 1956 formulait une question : *Devons-nous être conformistes ?* La réponse est un Non retentissant !... parce qu'il existe pour nous un autre mode de vie valable, ici et maintenant. C'est le mode de la rébellion positive, la voie de la protestation créative. Selon Lindner, la solution réside dans l'élargissement de la conscience, la reconnaissance de l'ampleur de notre paralysie qu'engendrent des peurs et des motivations inconscientes.

L'éminent psychologue Gardner Murphy prévoyait, dans les années cinquante, que la curiosité scientifique croissante pour la conscience conduirait à de « nouveaux domaines d'expérience ». Plus nous jouerions sur « l'autre côté de l'esprit », plus nous exploiterions ces dons qu'aucune culture n'a jamais pleinement mis en valeur et plus il serait probable que nous abandonnerions nos anciennes conceptions, les idées de Darwin et de Freud comprises.

Dans *Le Matin des magiciens,* publié en 1960, Louis Pauwels et Jacques Bergier décrivaient une « conspiration ouverte » d'individus transformés par leurs découvertes intérieures. Les membres de ce réseau pouvaient être les gérants actuels d'une vieille lignée de sagesse ésotérique, affirmaient les auteurs.

En conclusion de sa monumentale étude sur *La Littérature et l'homme occidental* (1960), J.-B. Priestley affirmait combien la soif d'achèvement était répandue D'après lui, la culture occidentale, totalement schizophrène, cherche désespérément un centre, un équilibre entre la vie intérieure et la vie extérieure. Seule peut se charger de l'avenir la religion, non pas celle des églises, mais cette dimension spirituelle qui transcende coutumes et politique. Et il ajoutait : « Plutôt que de chercher à voir la face cachée de la lune, qui est loin de notre vie, nous pouvons essayer de regarder la face cachée de notre propre esprit. »

Dans son dernier roman, *Island* (1963), Huxley décrivait une société dans laquelle la guérison repose sur les pouvoirs de l'esprit, où de grandes « familles » prodiguent conseils et réconfort, où l'apprentissage est enraciné dans l'action et l'imagination, où le commerce se plie aux exigences de l'écologie. Pour mettre l'accent sur le besoin urgent d'une conscience plus élevée, des mainates volent ici et là en criant « Attention ! Attention ! »

La plupart des critiques ont accueilli *Island* comme une plaisanterie, moins réussie que la vision plus sombre de Huxley dans *Le Meilleur des mondes*. Mais Huxley n'avait pas seulement décrit un monde qu'il croyait possible ; il l'avait créé comme un composé de pratiques dont on connaît l'existence dans des cultures contemporaines.

Effectivement, diverses cultures empiétaient les unes sur les autres de jour en jour. Dans son ouvrage *Understanding medias* (Pour comprendre les médias) (1964), qui eut une influence énorme, Marshall McLuhan a décrit le monde à venir comme un « village global », unifié par la technologie des communications et la dissémination rapide de l'information. Ce monde tout électrisé, aux relations instantanées, pourrait n'offrir aucune ressemblance avec les précédents millénaires de notre histoire.

Du fait de cette relation électronique qui nous unit de façon « mythique et intégrale », McLuhan prévoyait des changements sociaux importants. Un nombre accru d'individus aspirait à la totalité, à l'empathie, à une conscience plus profonde, à se révolter contre les structures imposées, à désirer une ouverture à autrui.

Dans la présentation de « World Perspectives » (Perspectives du Monde [1]), une collection d'ouvrages lancée par les éditions Harper & Row dans les années soixante, Ruth Ananda Ashen évoquait une « nouvelle conscience » susceptible de soulever l'humanité au-delà de la peur et de l'isolement. Maintenant que nous comprenons l'évolution elle-même, il nous est possible de lutter pour des changements fondamentaux. Désormais, il s'établit dans toutes les directions « une contreforce à la stérilité de la culture de masse... un nouveau, parfois même un imperceptible, sentiment spirituel de la convergence vers l'unité de l'homme et du monde ».

1. La collection « Perspectives du Monde » réunit de nombreux auteurs dont la pensée a influencé la Conspiration du Verseau ; on peut citer Lancelot Law Whyte, Lewis Mumford, Erich Fromm, Werner Heisenberg, René Dubos, Gardner Murphy, Mircea Eliade, Kenneth Boulding, Marshall McLuhan, Milton Mayerhoff, Ivan Illich et Jonas Salk.

Progressivement, à mesure qu'un nombre croissant de penseurs influents spéculaient sur de telles possibilités, la vision transformative est devenue plus crédible.

Le psychologue Abraham Maslow a postulé l'existence chez l'homme d'un instinct inné qui dépasse ceux de la simple survie et des besoins affectifs et se traduit par une soif de signification et de transcendance. Son concept d' « actualisation de soi » a rapidement conquis des adeptes.

« Il est de plus en plus clair, écrivait Maslow, qu'une révolution philosophique est en cours. Un vaste système se développe rapidement, comme des transcendeurs, « des éclaireurs avancés », dépassant de loin les même temps. » Il décrivait un groupe d'individus qu'il considérait comme des transcendeurs « des éclaireurs avancés », dépassant de loin les critères traditionnels de la santé psychique. Dans une liste, il compila environ trois cents individus intelligents et créatifs, isolés ou en groupes et dont la vie avait été marquée par de fréquentes « expériences paroxystiques » (un terme qu'il a forgé). C'était son Réseau eupsychéen — littéralement, « de bonne âme ». Selon Maslow, les transcendeurs sont irrésistiblement attirés les uns vers les autres et ils peuvent être aussi bien hommes d'affaires, ingénieurs et politiciens que prêtres et poètes.

En Angleterre, Colin Wilson, dans son addenda à sa célèbre étude sur l'aliénation, *The Outsider,* attirait en 1967 l'attention sur un sujet critique, à savoir la possibilité d'une métamorphose humaine dans un monde ouvert à la créativité et à l'expérience mystique.

Pour John Platt, physicien de l'université du Michigan, seuls les rêveurs comme Wells et Teilhard ont vu dans cette transformation, soudaine et radicale, « l'énorme mouvement de restructuration, d'unité et d'avenir. C'est un saut quantique, un nouvel état de la matière ».

Platt ajoutait que cette transformation est l'affaire d'une génération ou deux. « Il se peut que nous vivions actuellement le changement le plus rapide de toute l'évolution de l'espèce humaine... une sorte de choc frontal culturel. »

Erich Fromm, dans *Revolution of Hope* (1968) prévoyait un « nouveau front », un mouvement qui combinerait la volonté d'un changement social profond avec une nouvelle perspective spirituelle ; il aurait pour but d'humaniser le monde technologique et pourrait se produire sans violence en une vingtaine d'années. Ni l'état, ni les partis politiques, ni les religions organisées ne seraient en mesure de constituer un cadre intellectuel ou spirituel pour cette dynamique, ces institutions étant trop bureaucratiques, trop impersonnelles.

La clef du succès de ce mouvement serait sa personnification dans la vie de ses membres les plus engagés, travaillant en petits groupes à leur transformation personnelle, s'assistant mutuellement, « montrant au monde la force et la joie d'individus mus par de profondes convictions sans pour autant être fanatiques, aimants sans être sentimentaux... imaginatifs sans être irréalistes... disciplinés sans être soumis ».

Selon Fromm, ils construiraient leur propre monde au milieu de l'aliénation du milieu social contemporain, s'adonnant pour la plupart à la méditation et à d'autres états de conscience intériorisée afin d'être plus ouverts, moins égocentriques, plus responsables.

Carl Rogers a évoqué l'homme émergent ; Lewis Mumford, la Nouvelle personne. Le mythologue Joseph Campbell disait, en 1968, que la seule possibilité pour notre temps est « la libre association d'hommes et de femmes ayant en commun le même esprit... et non pas une poignée, mais... des dizaines de milliers de héros à créer l'image de ce que l'humanité peut être dans l'avenir ».

En 1969, l'éminent écrivain politique Jean-François Revel prévoyait que les Etats-Unis étaient sur le point de vivre « la seconde grande révolution mondiale », un soulèvement qui achèverait la tâche de la première révolution, l'établissement de la démocratie en Occident. Dans *Ni Marx ni Jésus,* il prévoyait l'émergence d'un nouvel être humain, *homo novus.* Selon Revel, le courant souterrain de préoccupation spirituelle que connaissent les Etats-Unis et qui se manifeste par l'éclosion de l'intérêt pour les religions orientales, présage un profond changement dans le seul pays de la planète suffisamment libre pour que s'effectue une révolution sans effusion de sang.

Revel voyait la venue de la seconde révolution comme une structure émergeant du chaos des années soixante, avec ses mouvements sociaux, ses nouvelles mœurs et modes, ses protestations et sa violence. Effectivement, nombre des « activistes » d'alors se tournèrent vers l'intériorité, direction qui sembla hérétique à leurs camarades de la gauche traditionnelle. Ils affirmèrent qu'ils ne pourraient pas changer la société avant de s'être changés eux-mêmes. « Nous avons rencontré l'ennemi, et c'est nous-mêmes. »

Lorsqu'une révolution s'intériorise, les caméras de télévision et les journalistes ne peuvent pas la couvrir. Elle est devenue, par maints aspects, invisible.

Dans *The transformation* (1972), George Leonard décrivait la période actuelle comme « unique dans l'histoire » ; elle « n'impose pas d'abandonner les valeurs et les pratiques de notre civilisation, mais de les subsumer sous une dimension plus élevée ».

C'est aussi en 1972 que l'anthropologue Gregory Bateson prévoyait que les cinq ou dix ans à venir seraient comparables à la période fédéraliste de l'histoire des Etats-Unis. Tout comme les créateurs de la démocratie américaine à la recherche d'un consensus au XVIIIe siècle, le public, la presse et les politiciens viendraient bientôt à débattre des nouvelles idées. Pour Bateson, les efforts de la jeunesse et son intérêt pour les philosophies orientales étaient plus sains que les conventions de l'establishment.

C'est dans les régions géographiques réputées pour la tolérance dont elles font preuve pour les expériences nouvelles que le changement est intervenu avec le plus de facilité. Les premières vagues d'agitation des campus, dans les années soixante, se produisirent en Californie. Cet Etat commença à acquérir, vers 1970, une réputation internationale d'avant-scène pour ce théâtre nouveau et encore dépourvu de nom. Un nombre croissant de chercheurs et d'innovateurs, intéressés par l'expansion de la conscience et ses implications pour la société, vinrent s'établir sur la côte ouest.

Parmi eux, Jacob Needleman, professeur de philosophie à l'Université d'Etat de San Francisco, dans The New Religions (1973), lançait un avertissement. La nation devait considérer avec sérieux les nouvelles alliances spirituelles et intellectuelles qui se développaient en Californie. « Tôt ou tard, il nous faudra bien comprendre la Californie... Quelque chose s'efforce de naître ici ». La côte ouest, ajoutait-il, n'est pas paralysée par les préjugés européens qui dominent le cynique establishment intellectuel de la côte Est et se traduisent par le divorce de l'esprit humain du reste du cosmos.

Le biologiste et pasteurien Joël de Rosnay, qui fit un stage à l'Institut de technologie du Massachusetts, écrivait en 1975 dans son ouvrage *Le Macroscope :*

> « Un sentiment religieux (une religion émergente, et non pas seulement révélée)... sous-tend et valorise l'action... Ce que dénotent dans leur diversité, le mouvement écologique, la recherche d'une spiritualité, puisées aux sources des religions orientales, le mouvement de Taizé, les mouvements de *human potential* ou d'*Awareness,* qui fleurissent encore sur les côtes californiennes, c'est la recherche d'une vision globale de l'univers compatible avec une éthique personnelle et une action individuelle et collective. »

Willis Harman, de l'Institut de recherches de Stanford, a déclaré que si le matérialisme a été la philosophie de base de l'ancienne gauche, il est probable que la spiritualité jouera ce rôle dans la nouvelle gauche, en constituant une matrice commune à des idées comme : nous sommes unis invisiblement les uns les autres, il existe des dimensions transcendant le temps et de l'espace, chaque vie individuelle a un sens, la grâce et l'illumination sont des réalités, il est possible d'évoluer à des niveaux de compréhension toujours plus élevés.

Harman participa au collectif de spécialistes et d'analystes politiques qui rédigèrent *Le Changement de l'image de l'homme,* une étude effectuée en 1974 par l'Institut de recherches de Stanford pour la Fondation

Charles Kettering. Ce document remarquable constituait le travail de base pour un changement de paradigme en aidant à la compréhension de la manière dont les transformations individuelle et sociale pourraient être accomplies.

Un physicien de Stanford, William Tiller, a affirmé que ce mouvement sans nom a atteint un état de « masse critique » et ne peut plus être arrêté. Cette métaphore d'une masse critique a été aussi employée par Lewis Thomas, président de l'Institut Sloan-Kettering dans son livre *The lives of a cell (Les Vies d'une cellule)*(1974). C'est seulement dans ce XXe siècle, où nous sommes suffisamment proches, suffisamment nombreux, que peut commencer notre fusion tout autour de la terre, selon un processus qui pourrait désormais évoluer très rapidement. La pensée humaine pourrait être à un seuil évolutionnaire.

L'historien d'art Jose Arguelles, lui, a évoqué « une étrange inquiétude qui se répand dans l'atmosphère psychique, une instable Pax Americana ». La révolution des années soixante a planté ces graines d'apocalypse que sont les drogues psychédéliques ; or, même si elles ont conduit à des abus, elles ont fourni une expérience visionnaire d'auto-transcendance à un grand nombre d'individus, qui, en conséquence, pourraient bien décider de l'avenir du développement humain. Celui-ci sera « non pas une Utopie, mais un état non ordinaire de conscience collectif ».

« Nous vivons à une époque où l'histoire retient son souffle », a dit Arthur Clarke, l'auteur *des Enfants d'Icare* et de *2001, l'Odyssée de l'espace,* « et le présent se détache lui-même du passé comme un iceberg qui s'est rompu de la banquise pour naviguer autour de l'océan sans limites ».

Carl Rogers, qui dans des documents circulant en cercle restreint prévoyait l'émergence d'une nouvelle forme d'être humain autonome, acclama en 1976 le lancement d'un réseau appelé « Auto-Détermination » par les citoyens et les législateurs californiens.

Peu à peu, toutes sortes de réseaux sont apparus, favorisés par l'explosion des communications, permettant de partager, de commenter les expériences et les prises de conscience, et, très rapidement, d'en dégager les éléments utilisables, de les tester et de les adapter.

La vision transformative gagna ainsi par les réseaux tous les aspects de la vie sociale, introduisant le concept d'évolution de la conscience dans l'enseignement, les idées humanistes dans le système judiciaire, l'avènement d'une médecine « holiste » proposant des vues radicalement neuves sur la maladie, la folie, la naissance, la mort, la nutrition, l'écologie. Des théologiens et des membres du clergé non conformistes se mirent à méditer sur « la nouvelle spiritualité » montante en contrepoint du déclin de l'Eglise. Des réseaux se constituèrent, mêlant économistes, futurologues, patrons, ingénieurs, dans la recherche de nouvelles solutions créatives et humanistes ; les réseaux s'enrichirent bientôt de responsables de fondations, d'universités, d'artistes, de musiciens, de publicistes, de producteurs de télévision.

A la fin des années 1970, les cercles commencèrent à se rapprocher rapidement. Les réseaux vinrent à se recouvrir, à s'interpénétrer. Il s'en dégagea la conviction, à la fois alarmante et grisante, que quelque chose de grande portée naissait de cette convergence, un événement prophétisé depuis longtemps, la conspiration

CHAPITRE III

LA TRANSFORMATION : QUAND LES CERVEAUX ET LES ESPRITS CHANGENT

C'est nécessaire ; donc c'est possible.
G. A. BORGHESE

« LE Tao qui peut être décrit n'est pas le Tao... » On croit, généralement, que les moments de transcendance ne peuvent jamais être exprimés convenablement ; on ne peut qu'en faire l'expérience. Il est vrai que, la communication relevant d'un savoir commun, la description du violet à quelqu'un qui connaît le rouge et le bleu est possible, mais non celle du rouge à une personne qui ne l'a jamais vu. Le rouge est élémentaire et irréductible. De même sont indescriptibles la salinité, la consistance du sable, la lumière.

Un tel aspect sensoriel irréductible se rencontre dans ces expériences que l'on qualifie parfois et vaguement de transcendantes, transpersonnelles, spirituelles, altérées, non ordinaires ou paroxystiques. Ces sensations de lumière, d'union, d'amour, d'éternité, de perte des limites, génèrent après coup des paradoxes qui défient toute description logique.

Même si leurs efforts sont futiles, ceux qui ont éprouvé de telles expériences extradimensionnelles doivent bien tenter de les décrire dans le langage et le cadre de pensée habituels d'espace et de temps. Ils affirmeront avoir ressenti quelque chose d'élevé ou de profond, décriront un bord ou des abysses, un pays éloigné, une frontière, un no man's land. Le temps a pu s'écouler rapidement ou lentement ; leurs découvertes étaient à la fois anciennes et nouvelles, prophétiques et déjà connues, étranges et pourtant familières. Leur perspective changeait brusquement, même pour un moment, transcendant en les fusionnant les anciennes contradictions.

Comme nous l'avons vu au chapitre II, certains individus éminents, sensés et distingués, pensent que l'esprit humain peut avoir atteint un nouveau stade dans son évolution, un déblocage d'un potentiel comparable à l'émergence du langage. Cette possibilité impressionnante est-elle un rêve utopique... ou une fragile réalité ?

Jusqu'à ces dernières années, les seules preuves que l'on avait des expériences d'expansion et de transformation de la conscience ne pouvaient être que subjectives. Soudain l'objectivation de tels états a pu être faite, d'abord dans une poignée de laboratoires de quelques chercheurs pionniers, puis au cours de milliers d'expériences dans le monde.

Après tout, l'éveil, les courants d'énergie, la liberté, l'unité et la synthèse ne sont pas « tout dans l'esprit ». Le cerveau est autant concerné. On a pu trouver des corrélats entre les rapports subjectifs et la preuve concrète de changements physiques : des niveaux plus élevés d'intégration dans le cerveau lui-même, un traitement des signaux plus efficace, des « harmoniques » dans les rythmes électriques du cerveau, des changements dans la capacité de perception.

De nombreux chercheurs reconnaissent que leurs propres découvertes concernant les changements dans le fonctionnement de la conscience les ont bouleversés à cause de l'étendue de leurs implications sociales. Ce n'est plus de la simple spéculation : cette fois, des faits démontrés sont avancés.

Il faudrait un autre livre, et même une bibliothèque, si l'on voulait épuiser complètement le sujet de ce chapitre et du suivant : les preuves du changement ; les déclencheurs, les instruments et les découvertes de la transformation personnelle, les expériences des individus qui vivent le processus dans l'ici-maintenant. De toute façon, les transformations de la conscience sont plus des sujets d'expérience que d'étude.

Les deux chapitres ne peuvent donc que brosser un panorama, un synopsis de ce domaine vaste et profond. Ils auront montré leur utilité s'ils permettent au lecteur de saisir le sens des sentiments et des prises de conscience qu'on rencontre dans le processus transformatif, et s'ils touchent ici et là certains aspects de sa propre vie. Nous allons examiner les changements de l'esprit, du cerveau et du corps, de la direction de la vie.

Avant tout, nous avons besoin d'une définition adéquate de la transformation si nous voulons saisir le pouvoir qu'elle a sur la vie des individus et par quels moyens elle peut engendrer de profonds changements sociaux. La Conspiration du Verseau est à la fois la cause et l'effet d'une telle transformation.

La transformation : une définition

Il est intéressant de noter que le terme *transformation* présente des significations parallèles en mathématiques, en sciences physiques et en sciences humaines. Une transformation est, littéralement, un remaniement de la forme, une restructuration. Les transformations mathématiques, par exemple, convertissent un problème en de nouveaux termes afin qu'il puisse être résolu. Comme nous le verrons plus tard, le cerveau lui-même fonctionne selon des transformations mathématiques complexes. En sciences physiques, une substance transformée a acquis une nature et des propriétés différentes, comme l'eau devenue glace ou vapeur.

Notre propos est la transformation des individus, et particulièrement la transformation de la conscience. Dans cette acception, il ne s'agit pas de la simple conscience de veille, mais de l'état d'être *conscient de sa propre conscience*. Il s'agit en effet d'une nouvelle perspective qui embrasse d'autres perspectives ; c'est un changement de paradigme, l'ouverture sur une nouvelle dimension.

Les anciennes traditions décrivent la transformation comme une nouvelle façon de *voir*, par des métaphores de lumière et de clarté, parlant de vision intérieure. Teilhard disait que le but de l'évolution « se ramène à l'élaboration d'yeux toujours plus parfaits au sein d'un Cosmos où il est possible de discerner toujours davantage ».

La plupart d'entre nous ne sommes guère attentifs à nos processus de pensée durant nos heures de veille. Nous ne nous préoccupons pas de savoir comment l'attention se déplace, quelles sont ses peurs, ses attirances, comment l'esprit parle à lui-même, ce qu'il écarte, la nature des pressentiments, les sentiments de bien-être et de malaise, les erreurs de perception. Le plus souvent, nous nous absorbons dans les multiples activités de la vie sans nous préoccuper le moins du monde de la façon dont nous *pensons*.

Le commencement de la transformation personnelle a quelque chose d'absurde tant il est simple : *il nous suffit d'être attentifs au courant même de l'attention*. A cet instant même, nous avons ajouté une nouvelle perspective. L'esprit peut alors observer ses nombreuses humeurs, les tensions du corps, ses choix et ses impasses, ses blessures et ses vœux, l'activité des divers sens.

Dans la tradition mystique, l'esprit, en retrait de la scène, l'instance qui observe l'observateur, est appelé le Témoin. Ouvert à une dimension plus large que celle de notre conscience habituelle fragmentée, cette instance est plus libre et mieux informée. Comme nous le verrons, cette perspective plus vaste a accès à des univers d'information que le cerveau traite à un niveau inconscient, à des domaines que nous ne pouvons pas habituellement pénétrer à cause de l'inertie ou du contrôle qu'exerce l'esprit superficiel, ce qu'Edward Carpenter appelait « le petit soi local ».

Un esprit qui n'est pas conscient de lui-même — la conscience *ordinaire*

— est comme un passager attaché à son siège d'avion et portant des œillères, ignorant du mode de transport, des dimensions, du type et du plan de vol de l'appareil, comme de la proximité des autres passagers.

L'esprit conscient de lui-même est un pilote. Il est vrai qu'il doit respecter les règles de vol, tenir compte du temps et des avis de ses aides de navigation, mais il est encore bien plus libre que l'esprit du « passager ».

Tout ce qui peut conduire à un état mental plus riche et plus attentif présente un potentiel de transformation, et tout individu d'intelligence normale peut entreprendre un tel processus. En fait, l'esprit est son propre véhicule transformatif ; il a en lui-même les capacités de passer dans des dimensions nouvelles, à condition qu'on le lui permette. Les conflits, les contradictions, les sentiments mêlés, tout ce matériau qui bouillonne habituellement aux frontières de la conscience et qui s'en dérobe, peut être réordonné à des niveaux de plus en plus élevés. Chaque intégration nouvelle facilite la suivante.

Cette conscience de la conscience, ce témoin, est parfois appelée « dimension supérieure », expression qui a souvent été mal comprise. Le psychiatre Viktor Frankl a montré qu'elle n'implique aucun jugement moral :

> *Une dimension supérieure est simplement une dimension plus inclusive.* Si l'on prend par exemple un carré, à deux dimensions, et qu'on l'étend verticalement de façon à obtenir un cube, à trois dimensions, on peut dire que le carré est inclus dans le cube... Entre les divers niveaux de vérité, il ne peut pas y avoir d'exclusion mutuelle, de réelle contradiction, car le niveau le plus haut inclut le plus bas.

Comme nous le verrons, le processus transformatif de l'homme, une fois entamé, est géométrique. La quatrième dimension n'est en fait que *la vision des trois autres avec de nouveaux yeux.*

L'évolution consciente

La plasticité du cerveau et du comportement humains est presque incroyable. S'il est vrai que nous sommes conditionnés à être effrayés, hostiles, sur la défensive, nous avons pourtant une capacité extraordinaire de transcendance.

Ce n'est pas être optimiste vis-à-vis de la nature humaine que de croire en la possibilité d'une transformation sociale imminente. Ceux qui partagent cette croyance ne font qu'avoir confiance dans le processus transformatif lui-même, en se fondant sur les changements positifs intervenus dans leur propre vie et qui leur font admettre que d'autres personnes peuvent changer également. Ils pensent, en outre, que si un nombre suffisant d'individus découvrent les capacités qui sont en eux, ils vont tout naturellement conspirer pour promouvoir un monde ouvert à l'imagination, à la coopération et au développement humain.

Cette plasticité prouvée du cerveau et de la conscience humaine offre la possibilité que *l'évolution individuelle* conduise à l'*évolution collective.* Lorsqu'un individu a développé une capacité nouvelle, l'existence de celle-ci devient soudain évidente pour les autres qui, alors, peuvent aussi chercher à la développer. Même nos capacités « naturelles » doivent être encouragées. Les êtres humains ne sont pas même capables de marcher et de parler spontanément. Si, dans certaines institutions, les bébés demeurent dans leur lit et n'ont rien d'autre à faire que contempler le plafond, ils ne marcheront et ne parleront qu'avec retard, ou peut-être jamais. Ces capacités nécessitent, pour évoluer correctement, une interaction avec l'environnement, avec d'autres êtres humains.

Nous ne pouvons savoir ce dont le cerveau est capable qu'en l'invitant à nous le montrer. Le répertoire génétique de chaque espèce permet de faire face à un nombre presque infini de situations potentielles, bien plus que ce que peut induire l'environnement durant une seule vie. Selon l'affirmation d'un généticien, c'est comme si nous avions tous un piano en nous, mais rares sont ceux qui ont appris à en jouer. De même que certains s'exercent à défier la gravité par des prouesses de gymnastique ou à reconnaître une variété de café parmi des centaines, de même nous pouvons « muscler » notre attention et aiguiser nos sens intérieurs.

Il y a des millénaires, l'humanité découvrit que l'on pouvait taquiner le cerveau pour induire de profonds changements de conscience. L'esprit peut apprendre à se voir lui-même et à examiner ses propres réalités selon des modes qui se produisent rarement à l'état spontané. Ces systèmes, ces instruments d'exploration intérieure poussée, ont rendu possible l'évolution consciente de la conscience et la reconnaissance croissante, dans le monde entier, de cette capacité et de ces modes de développement.

Nos façons de changer

On peut distinguer quatre façons principales par lesquelles notre esprit se modifie lorsque nous recevons une information nouvelle et conflictuelle La plus facile, et la plus limitée, est ce que l'on peut appeler

changement par exception. Notre ancien système de croyance reste intact, mais nous autorise à admettre quelques anomalies, de même qu'un vieux paradigme tolère un certain nombre de phénomènes bizarres en ses zones frontières avant que son cadre n'éclate et ne soit remplacé par un autre paradigme plus vaste et plus satisfaisant. Par exemple, quelqu'un pourra ne pas aimer l'ensemble des membres d'un groupe particulier, excepté un ou deux. Il pourra juger absurdes les phénomènes psi, tout en croyant ferme que les rêves de sa grand-tante se réalisent. Ce ne sont que des « exceptions qui confirment la règle », et non pas des exceptions qui *infirment* la règle.

Le *changement linéaire,* lui, se produit peu à peu, et l'individu n'est pas conscient d'avoir changé.

On rencontre ensuite le *changement pendulaire,* qui consiste en l'abandon d'un certain système de pensée pour un autre qui lui est opposé. Le faucon devient une colombe ; désenchanté, le zélateur religieux se fait athée ; la personne de mœurs légères vire à la pruderie — et *vice versa.*

Les défauts du changement pendulaire sont de ne pas intégrer les aspects positifs de l'ancienne vision et de ne pas évaluer la nouvelle option à partir des formulations antérieures. Le changement pendulaire rejette l'expérience du passé, oscillant d'une sorte de demi-savoir à un autre.

Le changement par exception, et les changements linéaire et pendulaire s'arrêtent au seuil de la transformation. Le cerveau ne peut traiter une information conflictuelle à moins de l'intégrer. Un simple exemple : si le cerveau ne peut produire la fusion de la vision binoculaire en une seule image, il choisira finalement de réprimer les signaux provenant d'un œil, risquant à la longue d'entraîner une atrophie des cellules visuelles du cerveau correspondant à cet œil, le rendant aveugle. De même, le cerveau est capable de choisir entre des conceptions conflictuelles en réprimant l'information qui n'est pas en adéquation avec ses croyances dominantes.

A moins, bien sûr, qu'il ne puisse harmoniser ces idées en une puissante synthèse. C'est le *changement de paradigme,* la transformation, la nouvelle perspective. Cette quatrième dimension du changement est une prise de conscience qui permet à l'information de s'ordonner selon une nouvelle forme ou structure. Le changement de paradigme épure et intègre. Il représente un essai de guérison du déchirement entre le ou bien-ou bien, le ceci-ou-cela.

A maints égards, c'est le type de changement le plus provocant, car il amène à renoncer aux certitudes, à admettre que les interprétations varient selon les perspectives et les situations.

Le *changement par exception,* c'est : « J'ai raison, sauf en *ceci.* » Le *changement linéaire,* c'est : « J'avais presque raison, mais maintenant j'ai vraiment raison. » Le *changement pendulaire,* c'est : « J'avais tort avant, mais maintenant j'ai raison. » Le *changement de paradigme,* c'est : « J'avais partiellement raison avant, maintenant j'ai un peu plus partiellement raison. » Lors d'un changement de paradigme, nous réalisons que nos opinions antérieures n'étaient qu'une partie du tableau, et que notre savoir d'aujourd'hui n'est qu'une partie de notre savoir de demain. Le changement n'est plus menaçant. Il absorbe, élargit, enrichit. L'inconnu devient un territoire intéressant et amical. Chaque prise de conscience élargit la route, facilitant l'étape suivante du voyage, la prochaine ouverture.

C'est au tour du *changement de changer,* exactement comme dans la nature l'évolution évolue selon un processus de complexification. Toute nouvelle occurrence modifie la nature de celles qui suivent, à la manière d'un intérêt composé. Le changement de paradigme n'est pas un simple effet linéaire ; c'est un changement spontané de structure, une spirale et parfois un cataclysme.

Si nous nous éveillons au flux et à la modification de notre propre conscience, nous favorisons le changement. La synthèse engendre la synthèse.

Le stress et la transformation

Si les circonstances s'y prêtent, le cerveau humain présente des capacités sans limites de changement de paradigme. Il peut s'ordonner et se réordonner, intégrer, transcender d'anciens conflits. Tout ce qui vient à disloquer l'ordre établi de notre vie est un déclencheur potentiel de transformation, d'un mouvement vers une plus grande maturité, vers une ouverture ou une force accrues.

Le stress est manifestement un élément perturbateur. Ce peut être la perte d'un travail, un divorce, une grave maladie, des problèmes financiers, un décès dans la famille, un emprisonnement, et même un succès soudain ou une promotion. Ce peut être aussi un stress intellectuel subtil : une relation intime avec quelqu'un dont les vues diffèrent notablement de celles que nous avons toujours eues, un livre qui ébranle nos croyances, ou un nouvel environnement, un pays étranger.

Le stress personnel, tout comme le stress collectif de notre époque, ce choc du futur dont on discute fort, peut servir d'agent de transformation dès lors que l'on sait l'intégrer. Ironie de cette époque nostalgique de temps plus simples, c'est la turbulence même du XXe siècle qui peut nous conduire à l'éclosion du changement et de la créativité dont ont rêvé les âges passés.

La culture tout entière est parcourue de traumatismes et de tensions qui appellent désespérément un nouvel ordre. Le psychiatre Frederic Flach dit à propos de ce développement historique :

> Les changements se produisent à un rythme accéléré et touchent chacun de quelque manière. Dans un monde de stress personnel et culturel, à la complexité croissante, il n'est plus possible de n'employer nos facultés créatrices que pour résoudre ici et là des problèmes spécifiques. Notre santé physique et mentale exige que nous apprenions à mener notre vie de manière véritablement créative.

Nous sommes troublés par de nombreux éléments que nous n'arrivons pas à harmoniser, par les paradoxes de la vie quotidienne. Le travail devrait être avant tout intéressant, mais aussi bien payé. Les enfants devraient être libres, mais aussi encadrés. Nous sommes déchirés entre ce que les autres attendent de nous et ce que nous attendons de nous-mêmes. Nous voulons faire preuve de compassion, d'honnêteté, de spontanéité, tout en maintenant notre sécurité.

Le stress, la douleur, les paradoxes, les conflits, les priorités antagonistes, tous ces maux ont en eux-mêmes leurs propres remèdes si l'on s'y consacre pleinement. Mais si nous hésitons à considérer les tensions qui nous habitent, si nous les traitons indirectement ou les étouffons, nous *vivons* indirectement, nous privant ainsi de la transformation qu'elles ont en germe.

La solution de l'esquive

Au niveau de la conscience ordinaire, nous refusons la douleur et le paradoxe. Nous les traitons au Valium, les émoussons avec de l'alcool ou les distrayons avec la télévision.

Le refus est un mode de vie. Plus précisément, c'est une façon de diminuer la vie, de la rendre apparemment plus facile. Le refus est l'opposé de la transformation.

Le refus peut être personnel, mutuel ou collectif, concerner des faits, des sentiments ou des facultés, des expériences, en oubliant délibérément ce que l'on voit ou entend. Les politiciens refusent les problèmes, les parents refusent de reconnaître leur vulnérabilité, les enseignants leurs préjugés, les enfants leurs intentions. Surtout, nous refusons ce que nous savons au plus intime de nous-mêmes.

Nous sommes pris entre deux mécanismes évolutionnaires différents : le refus et la transformation. Nous tenons de l'évolution la capacité de réprimer la douleur et d'éliminer par filtrage l'information périphérique. Ce sont d'utiles stratégies à court terme qui ont permis à nos ancêtres d'écarter des stimulus trop pénibles à supporter en cas de crise ; ainsi le syndrome de lutte ou de fuite les stimulait face à un danger physique.

Cette capacité de refus est un exemple de vision à court terme dont fait preuve parfois le corps. Il arrive que certaines réactions automatiques du corps produisent en fin de compte plus de mal que de bien. Par exemple, la formation de cicatrices empêche les nerfs de la moelle épinière de se reconnecter après un accident. Dans de nombreuses blessures, l'enflure cause plus de dommages que le traumatisme originel. C'est enfin l'intensité hystérique de la réaction du corps à un virus, plus que le virus lui-même, qui nous rend malades

Notre capacité à bloquer notre expérience est une impasse évolutionnaire. Plutôt que de ressentir et de *transformer* la douleur, les conflits, la peur, nous trouvons souvent des diversions ou des moyens de les éteindre dans une sorte d'hypnose inconsciente.

Au fil de la vie, le stress s'accumule. Comme il ne peut s'épancher, notre conscience vient à se rétrécir. Le projecteur se rapetisse en un mince faisceau lumineux. Tout s'émousse, la vivacité des couleurs, la sensibilité aux sons, la vision périphérique, l'ouverture aux autres, l'intensité émotionnelle. Le spectre de la conscience se réduit toujours plus.

La réelle aliénation de notre temps ne provient pas de la société mais de soi-même.

Qui peut savoir quand elle a débuté ? Peut-être dans nos premières années, lorsque nous nous écorchions un genou et qu'un adulte bienveillant nous distrayait avec une plaisanterie ou un gâteau. La culture ne favorise certainement pas cette habitude à faire réellement l'expérience de nos expériences. Mais il est probable que le refus se produise quand même, tant nous sommes adroits à masquer ce qui nous blesse, même au prix d'un appauvrissement de la conscience.

L'esquive est une réponse à court terme, comme l'aspirine. Elle installe dans une sourde douleur chronique au lieu d'une confrontation brève et aiguë. Le coût en est la flexibilité ; comme un bras ou une jambe se contractent lors d'une douleur chronique, toute la gamme de mouvements de la conscience se fige en une crampe.

Même si le refus est une réponse humaine, naturelle, le prix qu'il exige est terrible. C'est comme si nous nous installions dans le vestibule de notre vie. Et puis, finalement, cela ne marche plus. Une partie de l'être ressent toute l'acuité de la douleur réprimée.

Pendant plus d'un siècle, les psychologues ont considéré l'esprit selon un modèle bureaucratique : au sommet, l'esprit conscient tel un officier de commandement ; le subconscient, ensuite, premier lieutenant peu fiable ; et bien en dessous, l'inconscient, section indisciplinée d'énergies érotiques, d'archétypes et autres curiosités. C'est donc un choc d'apprendre qu'un co-conscient opère à côté de nous, une dimension de la conscience que le psychologue de Stanford, Ernest Hilgard, a baptisée l'Observateur caché.

Des expériences en laboratoire, effectuées à Stanford, ont montré qu'une autre partie du soi peut répondre à la douleur et à d'autres stimulus dont n'ont pas conscience des sujets hypnotisés. Cette instance de la conscience est toujours présente. Il est possible de la solliciter très facilement, comme les expériences de Hilgard l'ont démontré.

Par exemple, malgré une main immergée dans de l'eau glacée, une femme sous hypnose rapportait qu'elle ressentait une douleur nulle, correspondant constamment à zéro, selon une échelle de zéro à dix. Mais son autre main, qui tenait un stylo, décrivait l'augmentation de sa souffrance : « 0... 2... 4... 7... » D'autres sujets ont fourni des rapports verbaux contradictoires, suivant le « soi » auquel l'hypnotiseur s'adressait.

Toutes nos expériences, nos émotions refusées se répercutent sans fin dans l'autre moitié du soi, comme des disques rayés. Une énergie impressionnante s'investit dans le maintien de cette information qui tourne en rond hors de la conscience ordinaire. Comment s'étonner que nous nous sentions fatigués, déprimés, aliénés ?

Face au stress, nous disposons de deux stratégies essentielles : la voie de l'esquive et la voie de l'attention.

Dans son journal de 1918, Hermann Hesse se rappelait un rêve dans lequel il entendait deux voix distinctes. La première lui disait de chercher des forces pour vaincre la souffrance et se calmer. Elle évoquait les parents, l'école, Kant, les ecclésiastiques. Mais la seconde voix, qui venait de plus loin, comme une « cause primordiale », disait que la souffrance ne fait mal que parce qu'on en a peur, qu'on s'en plaint et qu'on la fuit ; elle recommandait d'aimer la souffrance, de se donner à elle. La douleur est l'aversion ; la guérison magique est l'attention.

Si l'on s'en occupe convenablement, la douleur peut répondre à nos questions les plus cruciales, même à celles que nous n'avions pas formulées consciemment. La seule façon de sortir de notre souffrance est de la traverser. Comme le dit un ancien texte sanscrit : « N'essayez pas d'éliminer la souffrance en prétendant qu'elle n'est pas réelle. Cherchez la sérénité dans l'unité, et la douleur s'évanouira d'elle-même. »

Les conflits, la souffrance, la tension, la peur, les paradoxes sont autant de transformations qui tentent de se produire. Une fois que nous choisissons de les affronter, alors commence le processus transformatif. Ceux qui découvrent ce phénomène, par la recherche ou par hasard, se rendent compte peu à peu que la récompense vaut bien l'âpreté d'une vie non anesthésiée.

La voie de l'attention

Notre potentiel biologique nous permet, soit de refuser notre stress, soit de le transformer en focalisant notre attention dessus. Certaines découvertes récentes sur le cerveau peuvent nous aider à comprendre les aspects à la fois psychologiques et physiologiques de ces deux choix, et pourquoi la voie de l'attention est un choix délibéré.

Si les hémisphères cérébraux droit et gauche interagissent en permanence, chacun présente certaines fonctions qui lui sont propres. Ces fonctions spécialisées des hémisphères furent d'abord observées dans les conséquences de traumatismes n'affectant que l'un ou l'autre côté du cerveau. Plus tard, on élabora des techniques raffinées pour détecter les différences, par exemple la projection simultanée de dessins distincts dans le champ visuel droit et dans le champ gauche, ou encore la stimulation simultanée de chaque oreille par un son à part. Des examens *post mortem* de cerveaux ont montré des différences de structure subtiles entre les deux côtés. Enfin, l'investigation a permis de constater que les cellules du cerveau produisant certaines molécules sont plus abondantes d'un côté que de l'autre.

Les hémisphères peuvent opérer indépendamment, comme deux centres de conscience séparés. Au cours des vingt dernières années, la démonstration spectaculaire en a été faite grâce aux vingt-cinq patients qui, dans le monde entier, souffraient d'une grave épilepsie, et subirent l'opération chirurgicale dite de « dédoublement du cerveau ». Cette opération consiste à sectionner les connexions entre les deux hémisphères dans l'espoir de limiter le mal à un seul côté.

On testa les opérés une fois rétablis, qui semblaient normaux, afin de déterminer s'ils présentaient une dualité de l'expérience consciente et d'observer les fonctions spécifiques à chaque hémisphère. Quelles tâches pouvaient bien accomplir chacun de ces demi-soi ? Quelle expérience pouvait-il transmettre ?

Il s'avère qu'en effet, le patient au cerveau dédoublé possède deux esprits capables de fonctionner indépendamment. Il arrive donc que la main gauche ignore, au sens propre, ce que fait la main droite.

Entre autres, le patient au cerveau dédoublé ne peut donner à l'expérimentateur le nom d'un objet connu seulement de l'hémisphère droit muet (dans le cas d'un droitier). Le sujet prétend ne pas savoir quel est cet objet, bien que sa main gauche (contrôlée par le cerveau droit) soit en mesure de le retrouver dans un ensemble d'objets placés hors du champ visuel. Si le patient au cerveau clivé essaye de copier des formes simples avec sa main droite (contrôlée par le cerveau gauche qui n'est pas capable de saisir les relations spatiales), la main gauche peut lui « donner un coup de main » pour terminer cette tâche.

Nous avons tendance à identifier le « je » avec le cerveau gauche, celui qui parle, et ses opérations ; c'est la partie de nous-mêmes qui peut parler de ses expériences et les analyser. L'hémisphère gauche, pour l'essentiel, contrôle le langage. Il additionne, soustrait, unit, mesure, compartimente, organise, nomme, classe et surveille les pendules.

Bien que l'hémisphère droit ait peu de contrôle sur le mécanisme de l'expression de la parole, il comprend le langage d'une certaine façon et donne à notre expression son inflexion émotionnelle. Si une région spécifique du cerveau droit est endommagée, la parole devient monotone et sans couleur. L'hémisphère droit est plus musical et plus sexuel que le gauche. Il pense par images, voit par ensembles, détecte les structures. Il semble traiter la douleur plus intensément que le gauche.

Selon l'expression de Marshall McLuhan, le cerveau droit « accorde » l'information, le cerveau gauche l' « adapte ». Le gauche se réfère au passé, confrontant l'expérience présente aux situations antérieures pour tâcher de la catégoriser. L'hémisphère droit répond à la nouveauté, à l'inconnu. Si le gauche prend des instantanés, le droit assiste à des films.

Le cerveau droit est capable de faire apparaître des motifs visuels ; par exemple, il peut identifier une forme suggérée seulement par quelques lignes. Il relie mentalement les points et propose un modèle. Comme le diraient les psychologues, le cerveau droit complète la *gestalt*. Il est faiseur d'ensembles ; sa vision est holiste.

La faculté de détecter des tendances et des structures est d'une importance cruciale. Plus nous sommes capables de brosser un tableau avec précision à partir d'une information minimale, et mieux nous sommes équipés pour survivre.

Notre habileté à déceler des modèles, comme lorsque nous lisons un message griffonné aux lettres mal formées, est utilisée dans la vie courante. Cette capacité de compléter une structure avec une information limitée permet au détaillant prospère ou au politicien de déceler les nouvelles tendances à leur début, au médecin de reconnaître une maladie, au thérapeute de détecter une structure névrotique chez une personne ou une famille.

L'hémisphère droit est abondamment relié à l'ancien cerveau limbique, qu'on appelle le cerveau émotionnel. Les mystérieuses structures limbiques sont impliquées dans le processus de la mémoire ; stimulées électriquement, elles produisent nombre des phénomènes qu'on rencontre dans les états non ordinaires de conscience.

Dans l'acception classique du « cœur et de l'esprit », nous pouvons concevoir le circuit cerveau droit-limbique comme le « cerveau du cœur ». Quand nous disons, par exemple, « le cœur a ses raisons », nous évoquons les sentiments profonds qui proviennent de la « face cachée du cerveau ».

Pour des raisons à la fois culturelles et biologiques, le cerveau gauche semble dominer la conscience de la plupart d'entre nous. Les chercheurs ont même rapporté que, dans certains cas, le cerveau gauche peut s'occuper de tâches qui relèvent du cerveau droit.

Pratiquement, toute notre conscience se limite au seul aspect de la fonction cérébrale qui réduit les objets en leurs parties. Habituellement, le cerveau gauche s'oppose au droit jusqu'à le réduire au silence ; il nous prive par là de notre capacité à déceler les structures et à saisir globalement, détruisant ainsi notre seule possibilité de dégager des significations de notre environnement.

Même sans scalpel, nous opérons sur nous-mêmes un dédoublement du cerveau. Nous isolons le cœur et l'esprit. Coupé de la fantaisie, des rêves, des intuitions et de l'appréhension holiste du cerveau droit, le gauche devient stérile. Coupé des facultés organisatrices de son partenaire, le cerveau droit, par défaut d'intégration, s'engorge de la charge émotionnelle non investie. Les sentiments sont endigués, se traduisant éventuellement par des tracas personnels comme la fatigue, la maladie, la névrose, un sentiment envahissant que quelque chose ne va pas, que quelque chose manque — une sorte de nostalgie cosmique. Cette fragmentation nous coûte notre santé et notre capacité d'intimité. Comme nous le verrons au chapitre IX, elle nous coûte aussi notre habileté à apprendre, à créer, à innover.

Savoir et nommer

Le matériel brut de la transformation humaine est autour de nous comme au-dedans de nous, omniprésent et invisible comme l'oxygène. Nous baignons dans un savoir que nous n'avons pas sollicité, et qui relève du domaine de ce cerveau qui ne peut nommer ce qu'il sait.

Il existe des techniques qui peuvent nous aider à verbaliser nos rêves et nos cauchemars. Elles ont pour but de rouvrir le pont entre les deux cerveaux, le droit et le gauche. Plus le cerveau gauche accroît sa conscience de l'activité de son homologue, et plus leurs échanges sont favorisés.

La méditation, l'incantation, et des techniques semblables augmentent la cohérence et l'harmonie des structures des ondes cérébrales. Elles conduisent à une synchronisation plus grande entre les hémisphères, ce qui suggère qu'un niveau d'ordre plus élevé est atteint. Il arrive qu'on observe une augmentation de la population des cellules nerveuses impliquées dans le rythme, jusqu'à ce que toutes les régions du cerveau semblent pulser, comme les participants d'un orchestre ou d'une chorégraphie. Les rythmes habituellement désynchronisés entre les hémisphères semblent aller de concert. Même l'activité électrique des structures du cerveau plus anciennes et plus profondes peut faire preuve d'une synchronisation inattendue avec le néocortex.

Une technique parmi d'autres, la concentration, développée par le psychologue Eugene Gendlin, de l'université de Chicago, consiste à s'asseoir tranquillement et à laisser monter le sentiment, ou l' « aura », d'un souci particulier. On lui demande en quelque sorte de s'identifier lui-même. Habituellement, une demi-minute plus tard environ, un mot ou une phrase vient à l'esprit. S'il correspond au souci, le corps réagit sans erreur. Selon Gendlin, quand nous parvient un de ces mots, nous avons conscience d'un sentiment plus aigu de libération ou de changement, habituellement avant que l'on puisse dire ce qu'est ce changement.

La recherche a pu montrer que ces « sensations de changement » sont contemporaines d'une modification prononcée des harmoniques des ondes cérébrales. Une structure particulière et complexe semble être corrélée avec l'expérience de prise de conscience. L'activité du cerveau est intégrée à un niveau plus élevé. En outre, si une personne rapporte un sentiment d' « affaissement », on détecte alors sur son électro-encéphalogramme un écroulement de ces mêmes harmoniques.

Toute technique d'abaissement du seuil de conscience et de libération d'un matériel non sollicité favorise le processus transformatif. La reconnaissance — mot qui, littéralement, signifie « connaître de nouveau » — se produit lorsque le cerveau analytique, capable de nommer et de classifier, admet en pleine conscience la sagesse de son compagnon.

La partie organisatrice du cerveau ne peut comprendre que ce qui entre dans le cadre du savoir précédent. Le langage amène l'étrange, l'inconnu, en pleine conscience, et nous disons alors « cela va de soi ».

Dans la philosophie grecque, le *logos* (le verbe) était le principe divin ordonnant et agençant le neuf de l'étrange au sein du déjà manifesté dans le monde des choses. Dès que nous nommons les objets, nous structurons la conscience. Quand nous aborderons la grande transformation sociale en cours, nous verrons constamment que le seul fait de nommer éveille de nouvelles perspectives : la naissance sans violence, la simplicité volontaire, la technologie appropriée, le changement de paradigme.

Le langage libère l'inconnu de l'oubli, l'exprimant selon un mode qui permet à l'ensemble du cerveau d'en être conscient. Les incantations, les mantras, la poésie, et les mots sacrés et secrets sont autant de ponts qui relient les deux cerveaux.

Etant donnée la complexité du cerveau, cela pourra prendre des générations avant que la science comprenne les processus qui font que nous savons sans savoir que nous savons. Qu'importe ; ce qui compte, c'est que *quelque chose* en nous est plus sage et mieux informé que notre conscience ordinaire. Forts d'un tel allié en nous-mêmes, pourquoi continuer à cheminer en solitaire ?

Découvrir le centre

L'union des deux esprits crée quelque chose de nouveau. Le savoir de l'ensemble du cerveau est bien plus que la somme de ses parties et il *diffère* de l'une ou de l'autre.

Selon le critique littéraire britannique John Middleton Murry, la réconciliation de l'esprit et du cœur est « le mystère central de toute grande religion ». Dans les années quarante, Murry écrivait qu'un nombre croissant d'hommes et de femmes devenaient, par la fusion de l'émotion et de l'intellect, « un nouveau type d'être humain ».

Murry a appelé « âme » ce nouveau savoir né de la fusion. A travers les siècles, les comptes rendus d'expériences transcendantales ont souvent décrit celle-ci comme un « centre » mystérieux. Ce centre transcendantal se rencontre dans toutes les cultures, où on le représente de différentes manières ; ce peut être un mandala, le Graal, l'androgyne, la chambre du roi, le *sanctum sanctorum*, le saint des saints. « Nous sommes à la périphérie d'un cercle, a écrit Robert Frost, mais le Secret se tient au centre et sait. »

La fuite hors de la prison des deux esprits — l'œuvre de transformation — est le grand thème récurrent des romans de Hesse : *Le Loup des steppes, Narcisse et Goldmund, Le Jeu des perles de verre, Demian* et *Siddhartha*. En 1921, cet écrivain mettait tout son espoir dans la vague de spiritualité en provenance de l'Inde, capable d'offrir à la culture occidentale une possibilité de « rectification et de rafraîchissement émanant du pôle opposé ». Les Européens, malheureux dans leur climat intellectuel et ultraspécialisé, ne se tournaient pas tant vers Bouddha et Lao-Tseu, disait-il, que vers la méditation, « une technique dont le résultat supérieur est l'harmonie pure, une coopération simultanée, égale, des pensées logique et intuitive ». Si l'Orient contemplait la forêt, l'Occident en comptait les arbres. Pourtant, le besoin de complétude est un thème mythique qui apparaît dans toutes les cultures. Tous l'ont désirée ; beaucoup sont parvenus à transcender le clivage. L'esprit qui connaît les arbres *et* la forêt est un nouvel esprit.

CHAPITRE IV

LE PASSAGE : L'EXPÉRIENCE INTÉRIEURE

Il n'y a qu'une histoire qui compte, c'est l'histoire de ce en quoi vous croyiez autrefois et c'est l'histoire de ce en quoi vous avez été conduit à croire.

Kay BOYLE

LA différence entre la transformation par accident et la transformation systématique est comparable à celle entre la foudre et la lampe. Si toutes les deux peuvent illuminer, l'une est dangereuse et incertaine, alors que l'autre est relativement sûre, orientable et toujours disponible.

Les déclencheurs intentionnels d'expériences transformatives sont innombrables, mais ils présentent tous une propriété commune. Ils concentrent l'attention de la conscience sur la conscience ; comme nous l'avons vu, c'est un changement critique. Malgré toute l'étendue de leur gamme de variations, la plupart des déclencheurs suscitent une concentration sur quelque chose de trop étrange, complexe, diffus ou monotone pour que le cerveau analytique, la moitié intellectuelle, puisse l'appréhender. Ce peut être la respiration, un mouvement physique répétitif, une musique, de l'eau, une flamme, un son dépourvu de signification, un mur blanc, un koan, un paradoxe. Le cerveau intellectuel n'est capable de dominer la conscience qu'en se fixant sur quelque chose de défini et de limité. S'il est captivé par une concentration diffuse et monotone, les signaux provenant de la face cachée de l'esprit peuvent être entendus.

Parmi les déclencheurs d'expériences rapportées par ceux qui ont répondu au questionnaire sur la Conspiration du Verseau, on peut énumérer :

1° L'isolement sensoriel et la surcharge sensorielle : une modification importante de l'information perçue produit en effet un changement d'état de conscience.

2° Le biofeedback — emploi d'appareils qui ramènent à la conscience d'un sujet des signaux visuels ou auditifs dont la dynamique correspond à celle de certains de ses processus corporels, comme l'activité électrique du cerveau, la tension musculaire, la température de la peau. Apprendre à contrôler ces processus nécessite un état de relaxation et de vigilance inhabituel.

3° Le *training autogène,* originaire d'Europe et qui a plus de cinquante ans. Il consiste en une série d'autosuggestions : on se dit que son propre corps se détend, se réchauffe, devient lourd, respire de lui-même, etc.

4° La musique, le chant (parfois en combinaison avec l'imagerie ou la méditation). Le cerveau, surtout l'hémisphère droit, est très sensible à la tonalité, au temps. La peinture, la sculpture, la poterie et d'autres activités semblables sont en mesure de permettre au créateur de se perdre dans sa création.

5° L'improvisation théâtrale, qui nécessite à la fois une attention et une spontanéité totales. Le psychodrame, qui contraint à une prise de conscience des rôles et de leur jeu. La contemplation de la nature et autres expériences esthétiques saisissantes.

6° Les stratégies de « prise de conscience » proposées par de nombreux mouvements sociaux : elles invitent à tourner son attention vers les anciens modes de pensée.

7° Des réseaux d'auto-assistance et d'assistance mutuelle, tels les Alcooliques anonymes, qui incitent, entre autres, à porter son attention sur ses propres processus de conscience. Ils développent l'idée que le changement dépend de soi, qu'on peut choisir son comportement et coopérer, par l'introspection, avec des « forces plus élevées ».

8° L'hypnose et l'auto-hypnose.

9° La méditation de divers types : zen, bouddhisme tibétain, chaotique, transcendantale, chrétienne, cabaliste, kundalini, raja yoga, yoga tantrique, etc. La psychosynthèse, un système qui combine l'imagerie et un état méditatif.

10° Les koans, les histoires soufi et la danse des derviches. Différentes techniques chamaniques et magiques qui impliquent une concentration de l'attention.

11° Des séminaires divers, qui cherchent à rompre la transe culturelle et à ouvrir l'individu à de nouveaux choix.

12° Les journaux concernant le rêve, car les rêves sont le meilleur moyen d'obtenir une information provenant d'une région qui dépasse le champ de conscience ordinaire.

13° La théosophie, les systèmes s'inspirant de Gurdjieff, qui font la synthèse de nombreuses traditions mystiques et enseignent des techniques de modification de la conscience.

14° Les psychothérapies contemporaines, comme la logothérapie de Viktor Frankl, qui consiste en une recherche de signification, l'usage d'une « intention paradoxale » et la confrontation directe avec la source de peur. La thérapie primale et celles qui en dérivent, qui font appel aux expériences de souffrance remontant à la prime enfance. Le processus de Fisher-Hoffman, où la rentrée semblable au sein des angoisses enfantines est suivie d'un emploi intense de l'imagerie de réconciliation et de pardon envers ses parents, quelles que soient les anciennes expériences négatives. La *Gestalt* thérapie qui permet de pénétrer avec douceur dans les structures de reconnaissance ou les changements de paradigmes.

15° La science de l'esprit, approche pour la guérison et l'autoguérison.

16° Un cours sur les miracles, une approche contemporaine et non orthodoxe du christianisme fondée sur un changement profond de perception.

17° D'innombrables disciplines et thérapies du corps : le hatha yoga, le T'ai Chi Ch'uan, l'aïkido, le karaté, le jogging, la danse, la bioénergie, la kinésiologie appliquée, les systèmes de Reich, Rolf, Feldenkrais, Alexander, celui de Bates sur l'amélioration de la vision.

18° Des expériences intenses de changement personnel et collectif telles celles de l'Institut Esalen, de Big Sur, en Californie, des groupes d'entraînement à la sensibilité, des groupes de rencontre, des groupes informels d'assistance amicale.

19° Le sport, l'escalade, le canoë, et autres activités physiques enivrantes qui produisent un saut qualitatif dans le sentiment d'être vivant. Les retraites en milieu sauvage, le vol ou la voile en solitaire, qui favorisent la découverte de soi et l'impression d'intemporalité.

Toutes ces approches peuvent être appelées des *psychotechniques*, ou systèmes destinés à changer la conscience. Certains peuvent y découvrir une nouvelle façon personnelle d'être attentif et peuvent apprendre à induire de tels états par des méthodes de leur cru. Tout peut réussir.

Comme le notait William James il y a trois quarts de siècle, la clef de l'expansion de conscience est le renoncement. Si l'on abandonne la lutte, on la gagne. Pour aller plus vite, il faut ralentir.

La complexité d'une méthode ne devrait pas être confondue avec son efficacité. Certains peuvent bénéficier de disciplines hautement structurées et d'un symbolisme touffu, alors que d'autres personnes connaîtront de rapides changements avec une technique simple. Une approche satisfaisante à un moment peut sembler soudain inappropriée ; ou encore, si une méthode a pu paraître n'entraîner aucun changement significatif et être jugée stérile, il arrive qu'on réalise, après coup, que quelque chose d'important s'est pourtant produit.

Nos systèmes nerveux sont organisés différemment ; chacun d'entre nous présente son propre état de santé, son histoire personnelle d'introspection, de rêves, de blocages, d'anxiété. Tout comme il y a des athlètes naturels, il existe des individus auxquels viennent aisément des changements de conscience. L'état d'attention diffuse et relaxée, qui est la clef de toutes ces pratiques, ne doit pas être obtenu par force, mais venir naturellement. L'effort interfère avec le processus et certaines personnes éprouvent quelque difficulté à se laisser aller.

De nombreuses personnes semblent résister, sur le plan neurologique, aux psychotechniques, peut-être parce qu'étant enfants, elles étaient très sensibles à la douleur ou qu'elles ont éprouvé un stress considérable. Il est donc possible qu'elles aient coupé la relation avec leur hémisphère droit, particulièrement sensible à l'émotion et à la douleur. D'autres individus réagissent mieux, peut-être parce qu'ils sont nés innovateurs et explorateurs, qu'ils ont des tempéraments plus flexibles, ou ont appris à affronter la peur ou la douleur tôt dans leur vie.

Ces avantages ou ces désavantages initiaux, inscrits dans le système nerveux, inclinent *a priori* à penser que le riche devient plus riche et que le pauvre est conduit au découragement. Mais l'amélioration est possible pour tous, tout comme la pratique nous rend meilleurs skieurs ou meilleurs nageurs, quels que soient nos dons.

Comme l'exercice physique, les techniques ont un effet progressif mais on ne perd pas l'acquis des changements psychiques comme on voit fondre ses muscles si l'on s'arrête. « Aucun miroir ne redevient fer, disait Rumi, le poète soufi, aucun raisin mûr ne redevient acide. »

Les étapes de la transformation

Aucun système ne promet un passage de l'état fragmenté de la psyché humaine à l'illumination garantie 24 heures sur 24. La transformation est un voyage sans destination finale. Mais il existe des étapes, et l'on peut en dresser la carte de façon surprenante à partir des milliers de comptes rendus historiques et de la prolifération des rapports émanant des chercheurs contemporains. Certes, il y a des pièges, des grottes, des sables mouvants et de dangereux croisements qui sont spécifiques du voyage individuel, mais des déserts, des sommets, et certains monticules étranges ont été observés par presque tous ceux qui ont persisté. Tout en reconnaissant que la carte n'est pas le territoire et que le processus transformatif doit se vivre, nous allons le décrire selon quatre étapes majeures.

La première étape est un préliminaire, presque un événement fortuit : un *moyen d'accès*. Dans la plupart des cas, ce moyen d'accès ne peut être identifié qu'*a posteriori*. L'accès peut être ouvert par tout ce qui ébranle la vieille conception du monde, les vieilles priorités. Parfois il s'agit d'un investissement symbolique dû à l'ennui, à la curiosité ou au désespoir : un livre, un mantra, un cours de soir.

Pour un grand nombre de personnes, le déclencheur a été une expérience psychique ou mystique spontanée, aussi difficile à expliquer qu'à nier ; ou encore la découverte intense sous drogue psychédélique d'une autre réalité.

Il est impossible de surestimer le rôle historique des psychédéliques comme moyen d'accès aux autres techniques transformatives. Pour des dizaines de milliers de « cerveaux gauches », ingénieurs, chimistes, psychologues et étudiants en médecine qui n'avaient jusque-là jamais compris leurs frères au cerveau droit plus spontané, plus imaginatif, les drogues furent, surtout dans les années soixante, un visa pour Xanadu.

Les changements dans la chimie du cerveau déclenchés par les psychédéliques induisent une métamorphose du monde familier. Peuvent en émerger une rapide imagerie, une acuité inaccoutumée de la perception visuelle ou auditive, un courant de savoir « neuf » et simultanément très ancien, une vive mémoire primordiale. Au contraire des états mentaux pâteux produits par le rêve ou la boisson, la conscience psychédélique est plusieurs fois plus intense que la conscience normale de veille. Ce n'est que par l'intensité de cet état non ordinaire que certains ont pu réaliser pleinement le rôle créateur de la conscience dans la réalité de tous les jours.

Ceux qui ont pris des psychédéliques se sont aperçus bientôt que les comptes rendus historiques les plus voisins de leurs propres expériences provenaient, soit de la littérature mystique, soit de ce pays des merveilles qu'est la physique théorique — vision complémentaire du « vide et du tout », cette dimension fondamentale qui ne peut être mesurée en kilomètres ou en minutes.

Comme l'a remarqué un chroniqueur des années soixante, « le L.S.D. a permis à toute une génération de vivre une expérience religieuse ». Mais le *satori* chimique est périssable, et ses effets sont trop écrasants pour être intégrés dans la vie quotidienne, contrairement aux autres psychotechniques qui permettent une approche soutenue et *contrôlée* de cette vaste réalité. Les annales de la Conspiration du Verseau fourmillent d'illustrations du passage de la drogue à ces techniques : du L.S.D. au zen, du L.S.D. à la sagesse indienne, de la psilocybine à la psychosynthèse.

Quelles que soient les splendeurs que recelaient les champignons et les morceaux de sucre imbibés, elles n'étaient qu'un aperçu — des attractions à la mode, non le fait principal.

L'expérience du moyen d'accès laisse présager qu'il existe une dimension de la vie plus riche, plus lumineuse, plus pleine de sens. Certains sont hantés par cet aperçu qui les incite à aller plus loin. D'autres, moins sérieux, restent près de l'entrée, jouant avec l'occulte, les drogues, les jeux d'altération de la conscience. Certains ont peur de poursuivre, car la confrontation avec le non rationel est déroutante. Voici que l'esprit libéré de ses entraves souffre d'une sorte d'agoraphobie, effrayé par ses propres espaces impressionnants. Ceux qui ont un impérieux besoin de contrôle peuvent être effrayés d'aborder un domaine aux réalités et aux façons de voir multiples. Ils veulent s'en tenir à leur conception du monde du type bien/mal, blanc/noir, et choisissent de réprimer les prises de conscience qui contredisent le vieux système de croyances.

Certains hésitent car ils ne savent pas vers quelle direction nouvelle se tourner. D'autres sont arrêtés par la peur des critiques, la crainte de paraître stupides, prétentieux ou même insensés aux yeux de leur famille, des amis, des collègues. Ils s'inquiètent de ce que leur voyage intérieur pourra sembler un acte narcissique ou une fuite. Il est sûr que ceux qui persistent, passé le lieu d'accès, doivent vaincre le préjugé culturel envahissant qui dénigre l'introspection. La quête d'un savoir venant de soi est souvent assimilée à de l'orgueil, à une préoccupation centrée sur la psyché aux dépens de la responsabilité sociale. La critique populaire des psychotechniques se révèle dans les expressions péjoratives comme « le nouveau narcissisme » ou « la Décennie du Moi ».

L'isolement des débutants dans le processus transformatif est aggravé par leur difficulté à expliquer ce qu'ils ressentent et pourquoi ils poursuivent leur investigation. S'ils essayent de décrire leur découverte d'une sorte de « sérénité » intime, d'un soi global et sain attendant de libérer son potentiel, ils craignent de paraître égotistes.

On a tous peur d'être abandonnés. Le savoir qui émane de ces expériences est souvent insaisissable, difficile à conceptualiser Et si ces prises de conscience n'étaient que des fantômes, des illusions ? Dans le passé, nous avons cru à des promesses qui n'ont pas été tenues ; nous avons vu des mirages de fraîche espérance se dissoudre à notre approche. Le souvenir de ces déceptions, petites et grandes, nous incite à ne plus nous laisser prendre.

Plus commune encore est la peur de nos propres potentialités plus élevées, comme l'a remarqué Abraham Maslow. « Nous nous réjouissons et nous frémissons devant les possibilités quasi divines que nous découvrons en nous lors des moments paroxystiques. Et pourtant, nous tremblons simultanément de faiblesse, de stupeur et de crainte devant ces mêmes possibilités. » Un manque apparent de curiosité est souvent une défense. « La peur de savoir est, profondément, une peur d'agir », disait Maslow. Le savoir est porteur de responsabilité.

Il y a une peur du soi, un refus de nous fier à nos besoins plus profonds. Nous craignons que quelque aspect impulsif de nous-mêmes vienne s'imposer. Et si nous découvrions que la vie dont nous avons vraiment besoin est dangereusement différente de celle que nous menons ? Une autre crainte y est liée, celle d'être pris dans un tourbillon d'expériences inhabituelles et, bien pire, de les aimer. Ou nous risquons de nous engager dans quelque discipline exigeante ; si l'on se met à la méditation, on est bon pour se lever à cinq heures ou à se mettre au végétarisme.

L'homme a peur de choses qui ne peuvent lui faire de mal, dit un texte hassidique, et a soif de choses qui ne peuvent pas l'aider. « Or il y a, de fait, quelque chose en lui dont il a peur, et c'est quelque chose en lui dont il a soif. » Nous avons peur et soif de devenir vraiment nous-mêmes.

Près du lieu d'accès, nous savons que si nous poursuivons la quête de ce Saint-Graal, rien ne sera jamais plus comme avant. Il est toujours possible de rebrousser chemin à l'entrée, mais après...

Pour ceux qui persévèrent, la seconde étape est l'*exploration*, le Oui venant après le Non final. Avec prudence ou enthousiasme, ayant pressenti que quelque chose mérite d'être trouvé, l'individu part à sa recherche. Le premier pas, bien que petit, est important et de grande portée pour les suivants. Comme l'a dit un maître spirituel, la quête *est* la transformation.

Cette exploration est le « laisser-aller délibéré » décrit par le psychologue Eugene Gendlin. Ce laisser-aller permet au savoir intime d'émerger à la conscience. C'est une libération intentionnelle, comme lorsqu'on relâche délibérément sa prise sur quelque chose. Cette prise-là, la contraction de notre conscience, notre crampe psychique, doit être détendue avant tout changement.

Les psychotechniques sont destinées à libérer cette étreinte serrée de façon que nous puissions flotter, tout comme un sauveteur doit décrocher une personne qui se noie du support auquel elle s'agrippe désespérément.

Il est curieux de constater qu'après des expériences transformatives, nous nous comportons de la seule façon que nous connaissons : comme des consommateurs, des compétiteurs, opérant encore selon les valeurs de l'ancien paradigme. Nous pouvons comparer nos expériences avec celles des autres, nous demander si nous nous « débrouillons bien », si nous faisons des progrès et s'ils sont suffisamment rapides. Nous pouvons chercher à retrouver une expérience particulièrement gratifiante ou émouvante. Pendant cette phase, certains individus essayent de nombreuses techniques, de nombreux maîtres, comparant les produits en bons consommateurs. A l'âge des voyages supersoniques et des communications par satellite, nous attendons un résultat, une gratification instantanés. Le processus de transformation peut bien bouillonner dans les profondeurs comme un geyser, nous ne le voyons pas, et cela accroît notre impatience.

Certains tombent, au début, dans le changement pendulaire. La méthode qu'ils ont choisie, par exemple la Méditation transcendantale, le jogging, ou le Rolfing, apparaît comme la panacée pour tous les maux du monde. Les autres systèmes ne valent rien

Dans ce faux jour des certitudes, on trouve souvent des prosélytes empressés. Mais les évangélistes amateurs apprennent bien vite qu'aucun système ne convient à tous et que les méthodes elles-mêmes, par une concentration répétée de la conscience, conduisent à cette seule certitude qu'il n'y aura pas de réponses ultimes.

Comme l'a dit l'écrivain de science-fiction Ray Bradbury, « nous sommes tous dans la même Recherche, tentant de résoudre le vieux Mystère. Bien sûr, nous ne le résoudrons jamais. Nous en ferons l'ascension. Et, finalement, nous habiterons le Mystère... ».

Lors de la troisième étape, l'*intégration*, on habite le mystère. On peut pour cela choisir certains maîtres, certaines méthodes, mais c'est à un « gourou » intérieur que l'individu se réfère.

Au cours des premières étapes se sont sans doute manifestées des dissonances, des conflits aigus entre les nouvelles croyances et les anciennes. Comme la société qui, en ces temps troublés, lutte avec ses vieux instruments, ses vieux schémas pour se rénover, l'individu essaye d'abord d'améliorer la situation plutôt que de la changer, de réformer plutôt que de transformer.

Il peut alors osciller entre l'ivresse et la solitude. En effet, la peur se trouve concentrée sur l'effet de dislocation que peut produire le processus transformatif sur le bon vieil itinéraire : la direction de la carrière, les relations, les buts et les valeurs... Un nouveau soi naît dans une ancienne culture. Cependant, apparaissent de nouveaux amis, de nouvelles récompenses, de nouvelles possibilités.

Pendant cette période, une tâche différente est entreprise. Elle prend une forme plus réflexive que ne l'était la recherche active de la phase d'exploration. Exactement comme, en science, un changement de paradigme est suivi d'une opération de nettoyage, d'un réagencement des données éparses dans le nouveau cadre, de même ceux qui entreprennent une transformation personnelle éprouvent le besoin de conceptualiser leur expérience. L'intuition a fait un bond devant la compréhension. Que s'est-il réellement passé ? L'individu expérimente, affine, teste les idées, les éprouve, clarifie et développe son expérience.

Beaucoup en viennent à explorer des sujets pour lesquels ils ne témoignaient jusque-là ni intérêt ni aptitude, à la recherche de tout ce qui traite de l'expérience consciente. Ils peuvent ainsi se lancer dans la philosophie, la physique quantique, la musique, la sémantique, les recherches sur le cerveau, la psychologie. Le « scientifique » néophyte fait parfois une pause, le temps d'assimiler tout cela, et l'ouverture du champ a été immense. Et tout l'intéresse.

Paradoxalement, alors que le besoin de validation ou de justification vis-à-vis d'autrui est devenu moins pressant, l'auto-mise en question de soi-même peut devenir une véritable inquisition. L'individu émerge habituellement d'une telle réévaluation avec une force et une sûreté renouvelées et des intentions profondément enracinées.

Au point d'accès, l'individu a découvert l'existence d'autres modes de connaissance. Au cours de l'exploration, il a rencontré des systèmes permettant d'accéder à cette autre connaissance. Au moment de l'intégration, s'étant aperçu que nombre de ses vieilles habitudes, ambitions et stratégies n'étaient pas en accord avec ses nouvelles croyances, il a appris qu'il existe d'autres façons d'être.

La quatrième étape, la *conspiration,* lui fait alors découvrir d'autres sources de pouvoir et les moyens de s'en servir dans le but de s'accomplir soi-même et de se mettre au service d'autrui. Non seulement le nouveau paradigme est efficace dans sa propre vie, mais il semble convenir aux autres. *Si l'esprit peut guérir et transformer, pourquoi les esprits ne pourraient-ils pas s'unir pour guérir et transformer la société ?*

Auparavant, lorsque l'individu essayait de faire partager ses idées sur la transformation, c'était surtout pour s'expliquer, ou pour englober ses amis et sa famille dans le processus. Dorénavant, les implications sociales de la transformation lui apparaissent.

La conspiration doit permettre la transformation. Toutefois, elle ne doit pas l'imposer à ceux qui ne sont ni mûrs pour elle, ni intéressés, mais la rendre possible à ceux qui en ont soif. Michael Murphy, cofondateur d'Esalen, suggère que les disciplines elles-mêmes conspirent pour un renouveau. « Faisons apparaître cette conspiration ! Nous pouvons changer notre vie de tous les jours en cette danse qui est le but de l'univers. »

Paradoxalement, il peut y avoir une interruption de l'activité sociale durant la période où l'individu réévalue les responsabilités, les rôles, les lignes de force. En effet, s'il a le pouvoir de changer la société, même d'une façon infime, il vaut mieux qu'il réfléchisse, qu'il repense les concepts de direction, de pouvoir et de hiérarchie. Car le danger demeure de détruire cette grande chance de transformation sociale en retombant dans le vieux comportement de défense, d'égotisme ou de timidité.

On ne peut faire aucune narration typique du processus de transformation. Chacun est unique, comme une empreinte digitale. Mais on y retrouve, fréquemment, la progression par étapes.

Un jeune psychologue clinicien d'un hôpital d'Etat fit suivre son questionnaire sur la Conspiration du Verseau d'une lettre de quatre pages qui décrivait le processus classique que nous étudions. D'abord, le moyen d'accès :

Au printemps 1974, je terminais ma thèse de maîtrise en psychologie, dans une perspective behavioriste... Un soir nous décidâmes, un autre étudiant et moi, d'expérimenter le L.S.D. Pendant la soirée, j'eus une expérience qu'il me fut bien difficile d'expliquer ou de décrire, la sensation soudaine d'un tourbillon s'ouvrant dans ma tête et se refermant quelque part au-dessus de moi. J'entrepris de ne pas abandonner tout contact avec ma conscience. Mais, quand je m'élevai plus haut, je commençai à en perdre le contrôle. J'étais sous pression, j'entendais des bruits, je ressentais dans mon corps des sensations : l'impression de flotter, de monter en chandelle, etc. Tout à coup, je sautai hors du tourbillon. Or, si auparavant j'avais autour de moi un complexe d'habitations universitaires plutôt terne, les mêmes bâtiments m'apparaissaient désormais d'une beauté incroyable, encore indescriptible aujourd'hui. Il en émanait un ordre, une complexité et une simplicité, comme si tout avait un sens en soi, par soi, et s'organisait avec les autres éléments de l'environnement. Au cœur de cette expérience, je sentis que tout cela n'était pas seulement l'effet de la drogue.

Les jours qui suivirent, il interrogea ses camarades étudiants et ses professeurs à propos de son expérience et fut « immédiatement étiqueté comme un freak », un marginal, un farfelu. Comme il continuait à poser ses questions, un étudiant lui recommanda plusieurs fois de lire les livres sur Don Juan écrits par Carlos Castaneda. Au départ, il fut sceptique. « Je me considérais comme un vrai scientifique, et ces histoires à propos d'un sorcier indien étaient trop excentriques pour moi. » Mais il avait un besoin désespéré d'obtenir une réponse. Il renonça à ses protestations intellectuelles et s'engagea dans la deuxième étape, l'*exploration :*

> J'ouvris le premier livre et y découvris bientôt que quelqu'un avait connaissance des mêmes expériences. Je commençai à lire tous les livres et décidai de me spécialiser dans ce domaine pour mes examens doctoraux et ma thèse. Je n'étais pas sûr alors de la branche dans laquelle je désirais me spécialiser, puisque je ne savais pas même le nom de l'objet de mes recherches.
>
> Après un été passé à lire et à poursuivre mon investigation intérieure, j'avais fixé le choix de mon travail : utiliser la méditation comme une procédure standardisée pour explorer la conscience humaine.

Le même été, cet étudiant commença à tenir un journal de ses pensées et de ses expériences et étudia ses propres changements de perception sous l'effet du L.S.D. (au cours de dix sessions) ; il employa aussi toutes sortes de stratégies pour atteindre de spectaculaires altérations de la conscience. Des épisodes négatifs et parfois terrifiants l'amenèrent à abandonner les drogues et à restreindre les jeux psychiques. « La méditation était un moyen plus prudent et plus sûr de parvenir à effectuer une exploration et un changement stables et profonds. » Une période d'*intégration* commença à la fin de 1974 :

« A la fin de l'année et au printemps je poursuivis ma recherche

> personnelle, employant la méditation comme véhicule, tout en rédigeant un rapport d'intention sur la méditation et la conscience pour mes examens. J'essayai quelques-unes des pratiques dont je lisais le compte rendu comme les expériences hors du corps, et décidai qu'il y avait là une réalité pour laquelle je n'étais pas prêt. En outre, je savais par mes lectures que la méditation devait être pratiquée de façon plus productive.

A noter qu'il est plus sérieux. Il n'est plus intrigué par les capacités paranormales, ne se demande plus ce qu'il peut apprendre à faire, mais il se demande désormais ce qu'il peut *être.*

Une nuit, il fit une expérience extraordinaire. Il avait médité avant d'aller se coucher et lorsqu'il s'éveilla, ce fut pour voir une structure circulaire à trois dimensions pulsant dans son champ visuel. Le jour suivant il dessina des représentations de la structure, qu'il identifia plus tard comme étant un *yantra,* un motif utilisé pour la contemplation dans les disciplines spirituelles orientales. Lorsqu'il apprit que Carl Jung avait traité de l'émergence de tels motifs comme émanant de l'inconscient collectif, il sentit, fort de cet argument, qu'il pourrait défendre l'importance psychologique des phénomènes de méditation, même avec les professeurs les plus sceptiques de son université.

En 1975, il passa sa thèse. C'était une étude expérimentale de personnes pratiquant la méditation, l'entraînement à la relaxation et le biofeedback. Il fut capable de défendre ses découvertes devant un jury de thèse, où figuraient « un psychologue behavioriste de la stricte observance » et un professeur profondément impliqué dans les études de la conscience.

En 1976, il alla travailler dans un hôpital. Un an plus tard, il entama la quatrième étape, la *conspiration :*

> A partir de ce point, le reste de mon rapport est, je crois, dirigé vers la synthèse et l'entrée dans ce que vous appelez la Conspiration du Verseau. J'ai l'intention de poursuivre mon travail en psychologie transpersonnelle, en méditation, sur le biofeedback et la méditation musicale, tout en restant dans le courant principal de la psychologie clinique.
>
> J'ai travaillé avec constance pour faire connaître la psychologie transpersonnelle dans cet hôpital. Notre travail sur la méditation musicale a progressé au point que l'hôpital nous a donné une subvention.

Plus tard, on lui demanda de prendre le poste d'administrateur de l'une des unités de l'hôpital. Il refusa. « Je compris qu'en réalité je n'avais besoin ni d'argent ni d'occuper ce genre de position. Tout ce que je voulais, c'était travailler avec des patients... C'est curieux d'observer comment je prends des risques tout en ne sachant pas où cela finira. La bonne vieille impression négative d'échec potentiel est toujours présente, mais mon sentiment d'être bien centré est plus fort et éclipse toujours ces fichues créatures de l'ombre. »

Un tel passage de l'expérimentation fortuite à l'engagement sérieux dans la conspiration n'est ni typique ni rare.

Les découvertes

Les psychotechniques ont aidé, tels des pics, des pitons, des compas, des jumelles, à la redécouverte des points de repère intérieurs aux noms variés suivant les cultures et les époques. Pour mieux comprendre le processus transformatif, nous les passerons en revue. Les découvertes, comme nous le verrons, sont mutuellement dépendantes et se renforcent mutuellement ; elles ne peuvent pas être isolées clairement les unes des autres. Elles ne sont pas non plus séquentielles ; certaines se produisent simultanément. En outre, elles s'approfondissent et se modifient ; aucune n'est achevée une fois pour toutes.

Historiquement, la transformation a été décrite comme un *éveil,* une nouvelle qualité de l'attention. De même que nous nous étonnons d'avoir pu confondre notre monde des rêves avec la réalité une fois que nous sortons du sommeil, de même ceux qui font l'expérience d'un élargissement de la conscience s'étonnent de s'être jusqu'ici crus éveillés alors qu'ils n'étaient que des somnambules.

Chaque homme, disait Blake, est égaré jusqu'à ce que son humanité se réveille. « Si les portes de la perception étaient nettoyées, nous verrions le monde tel qu'il est, infini. » Le Coran avertit aussi : « Les hommes sont endormis. Doivent-ils mourir avant de s'éveiller ? »

L'élargissement de l'état de conscience rappelle de nombreuses expériences de l'enfance, lorsque tous les sens étaient vifs et ouverts, lorsque le monde semblait cristallin. Il est vrai que rares sont les individus qui conservent une vigilance persistante à l'âge adulte. Les études sur le sommeil ont montré que la plupart des adultes présentent des signes physiologiques d'endormissement tout au long de leurs heures de veille et considerent que cet état de fait est parfaitement normal.

Dans sa célèbre *Ode sur les indices de l'immortalité* William Wordsworth a décrit la fermeture graduelle de nos sens : l'éclat et le rêve s'affadissent, la maison prison s'enclôt après l'enfance et l'habitude s'étend sur nous, « lourde comme le gel ».

La prison, c'est notre attention qui fragmente, contrôle, se tourmente, planifie, se souvient, nous empêchant d'*être.* Notre besoin de faire face aux soucis quotidiens prive notre conscience du miracle de la conscience.

Comme l'a dit l'apôtre Paul, nous voyons obscurément à travers une vitre et non face à face.

Encore et toujours, la métaphore pour une nouvelle vie s'éveille. Nous sommes comme morts dans la matrice, pas encore nés.

Une Française, le Dr Thérèse Brosse décrit, dans son livre *La Conscience-Energie,* son expérience qui survint inopinément un soir, alors que, membre du secrétariat de l'UNESCO, elle rédigeait une lettre :

> Brusquement, je fus envahie par un sentiment de félicité indescriptible, se substituant à ma propre personne qui n'existait plus. Le mental a pensé : « C'est une bénédiction » mais c'était là une interprétation erronée ; cette félicité n'était dispensée par personne ; *la Nouvelle Conscience était, elle-même la Félicité.* J'étais CELA et cette béatitude n'était accompagnée d'aucune émotion ; elle était simplement impossible à exprimer. Aucune vision, aucune audition ; le temps, l'espace n'existaient plus.

Un des Conspirateurs du Verseau, un riche entrepreneur, rapportait dans sa réponse au questionnaire :

> C'était à Esalen, la première fois que j'y allai. Il y a de ça quelques années. Je sortais juste d'une session de Rolfing et me promenais. Je fus soudain submergé par la beauté de tout ce que je voyais. Cette expérience vive et transcendante déchira mon horizon limité. Je n'avais jamais pris conscience des sommets possibles de l'expérience affective. Durant cette demi-heure d'expérience solitaire, je ressentis la liaison de tout, l'unité avec tout, l'amour universel. Ce moment formidable détruisit définitivement mon ancienne vision de la réalité.

Il se demanda, comme beaucoup se le sont demandé, « si cela m'est arrivé une fois, pourquoi cela ne se « reproduirait-il pas ? ».

En fait, une nouvelle compréhension de *soi* est ainsi découverte, qui n'a pas grand-chose à voir avec l'ego. Le soi a de multiples dimensions ; on ressent un sentiment nouvellement intégré de soi-même comme individu... un lien avec les autres comme s'ils étaient soi-même.. et la fusion avec un Soi plus universel, primordial.

A un niveau individuel, nous découvrons un soi dénué du goût de la compétition. Il est aussi curieux qu'un enfant, ravi d'essayer ses possibilités qui se modifient. Il est en outre férocement autonome. Il est à la recherche de la connaissance de *soi* et non de gain, sachant qu'il n'atteindra jamais le fond des richesses qui sont en lui.

On désamorce la compétition en redéfinissant le soi. « La joie de cette quête n'est pas dans le triomphe sur les autres, disait Theodore Roszak, mais dans la recherche des qualités que nous partageons avec eux et de notre unicité, qui nous place au-dessus de toute compétition. »

La connaissance de soi est une science ; chacun de nous est un laboratoire, notre *seul* laboratoire, notre examen le plus intime de la nature elle-même. « Si les choses ne vont pas dans le monde, disait Jung, quelque chose ne va pas chez moi. Ainsi, si je suis intelligent, je dois me corriger d'abord. »

Le soi libéré par le processus transformatif s'enrichit d'aspects autrefois refoulés. Cela peut, par exemple, être vécu par une femme comme la capacité d'agir (le principe masculin) ou par un homme comme l'émergence de sentiments de protection et d'éducation (le principe féminin). La littérature bouddhiste décrit avec pittoresque cette réunion sous le nom de *sahaja* « nés ensemble ». A mesure que s'impose à nouveau la nature innée, la turbulence affective diminue. La spontanéité, la liberté, l'assurance et l'harmonie semblent croître. « C'est comme si on devenait réel », pouvait-on lire dans une réponse au questionnaire.

Nous avons été clivés à chaque niveau, incapables de faire la paix avec les pensées et les sentiments contradictoires. Peu avant son suicide, le poète John Berryman exprimait ce vœu universel : « Que mon âme éparse trouve l'unité... » Lorsque nous respectons et acceptons nos identités fragmentées, alors se fait leur réunion et notre renaissance.

S'il y a renaissance, qu'est-ce qui meurt ? L'acteur, peut-être. Et les illusions ; — d'être une victime, ou indépendant, ou capable d'obtenir toutes les réponses, d'avoir raison. « L'illusionnectomie » peut être une opération douloureuse, mais elle est riche de récompenses.

La directrice d'un magazine de Boston déclara que son expérience transformative la plus vive a été d'apprendre à voir sans les lunettes qu'elle portait depuis dix-huit ans. Pratiquant une méthode de réduction mentale du stress conçue par William Bates, elle eut un « flash » de vision claire :

> Lorsque j'eus ce premier flash, une force puissante à l'intérieur de moi sembla dire, « maintenant que tu nous as permis de voir un petit peu, nous tenons à voir parfaitement ». Je pris conscience que nous étions dès maintenant un tout, un tout parfait, et que nous ne faisons pas l'expérience de cette totalité simplement parce que nous l'avons étouffée. Cela nécessite moins d'énergie de se laisser aller librement que d'être enfermé dans le stress, et quelque chose en nous meurt d'envie de vivre et d'exprimer ce courant. Nous apprenons par un mouvement de libération d'un flux, non par un processus d'addition.

Cette perfection, cette totalité ne renvoie pas à une réalisation supérieure, à une rectitude morale, ou à la personnalité. On ne peut la placer sur un plan de comparaison, pas même personnel. C'est plutôt une compréhension de la nature, de l'intégrité de la forme et de la fonction dans la vie elle-même, la liaison avec un processus parfait. Nous nous reconnaissons, même brièvement, comme des enfants de la nature et non comme des étrangers dans le monde.

Par-delà la réunification personnelle, les retrouvailles intérieures, la réannexion de portions égarées de soi-même, il existe une relation avec un Soi encore plus vaste, ce continent invisible sur lequel nous bâtissons tous notre maison. Dans sa réponse au questionnaire, un professeur d'université écrivait qu'il avait été profondément ému lors d'un long séjour dans des régions reculées des îles indonésiennes, où il avait senti « une sorte de cercle magique, une unité intacte avec la vie tout entière et les processus cosmiques, y compris ma propre vie ».

Le soi séparé est une illusion. Plusieurs personnes ayant répondu au questionnaire affirmèrent avoir abandonné la croyance qu'elles étaient des individus « encapsulés ». Une psychologue écrivit qu'elle avait renoncé à l'idée d'un soi en lutte continuelle.

Le soi est un champ à l'intérieur de champs plus vastes. Le pouvoir naît de la rencontre du soi et du Soi. La fraternité s'empare de l'individu comme une armée... non pas les liens contraignants de la famille, de la nation ou de l'Eglise, mais une relation vivante et vibrante, le Je-Tu unificateur de Martin Buber, une fusion spirituelle. Cette découverte transforme les étrangers en âmes sœurs, en parents et nous connaissons un univers nouveau et amical.

On donne de nouvelles significations à de vieux mots comme « amitié » et « communauté ». On emploie le mot « amour » à une fréquence croissante ; malgré toute son ambiguïté et ses connotations de sentimentalité, aucun mot n'approche mieux que lui cette impression nouvelle d'interrelation et de bienveillance.

Une conscience sociale nouvelle et différente émerge, qu'un homme exprime ainsi, en termes de faim, de désir vital de nourriture :

> Je ne peux me cacher plus longtemps la réalité de la famine en arguant que les gens faméliques sont d'innombrables étrangers sans visage. Je sais maintenant qui ils sont. Ils sont juste comme moi, si ce n'est qu'ils tombent d'inanition. Je ne peux prétendre plus longtemps que cette collection de conventions politiques que nous appelons « pays » me sépare de l'enfant qui crie, mourant de faim, de par le monde. Nous sommes un, et l'un de nous est affamé.

Quelqu'un a dit un jour que le groupe est le soi de l'altruiste. Lorsque l'empathie est avivée, que l'on éprouve un sentiment de participation à l'ensemble de la vie, davantage de chagrin et de joie, que l'on a conscience de la multiplicité et de la complexité des causes, il est bien difficile d'être satisfait de soi et prodigue en jugements.

Par-delà même le Soi collectif, la conscience de sa propre liaison avec les autres, se trouve un Soi transcendant et universel. Le passage de ce qu'Edward Carpenter a nommé le « petit soi local » au Soi qui pénètre tout l'univers a été décrit également par Teilhard lors de son premier voyage dans « l'abysse » :

> (...) je me suis rendu compte que je m'échappais à moi-même. A chaque marche descendue, un autre personnage se découvrait en moi, dont je ne pouvais plus dire le nom exact, et qui ne m'obéissait plus. Et quand j'ai dû arrêter mon exploration, parce que le chemin manquait sous mes pas, il y avait à mes pieds un abîme sans fond d'où sortait, venant je ne sais d'où, le flot que j'ose bien appeler *ma* vie.

La quatrième dimension n'est pas ailleurs; c'est *ici même;* elle est immanente en nous, elle est un processus.

L'*importance du processus* est une autre découverte. Les buts et les aboutissements importent moins. Il est plus urgent d'apprendre que d'accumuler des informations. La bienveillance vaut mieux que la surveillance. Les moyens *sont* les fins. Le voyage est la destination.

Nous commençons à percevoir de quelle façon nous avons ajourné notre vie, en ne faisant jamais attention au moment présent.

Si l'on conçoit la vie comme un processus, les vieilles distinctions entre gagner et perdre, entre le succès et l'échec, s'effacent. Tout événement, même négatif, porte en lui une occasion d'apprendre et de faciliter notre quête. Notre vie est expérimentation, exploration. Dans ce paradigme plus large, il n'y a pas d' « ennemis », mais seulement des gens utiles par l'irritation qu'ils suscitent, cette opposition attirant notre attention sur nos points de conflit, comme le ferait un miroir grossissant.

Les adages anciens, considérés jusqu'alors comme de la simple poésie, apparaissent désormais profondément vrais. Par exemple : sainte Catherine de Sienne : « Tout le chemin menant au ciel est le ciel. » Cervantes : « La route est meilleure que l'auberge. » Federico Garcia Lorca : « Jamais je n'arriverai à Cordoue. » Et Kazantzakis : « Ithaque, c'est le voyage en lui-même. »

Si l'on savoure le cheminement, la vie est plus fuide, moins chaotique, le temps devient circulaire, subtil. A mesure que le processus prend de l'importance, les anciennes valeurs commencent à changer. Le point focal se déplace : ce qui était grand peut devenir petit et distant, et ce qui était banal peut soudain s'imposer comme un but élevé.

Nous découvrons que *tout est processus.* Le monde solide est un processus, une danse de particules subatomiques. Une personnalité est un ensemble de processus. La peur est un processus. Une habitude est un processus. Une tumeur est un processus. Tous ces phénomènes, apparemment statiques, sont recréés à chaque instant, et il existe d'innombrables moyens pour les changer, les réagencer, les transformer.

L'*articulation psychosomatique* est une découverte apparentée au processus. Non seulement le corps reflète tous les conflits historiques et actuels de l'esprit, mais la réorganisation de l'un d'eux favorise celle des autres. Des psychotechniques comme la thérapie reichienne, la bioénergie et le rolfing engendrent leurs transformations en restructurant et en réalignant le corps. Une intervention en un endroit de la boucle dynamique de l'articulation psychosomatique retentit sur l'ensemble de celle-ci.

Un jeune adepte d'une méthode de travail sur le corps appelée neurokinesthétique, décrit ainsi sa propre transformation :

> Je suis stupéfié par le changement qui s'est produit dans ma vie et qui d'ailleurs se poursuit. Les modifications physiques sont nombreuses et j'apprends à être à l'écoute des signaux corporels émanant des différents systèmes, même ceux qui sont supposés être automatiques. En outre, mes relations avec les autres s'améliorent...
>
> Au début des années soixante-dix, mes amis et moi n'étions pas satisfaits du monde. Nos « solutions » étaient des intellectualisations rhétoriques et gauchisantes, des études fondées sur notre frustration. Nous savions que le monde devait changer, mais nos réponses n'étaient pas satisfaisantes, parce que nous n'abordions pas la souffrance humaine au bon niveau.
>
> Nous ne pouvons pas prendre en main une situation à moins de contrôler son environnement, c'est-à-dire nos propres corps ; physique, mental et spirituel. Là réside la vraie souffrance.
>
> Nous n'avons pas besoin d'être tendus. Nous pouvons être en harmonie avec l'environnement, considérer le monde selon une perspective claire. A mesure que nos corps apprennent à laisser libre cours à leur dynamique, notre ajustement aux situations, nos relations avec autrui, avec d'autres soi, peuvent être plus libres.

Le gain de conscience passe par une plus grande connaissance de son corps. A mesure que nous devenons plus sensibles, d'instant en instant, de jour en jour, aux effets des émotions stressantes sur le corps, aux voies subtiles par lesquelles la maladie exprime un conflit, nous apprenons à combattre plus directement le stress. Nous découvrons notre habileté à composer avec lui, même lorsqu'il s'accroît, en y répondant d'une manière différente.

Le corps peut aussi être un moyen de transformation. En évaluant nos limites en matière de sport, de danse, d'exercice, nous découvrons que le soi physique est un système bioélectrique fluide, plastique, en mouvement et non statique. Tout comme l'esprit, il recèle d'étonnantes potentialités.

L'une des découvertes les plus agréables est celle de la *liberté,* le passage en ce lieu décrit dans les *Upanishads* comme étant situé « par-delà la peine et le danger ».

Au sein de notre propre biologie se trouve la clef qui conduit à cette prison qu'est la peur de la peur, l'illusion de l'isolement. Le savoir provenant de l'ensemble du cerveau nous montre la tyrannie de la culture et de l'habitude. Il rétablit notre autonomie, intègre notre douleur et notre anxiété. Nous sommes libres de créer, de changer, de communiquer. Nous sommes libres de demander « pourquoi » et « pourquoi pas ? ».

Selon Joseph Goldstein, un maître de méditation, « le simple fait d'être un peu plus conscient modifie notre façon d'agir ». « Une fois qu'on a entrevu ce qui se passe, il est bien difficile de retomber dans la même vieille ornière... C'est comme une petite voix en arrière-plan qui nous dit « qu'est-ce que tu fais ? ».

Les psychotechniques nous aident à briser la « transe culturelle », la supposition naïve que les fioritures et les truismes de notre propre culture représentent des vérités universelles ou quelque culmination de la civilisation. Le robot se rebelle ; de statue, Galatée devient chair vivante ; Pinocchio se pince le bras et découvre qu'il n'est pas de bois.

Un sociologue de cinquante-cinq ans décrit ainsi l'avènement de sa liberté :

> En 1972, un samedi matin de la fin de septembre, je me dirigeais vers un court de tennis pour jouer une énième partie. Soudain, je me demandai : « Mais qu'est-ce que je fais donc ? »... Ce fut une subite prise de conscience : l'ensemble des activités habituelles et des interprétations de la réalité communément admises par le consensus social s'avérait superficiel et dénué de valeur.
>
> J'ai passé quarante-huit ans à lutter sans succès pour obtenir le bonheur et la plénitude sous les identités sociales que l'on m'a accordées et à poursuivre des buts soumis à l'approbation de la société.
>
> Je pense avoir atteint maintenant la liberté, aussi pleinement, aussi réellement que pouvait le prétendre un esclave en fuite avant la guerre de Sécession. Une fois, ma libération concerna les peurs et la culpabilité associées à mon éducation religieuse. Une autre fois, il se produisit un changement lorsque j'en vins à m'identifier non pas à mon nom, mon statut ou mes rôles sociaux, mais à un être anonyme et libre.

Toute société limite la vision de ses membres en leur offrant des comportements et des jugements automatiques. Depuis nos plus tendres années, nous sommes baignés dans un système de croyances tellement intriqué à notre expérience que nous ne pouvons distinguer notre culture de notre nature.

L'anthropologue Edward Hall affirme que la culture est un milieu qui touche chaque aspect de notre vie : le langage corporel, la personnalité, notre manière de nous exprimer, la façon dont nous concevons notre vie communautaire. Nous sommes même prisonniers de notre idée du temps. Notre propre culture, par exemple, est « monochronique », — une chose à la fois —, alors que dans de nombreuses autres cultures dans le monde, le temps est « polychronique ». Dans un temps polychronique, les tâches et les événements commencent et finissent suivant leur temps naturel d'achèvement, plutôt que dans des limites strictes.

> Pour les gens élevés dans la tradition nord-européenne d'un temps monochronique, celui-ci est linéaire et segmenté comme une route ou un ruban qui se déroule devant nous dans le futur et derrière nous dans le passé. Il est aussi tangible. D'après les expressions courantes, il peut être gâché, donné, gagné, perdu, rattrapé, accéléré, arrêté, remonté, exploré... Il peut s'écouler, courir, passer...

Bien que le temps monochronique soit imposé, appris, arbitraire, nous avons tendance à le traiter comme s'il était partie intégrante de l'univers. Le processus transformatif nous rend plus sensibles aux rythmes et aux énergies créatives de la nature, et aux oscillations de notre propre système nerveux.

Une autre libération, celle de l' « attachement », est peut-être l'idée philosophique orientale la moins bien comprise par la plupart des Occidentaux. Pour nous, le « non-attachement » évoque l'insensibilité, et l'absence de désir n'est pas souhaitable.

Nous pourrions concevoir le non-attachement de façon plus exacte en l'intitulant « non-dépendance ». La plus grande partie de nos turbulences intérieures reflète la peur de perdre quelque chose : nous dépendons en effet de certaines personnes, de certaines circonstances, et d'autres éléments que nous ne contrôlons pas véritablement. Quelque part en nous, nous avons le sentiment que l'indifférence, le rejet, un changement de fortune, la mort, bref une lame de fond, peuvent nous rejeter un beau matin. Néanmoins, nous nous raccrochons désespérément à des éléments que nous ne pouvons pourtant pas saisir. Le non-attachement est, de toutes les attitudes, la plus réaliste. Elle évite de prendre ses désirs pour des réalités, ou de toujours vouloir que les choses soient autrement.

En nous rendant conscients de la futilité de tels comportements, les psychotechniques nous aident à nous défaire de dépendances malsaines. Nous augmentons notre capacité d'aimer sans marchandage ou sans contrepartie, de jouir de la vie sans y mettre des hypothèques affectives. En outre, l'accroissement de la conscience donne plus d'éclat aux choses simples et aux événements quotidiens ; si bien que ce qui peut sembler une orientation vers une vie plus austère est souvent la découverte de richesses plus subtiles et moins périssables.

Une autre découverte : nous ne sommes pas libérés tant que nous n'avons pas libéré les autres. Aussi longtemps que nous éprouverons le besoin d'avoir une influence sur d'autres individus, même par bienveillance, nous serons prisonniers de ce besoin. En leur donnant la liberté, nous nous libérons nous-mêmes. Eux seront alors libres de suivre leur propre chemin.

André Kostelanetz, se remémorant la façon dont Léopold Stokowski a bouleversé la forme orchestrale en libérant les musiciens, raconte : Il dispensa les cordes du maniement uniforme de l'archet, sachant que la force du poignet varie selon chaque musicien et que, pour obtenir la sonorité la plus riche, chaque instrumentiste doit avoir le maximum d'élasticité. Léopold encouragea aussi les bois à respirer comme bon leur semblait. Qu'importe leur façon de jouer, disait-il, pourvu que la musique soit belle ?

Les liens que tisse la culture sont souvent invisibles, et ses parois sont de verre. Nous pouvons nous imaginer libres, mais *il nous est impossible de sortir du piège avant de nous en savoir prisonniers.* Comme le notait jadis Edward Carpenter, gardiens et geôliers ne sont autres que nous-mêmes. Tout au long des pages de la littérature mystique, la condition humaine est dépeinte comme un emprisonnement inutile. C'est comme si la clef de la geôle était là à portée de la main derrière les barreaux, et que l'homme n'ait jamais pensé à la chercher.

Une autre découverte : l'*incertitude.* Non point l'incertitude du moment, qui peut disparaître, mais l'incertitude océanique, le mystère qui baigne à jamais nos rivages. Dans *Les Portes de la perception,* Aldous Huxley écrit :

> L'homme qui repasse par la Porte dans le Mur ne sera jamais tout à fait semblable à l'homme qui en sortit. Il sera plus avisé, mais moins sûr de lui, plus heureux mais moins porté à l'autosatisfaction, plus humble dans la reconnaissance de son ignorance et pourtant mieux équipé pour saisir la relation entre les mots et les choses, entre le raisonnement systématique et l'insondable Mystère qu'il tente de percer, mais à jamais en vain.

Ou bien, selon Kazantzakis, le sens réel de l'illumination est de permettre « de contempler les diverses ténèbres avec un regard d'où toute ombre est absente ».

Les psychotechniques ne « causent » pas de l'incertitude, pas plus qu'elles ne fabriquent de la liberté. Elles ne font que nous ouvrir les yeux sur ces deux aspects de la réalité. Seules sont perdues nos illusions. Quant à notre seul gain, c'est ce qui a toujours été nôtre mais que nous n'avons jamais réclamé.

Nombreux sont les gens qui ont vécu sans problème aux côtés de ce mystère toute leur vie durant. D'autres, qui ont cherché la certitude comme un chasseur traque son gibier, peuvent avoir un choc en découvrant que la raison elle-même est un boomerang. Non seulement la vie quotidienne produit des événements irréductibles à toute narration, non seulement les gens se comportent selon des modes qu'on peut qualifier de non raisonnables, mais c'est aux avant-postes de la pensée rationnelle — la logique formelle, la philosophie formelle, les mathématiques théoriques, la physique — d'être minés par le paradoxe. Un grand nombre de Conspirateurs du Verseau ont reconnu avoir découvert, de par leur formation scientifique, les limites de la pensée rationnelle. La question *quelles idées majeures avez-vous dû abandonner ?* suscite des réponses typiques, à savoir :

« La preuve scientifique comme unique mode de compréhension. »

« Que le rationalisme était le *nec plus ultra.* »

« La croyance en la rationalité pure. »

« Que la logique embrassait tout le réel. »

« Une perspective linéaire. »

« La vision mécaniste de la science, à laquelle j'ai été formé. »

« La réalité matérielle. »

« La causalité. »

« J'ai compris que la science avait limité sa connaissance de la nature. »

« Après de nombreuses années d'une poursuite intellectuelle de la réalité, centrée sur l'hémisphère gauche, une expérience de L.S.D. m'a permis de découvrir l'existence d'autres réalités. »

Ces réponses illustrent bien l'abandon des certitudes. Plus la question est de grande portée et moins est probable une réponse sans équivoque. Le fait de reconnaître en nous l'incertitude nous encourage paradoxalement, à expérimenter et à nous transformer grâce à ces expériences. En effet, nous sommes libres, désormais, de ne pas savoir la réponse, de changer d'opinion, ou même de ne pas avoir d'opinion. Nous apprenons à reformuler nos problèmes. Poser encore et toujours la même question sans succès, c'est comme continuer à chercher un objet en des lieux où nous avons déjà regardé. Car en fait, la réponse, comme l'objet perdu, doit bien se trouver quelque part. Une fois découvert le pouvoir transformatif de la contestation des présupposés de nos vieilles questions, nous pouvons préparer nos propres changements de paradigme.

Ici comme ailleurs, les découvertes sont reliées entre elles. Reconnaître le processus rend l'incertitude supportable. Tout sentiment de liberté requiert l'incertitude, parce que nous devons être libres pour changer, modifier, assimiler de nouvelles informations à mesure que nous avançons. L'incertitude est la compagne nécessaire de tous les explorateurs.

Paradoxalement, si nous abandonnons ce besoin de certitude sous forme de contrôle, de réponses toutes faites, nous trouvons une compensation dans une forme différente de certitude : celle d'une direction et non d'un fait. Nous commençons à nous fier à l'*intuition,* au savoir de l'ensemble du cerveau, ce que le scientifique et philosophe Michael Polanyi a appelé le « savoir tacite ». A mesure que nous nous accordons aux signaux intérieurs, ceux-ci semblent se renforcer.

Celui qui s'implique dans les psychotechniques s'aperçoit que ces intuitions, ces pulsions ne sont pas contraires à la raison, mais émanent d'un raisonnement transcendant dû à la capacité d'analyse quasi instantanée que possède le cerveau et que notre conscience ordinaire ne peut ni suivre ni comprendre.

L'intuition devient une partenaire à laquelle on se fie dans la vie de tous les jours, qui est disponible pour nous guider même sur les décisions mineures. Avec son aide, se développe le sentiment, toujours plus fort, d'être porté par un courant qui va dans la bonne direction.

Etroitement reliée à l'intuition est la *vocation* — littéralement, un « appel ». La vocation est plus une direction qu'un but. A la suite d'une expérience paroxystique, une des conspiratrices, une femme au foyer qui devint réalisatrice de films, écrivit : « Ce fut comme si j'avais été appelée à participer à un plan conçu par quelqu'un à l'intention de l'humanité. » Il est typique d'entendre les conspirateurs dire qu'ils se sentent en coopération avec les événements plutôt qu'ils ne les contrôlent ou les subissent, un peu comme un maître d'aïkido augmente sa puissance en s'alignant sur les forces existantes, même celles qui s'opposent à lui.

L'individu découvre une nouvelle forme de volonté flexible qui l'aide dans la recherche de sa vocation. Cette volonté a parfois été appelée « intention ». C'est l'opposé de l'accident ; elle est, d'une certaine façon, délibérée, sans pourtant devenir rigide comme dans la conception habituelle d'une « volonté de fer ».

Selon Buckminster Fuller, l'engagement est « du type mystique ». A la minute même où l'on entame ce que l'on veut accomplir, c'est réellement une forme différente de vie qu'on inaugure. Dans la même veine, W. H. Murray dit que l'engagement semble attirer la Providence. « On se trouve dans toutes sortes de situations favorables qui autrement, ne se seraient pas présentées. La décision se traduit par un courant d'événements, et provoque des incidents, des rencontres et une assistance matérielle aussi imprévue que favorables et tels qu'aucun homme n'aurait rêvé de trouver sur son chemin. »

La vocation est un curieux mélange d'action volontaire et involontaire, de choix et de renoncement. Les conspirateurs notent qu'ils se sentent fortement orientés dans une direction particulière ou vers certaines tâches. En même temps ils sont convaincus qu'ils « devaient », d'une manière ou d'une autre, emprunter ces chemins.

L'ancien astronaute Edgar Mitchell, à la suite de son vol lunaire, se mit à s'intéresser profondément aux états de conscience, à promouvoir leur étude, et fonda une organisation pour collecter des subventions. Il confia un jour à un ami : « C'est un peu comme si j'agissais sur ordre... Quand tout semble perdu, quand mon pied ne rencontre plus que l'abîme, alors quelque chose survient juste à temps pour le soutenir. »

Pour certains, il existe un moment où le choix est effectué en pleine conscience. D'autres n'ont reconnu leur engagement qu'*a posteriori*. Dag Hammarskjöld a ainsi décrit son passage d'une vie ordinaire à une vie pleine de significations :

> Je ne sais de qui ou de quoi est venue la question, ni même quand elle a été posée. Je ne me souviens même pas y avoir répondu. A un moment, pourtant, j'ai répondu à quelqu'un ou à quelque chose. Et à partir de cette heure, j'étais certain que l'existence était chargée de sens et que, donc, ma vie de renoncement à moi-même avait un but.

Jonas Salk, l'inventeur du premier vaccin contre la poliomyélite, s'engagea lui aussi dans un modèle évolutionnaire de transformation sociale. Il déclara : « J'ai fréquemment eu l'impression de n'avoir pas tant choisi que d'avoir été choisi. Et parfois, j'aurais donné n'importe quoi pour me désengager ! » Il ajouta que, pourtant, ces choses qu'il se voyait contraint de faire en dépit de ses rationalisations, s'avérèrent riches en récompenses.

Parlant de sa propre expérience, Jung disait : « La vocation agit comme une loi de Dieu à laquelle on ne peut échapper. » La personne créative est submergée, prisonnière d'un démon qui la conduit. A moins de consentir au primat de cette voix intérieure, la personnalité ne peut évoluer. Nous maltraitons souvent ceux qui écoutent cette voix bien que, disait-il, « ils deviennent nos héros légendaires ».

En développant la prise de conscience de nos signaux intérieurs, les psychotechniques peuvent favoriser l'émergence d'un sentiment de vocation, de la découverte d'une direction intime qui attend d'être libérée. Frederic Flach a noté que, lorsqu'un individu a résolu ses problèmes, qu'il est prêt à déployer imagination et énergie pour affronter le monde, les choses s'ordonnent d'elles-mêmes, comme s'il y avait entre la personne et les événements une collaboration qui semble impliquer la coopération du destin :

> Carl Jung a appelé « synchronicité » ce phénomène, qu'il définit comme « l'occurrence simultanée de deux événements corrélés non pas causalement mais par leur signification »... Au moment précis où

> nous luttons pour maintenir un sentiment d'autonomie personnelle, des forces vitales viennent nous remettre à flot, qui sont bien plus abondantes que les nôtres. Ainsi, tout en étant les protagonistes de nos propres vies, nous pouvons être aussi les figurants ou les hallebardiers de quelque pièce de théâtre plus vaste...

Nombre de conspirateurs ont éprouvé le sentiment d'avoir une mission à accomplir, par exemple :

> Un jour du printemps 1977, tandis que je me promenais après avoir médité, j'eus un flash qui dura environ cinq secondes, dans lequel je me sentis totalement intégré à la force créative de l'univers. Je « vis » ce que la transformation spirituelle tentait de réaliser, quelle était ma mission dans la vie et les diverses possibilités qui s'offraient à moi pour l'accomplir. J'en ai choisi une et me suis mis à la tâche...

Le rêve du cœur de l'homme, dit un jour Saul Bellow, est que la vie trouve son sens dans un motif de grande portée. La vocation nous procure un tel motif.

Et voici une découverte qui dégrise un peu ; non pas la culpabilité, ou le devoir, mais la *responsabilité,* dans son sens étymologique, l'acte de rendre, de répondre. Nous pouvons choisir notre mode de participation dans le monde, notre réponse à la vie. Nous pouvons être coléreux, gracieux, drôles, pitoyables, paranoïaques. Une fois que nous sommes devenus conscients de nos réactions habituelles, les modes par lesquels nous avons perpétué nombre de nos propres souffrances nous apparaissent clairement.

En focalisant notre attention sur les processus de la pensée, les psychotechniques nous montrent combien notre expérience est principalement le résultat de réponses automatiques et de suppositions. Un avoué de Los Angeles se rappelle l'aveuglante prise de conscience de sa responsabilité lorsque, dans les années soixante, étant étudiant en première année de droit, il s'était porté volontaire pour une expérience universitaire sur les effets du L.S.D.

> J'entr'aperçus soudain, de manière brève et indistincte au début, mon moi « réel ». Depuis des semaines, je n'avais pas parlé à mes parents ; je réalisai alors que, par stupide fierté, je les avais heurtés sans raison en prolongeant une querelle qui n'avait plus aucun sens. Pourquoi ne m'en étais-je pas aperçu avant ?
>
> Une autre révélation me vint plus tard, vive et douloureuse. Je vis toutes les riches possibilités que j'avais récemment gaspillées en rompant avec une jeune femme, pour ce qui, à l'époque, avait semblé de bonnes raisons. Voilà que je prenais conscience de toute la jalousie

que j'avais ressentie, mon désir de possession, mes soupçons... Mon Dieu, ce n'était pas elle, mais *moi* qui avais tué notre amour.

Là, dans ce restaurant, je me perçus sous un jour différent et plus « objectif »... On n'était pas en train de me rouler ou de me manipuler. Le fauteur de trouble, c'était *moi*, seulement *moi*, et ç'avait toujours été *moi*. Je ne pus me retenir de sangloter. Le fardeau de mes années d'illusions sembla se dissiper...

Certes, cette expérience ne m'a pas « guéri » de mes traits de caractère destructeurs, et pourtant, en un seul jour, j'avais acquis d'inestimables lueurs qui me permettraient, pour la première fois, de poursuivre une relation sentimentale à travers ses hauts et ses bas. Ce ne fut sûrement pas une coïncidence si, quelques semaines plus tard, je rencontrai la personne qui devint ma femme et le demeure.

Pour cet homme, il n'est plus question de prendre du L.S.D., mais son expérience l'a libéré de l'esclavage de son tempérament affectif. « Dès lors j'étais libre de lutter contre lui avec conscience et continuité ; cette lutte, je la poursuis encore. »

Autre découverte, tardive, et qui cause une angoisse considérable : *on ne peut décider personne à changer*. Chacun de nous est le gardien de la porte du changement qui ne peut être déverrouillée que de l'intérieur. On ne peut ouvrir la porte d'autrui, que ce soit en argumentant ou en faisant appel à sa sensibilité.

Pour l'individu dont la porte du changement est bien défendue, le processus transformatif est une menace, même chez les autres. Leurs nouvelles croyances et conceptions contredisent sa vision de la « bonne » réalité. Cette perspective lui fait peur car quelque chose en lui pourrait en mourir, nos identités étant fondées bien plus sur notre système de croyance que sur notre physionomie. L'ego, cette collection d'inquiétudes et de convictions, redoute son propre décès. En vérité, chaque transformation est une sorte de suicide, le meurtre d'aspects de l'ego pour sauver un soi plus fondamental.

Tôt dans notre vie, nous avons décidé jusqu'à quel point nous désirions être conscients. Nous avons établi un seuil de conscience. Nous avons choisi quelle force maximale aura la vérité que nous voulons admettre dans notre conscience, quelle dose d'empressement nous mettrons à examiner les contradictions dans notre vie et nos croyances, jusqu'à quelle profondeur nous désirerons pénétrer. Notre cerveau est en mesure de censurer ce que nous voyons et entendons, nous pouvons fort bien filtrer la réalité afin qu'elle convienne à notre niveau de courage. A chaque carrefour, nous refaisons choix entre plusieurs niveaux de conscience.

Ceux dont l'entourage n'est pas assez ouvert pour qu'ils puissent communiquer leurs propres découvertes libératrices peuvent se sentir par moments à l'opposé de leurs intimes. Finalement, à regret, ils acceptent de ne pas toucher à la nature du choix individuel. Si, pour quelque raison, une autre personne a choisi comme stratégie le refus, qui présente de gros désavantages, nous ne pouvons renverser cette décision ; de même ne pouvons-nous pas adoucir pour autrui le malaise chronique qui résulte d'une vie fermée à la réalité.

Mais une découverte vient compenser cette déception. Ceux qui s'engagent dans le processus transformatif discernent peu à peu l'existence d'un vaste ***réseau de soutien.***

« C'est un sentier solitaire, a dit un des conspirateurs, mais on n'y est pas seul. » Ce réseau est plus qu'une simple association d'individus partageant les mêmes buts. Il apporte son appui moral, prête attention, fournit l'occasion de faire des découvertes réciproques et de se soutenir mutuellement, propose la fête, la tranquillité, l'intimité, une possibilité de partager ses expériences, d'échanger les pièces du puzzle.

Le plan de transformation sociale proposé par Eric Fromm insiste sur le besoin d'un soutien mutuel, spécialement au sein de petits groupes d'amis : « La solidarité humaine est la condition nécessaire pour l'épanouissement de tout individu. » « Sans de tels amis, il ne peut y avoir de transformation, de Suresprit », dit le narrateur dans le roman de Michael Murphy, *Jacob Atabet*, fondé en partie sur les expérimentations et les explorations de Murphy et de ses amis. « Nous nous accouchons les uns les autres. »

Les amitiés qui se tissent entre personnes engagées dans la poursuite de l'évolution de conscience procurent, disait Teilhard de Chardin, un immense sentiment de contentement impossible à décrire. Barbara Marx Hubbard a appelé « supra-sexe » cette intense affinité, ce désir presque sensuel de communion avec les autres bénéficiaires de cette vision élargie. Un conspirateur a parlé du réseau comme d'une « fraternité ».

Selon une lettre signée John Denver, Werner Erhard et Robert Fuller, et datant de 1978, il existerait une conspiration ayant pour but de rendre moins risquée l'expérience de transformation. Par cette conspiration, cette respiration en commun, nous sommes rassemblés. A mesure qu'elle croît en nombre, les soutiens amicaux deviennent plus aisés, même à l'intérieur des institutions étouffantes et des petites villes.

Le sens de la communauté, le partage des expériences, soutiennent l'individu dans son entreprise qui, autrement, serait solitaire. Comme l'a dit Roszak, le réseau est un véhicule d'autodécouverte. « Nous recherchons la compagnie de ceux qui partagent notre identité intime et interdite ; alors, nous commençons à nous percevoir comme des personnes. »

Des rencontres brèves suffisent pour se reconnaître. Les réponses à la question de l'enquête « comment avez-vous trouvé vos amis ? » sont très voisines :

1° Par des sources personnelles, les amis d'amis.

2° Par synchronicité : « C'est comme s'ils apparaissaient lorsque j'avais besoin d'eux. »

3° En faisant connaître leurs intérêts. Nombre d'entre eux donnent des conférences, écrivent, animent des cercles de rencontre ou occupent des fonctions dans des centres administratifs ; mais même ceux qui ne bénéficient pas de cette dimension sociale n'ont habituellement pas tendance à se dissimuler.

4° Très facilement, lors de conférences, de séminaires, et autres endroits où ceux qui ont des intérêts similaires ont des chances de se rencontrer.

5° « N'importe où ! » Dans les ascenseurs et les supermarchés, les avions, les bureaux, lors de soirées. Certains conspirateurs avouent qu'il leur arrive de raconter une anecdote à leurs collègues ou à des étrangers et d'attendre leur réaction, leur compréhension. Comme les premiers chrétiens ou les fédéralistes américains, ou les membres d'un mouvement de résistance, les individus se rassemblent.

L'esprit de famille est très fort, une famille dont le fondement n'est pas le sang, mais le respect et la joie, nés de la vie des uns et des autres ; comme l'exprima l'écrivain Richard Bach : « Il est rare que les membres d'une famille se développent sous le même toit. » La communauté confère joie et soutien dans l'aventure.

Comme l'écrit dans son manuel le groupe « Cultures parallèles », « nous avons besoin d'un appui à mesure que nos valeurs changent, et pour cela nous disposons de nous tous. »

La découverte la plus subtile est *la transformation de la peur*.

La peur a été notre prison : peur de soi, peur de perdre, peur d'avoir peur. « Qu'est-ce qui fait obstacle à notre progrès ? » demandait l'écrivain Gabriel Saul Heilig. « C'est de continuer à trembler devant le Soi comme des enfants devant la nuit qui tombe. Mais une fois que nous aurons osé effectuer le voyage à l'intérieur du cœur, nous découvrirons que nous sommes entrés dans un monde où la lumière se trouve au fond des profondeurs, et cette pénétration n'a pas de fin. »

La peur de l'échec est transformée quand nous prenons conscience que nous sommes engagés dans un courant d'expériences et de leçons. La peur de l'isolement est transformée par la découverte du réseau de soutien. La peur de ne pas être à la hauteur s'efface à mesure que nous voyons changer nos propres priorités et le temps monochromatique des cultures périmées.

La peur d'avoir été dupé ou même de paraître insensé est transformée par la reconnaissance soudaine que *ne pas* changer est une possibilité bien plus réelle et plus effrayante.

La douleur et le paradoxe cessent de nous intimider, quand, les ayant résolus, nous commençons à récolter les fruits d'un tel acte et à les considérer comme des symptômes récurrents du besoin de transformer les dissonances. Chaque conflit résolu et transcendé nous encourage à affronter le prochain. Celui qui a triomphé d'un conflit savoure la justesse de la formule de Viktor Frankl, « Ce qui procurera la lumière devra souffrir la brûlure. »

La peur d'abandonner tel ou tel aspect de notre vie courante s'évanouit dès que nous comprenons que tout changement est une affaire de choix. Nous ne faisons que lâcher ce qui n'a plus d'intérêt pour nous. La peur de l'investigation intérieure est vaincue dès lors que nous nous rendons compte que le soi n'est pas ce sombre et impétueux secret contre lequel on nous a mis en garde, mais un centre sain et fort.

Il arrive qu'un bébé soit parvenu à se tenir debout mais ait peur d'avancer ; les adultes tenteront de l'attirer en lui tendant un jouet désirable. D'une certaine façon, les techniques transformatives sont des moyens de nous amener à essayer notre équilibre intérieur. Finalement, la confiance investie dans ces systèmes devient confiance en soi ou, plutôt, confiance dans le processus de changement lui-même. Nous apprenons que la peur, comme la douleur, n'est qu'un symptôme. La peur est une question : De quoi as-tu peur, et pourquoi ? De même que le germe de la santé est dans la maladie, car celle-ci contient une information qui permet de la reconnaître et de la comprendre, de même, si nous explorons nos peurs, elles apparaîtront comme des mines de savoir sur nous-mêmes. Il nous arrive d'ailleurs de les affubler de pseudonymes. Nous disons que nous sommes malades, fatigués, fâchés, réalistes ; nous disons que nous « connaissons nos limites ». En découvrant ce qui nous fait peur, il est possible de détruire la logique de nombreuses attitudes et croyances autodestructrices.

Une fois que nous avons fait l'expérience de la transformation de la peur, nous avons du mal à la retrouver, comme si nous avions pris suffisamment de recul pour nous rendre compte que les bâtiments qui brûlent ne sont qu'un décor de théâtre et que la fumée produite par le magicien sort en fait de derrière le rideau. Il devient évident que la peur est un « effet spécial » de notre conscience. S'il est sûr que nous rencontrerons des peurs et des soucis jusqu'à la fin de notre vie, l'outil dont nous disposons désormais permet de les affronter différemment.

La vie transformée

Au cours du processus transformatif, nous devenons les artistes et les scientifiques de notre propre vie. Une conscience accrue fait naître en nous tous les traits qui caractérisent la personne créative : une appréhension globale, des perceptions fraîches et enfantines, une espièglerie, le sentiment d'être porté, le goût du risque, l'aptitude à focaliser son attention sans tension, à se perdre dans l'objet de la contemplation, la faculté de jouer en même temps avec de nombreuses idées complexes, la volonté de ne pas partager l'opinion qui prévaut, l'accès au matériel préconscient, le fait de considérer ce qui est donné plutôt que ce qui est attendu ou conditionnel.

Le soi transformé s'enrichit d'outils, de sensibilités et de dons nouveaux. Comme un artiste, il étudie les structures ; il découvre des significations et sa propre originalité. « Chaque vie, a dit Hesse, se tient sous sa propre étoile. »

Comme un bon scientifique, le soi en transformation expérimente, spécule, invente, et trouve du plaisir dans l'inattendu.

Ayant fait de la recherche sur le terrain au moyen des psychotechniques, le soi est un fin psychologue.

Eveillé désormais à ses propres empreintes culturelles, il tente de comprendre la diversité avec la curiosité et l'intérêt d'un anthropologue. Pratiquant d'autres cultures, il considère les possibilités infinies de l'homme.

Le soi en transformation est aussi un sociologue qui étudie les relations au sein des communautés et de la conspiration. Comme un physicien, il accepte l'incertitude comme un fait de la vie, il devine l'existence d'un domaine par-delà les conceptions simplistes du temps linéaire et de l'espace. Comme un biologiste moléculaire, il est stupéfait par la capacité de renouveau, de changement et de complexification dont fait preuve la nature.

Le soi en transformation est un architecte dessinant son propre environnement. C'est un visionnaire qui imagine d'autres avenirs possibles.

Comme un poète, il atteint, par un langage métaphorique original, à de profondes vérités. C'est un sculpteur, libérant sa propre forme du bloc de l'habitude. En intensifiant son attention et sa flexibilité, il devient un auteur dramatique et joue tous les rôles de sa propre compagnie théâtrale : clown, moine, athlète, héroïne, sage, enfant...

Il tient son journal intime, rédige son autobiographie, examinant les fragments de son passé comme un archéologue. Il est tout ensemble le compositeur, les instruments et la musique.

De nombreux artistes ont affirmé que, lorsque la vie elle-même devient pleinement consciente, l'art tel que nous le connaissons vient à disparaître. L'art n'est qu'un bouche-trou, un effort imparfait pour arracher quelque sens à un environnement ou presque tout le monde est somnambule.

Le matériel de l'artiste est toujours à portée de la main. « Nous vivons au bord du miracle », disait Henri Miller. Quant à T.S. Eliot, il écrit que l'extrême limite de notre exploration sera de nous retrouver à notre point de départ et de le découvrir pour la première fois. Selon Proust, la découverte consiste non pas à chercher de nouveaux paysages mais à avoir des yeux neufs. Whitman, lui, demande, « Partez-vous vers quelque lointaine recherche ? Alors, enfin, vous reviendrez à des choses mieux connues de vous, trouvant bonheur et savoir non pas en un autre lieu, mais en ce lieu... non pas à une autre heure, mais à *cette* heure. »

Trop longtemps, nous avons joué à des jeux qui ne nous intéressaient pas et selon des règles avec lesquelles nous n'étions pas en accord. S'il y avait quelque art dans notre vie, c'était de la peinture au kilo. La vie vécue comme un art trouve son propre chemin, ses propres amis et sa propre musique ; elle voit avec ses propres yeux.

Pour le soi en transformation, comme pour l'artiste, la réussite n'est jamais un refuge permanent, mais une simple récompense momentanée. La joie est dans le risque, à faire du neuf.

Si l'on fait sienne la conception de la vie selon l'artiste ou le scientifique, *l'échec n'existe pas.* Toute expérience a des résultats : elle nous enseigne quelque chose. Quelle que soit la façon dont elle tourne, nous n'avons pas perdu puisqu'elle ajoute à notre compréhension et à notre compétence. La découverte est une expérience.

En tant que scientifiques de terrain, nous devenons sensibles à la nature, aux relations, aux hypothèses. Par exemple, nous pouvons apprendre, tout en expérimentant, à distinguer entre nos impulsions téméraires et nos authentiques intuitions, par une sorte de biofeedback à longue portée qui détecterait notre sentiment intérieur d'être dans le vrai.

L'enquête auprès des Conspirateurs du Verseau demandait de choisir quatre des moyens de changement social les plus importants parmi une liste de quinze. La réponse la plus souvent cochée fut « l'exemple personnel ».

Il y a plus d'une décennie, Erich Fromm avertissait qu'aucune grande idée radicale ne peut survivre, à moins d'être incarnée dans des individus dont la vie est le message.

Le soi en transformation est le moyen ; la vie en transformation est le message.

CHAPITRE V

L'AMÉRIQUE, MATRICE DE LA TRANSFORMATION

Il est en notre pouvoir de recommencer le monde.

Thomas PAINE, *le Sens commun*

Bien qu'obscurcie, c'est la forme du pays angélique

William BLAKE, *America*

DANS son livre *Radioscopie des Etats-Unis,* la journaliste Jacqueline Grapin écrit : « La force et l'originalité de la nation américaine est d'avoir été bâtie sur des idées. Elle ne prétend pas à l'idéologie, mais à la morale... Si matérialiste et terre à terre dans sa vie pratique, cette nation a ceci d'insolite qu'elle croit à la puissance des idéaux sur les faits, au merveilleux, à la rédemption. » En effet, nous verrons qu'il y a toujours eu deux « corps » du rêve américain. Le premier, le rêve des choses tangibles, se concentre sur le bien-être matériel et les libertés pratiques et quotidiennes. Le second, comme un corps éthérique émanant du rêve matériel, recherche la libération psychologique — un but à la fois plus essentiel et plus fugitif. Les partisans de ce dernier rêve ont à peu près toujours été issus des classes aisées. Ayant atteint la première mesure de la liberté, ils ont soif de la seconde. La conspiration en Amérique est un cadre pour une expansion non matérialiste : autonomie, éveil, créativité — et réconciliation. La transformation personnelle est une actualisation du rêve originel américain

Le rêve originel

Nous avons oublié combien était radical le rêve des pères fondateurs de la démocratie américaine au XVIIIe siècle, puis des transcendantalistes du XIXe.

Lors de la guerre d'Indépendance contre les Anglais, on s'attendait peu au succès du soulèvement américain. D'après les historiens, seulement un tiers de la population était en faveur de l'indépendance, un tiers partisan de renouer les liens avec les Anglais, et un tiers demeurait sans opinion.

« La guerre américaine est achevée, écrivit Benjamin Rush en 1787, mais c'est loin d'être le cas de la Révolution américaine. Au contraire, seul le premier acte de la pièce est terminé ». Or, non seulement la révolution continuait, mais elle avait précédé la confrontation militaire. Ainsi que le commentait John Adams en 1815, « la guerre n'était pas une partie de la révolution, mais seulement son effet, sa conséquence ». *La révolution était dans les esprits.* Ce changement radical dans les principes, les opinions, les sentiments du peuple était la véritable révolution américaine. Bien avant que le premier coup de feu fût tiré, la révolution avait commencé. Et bien après l'instauration de la trêve, elle continuait à bouleverser des vies.

Fait rarement signalé dans les études historiques de la révolution américaine, nombre des grands révolutionnaires appartenaient à une tradition de fraternité mystique (rosicrucienne, maçonnique et hermétique). Ce sens de la fraternité et de l'affranchissement spirituel joua un rôle important dans l'ardeur des révolutionnaires et leur engagement à réaliser une démocratie.

Cette expérience américaine fut consciemment conçue comme une étape capitale dans l'évolution de l'espèce humaine. « La cause de l'Amérique est dans une grande mesure la cause de toute l'humanité », écrivait Thomas Paine dans son pamphlet incendiaire *le Sens commun.*

Les transcendantalistes — extension du rêve

Au début et au milieu du XIXe siècle, les transcendantalistes américains ont repris ce second rêve en le revigorant. Ils rejetèrent l'autorité traditionnelle au profit de l'autorité intérieure. Pour eux, l'autonomie, c'était la « confiance en soi ». Le transcendantalisme leur a semblé une extension logique de la révolution américaine, la libération spirituelle étant l'homologue, sur un autre plan, des libertés garanties par la Constitution des Etats-Unis.

L'autonomie de l'individu était plus importante à leurs yeux que la fidélité à n'importe quel gouvernement. Thoreau disait que si la conscience ne s'accorde pas avec la loi, la désobéissance civile est une nécessité.

En fait, les idées des transcendantalistes n'avaient de neuf que leur perspective d'application à une société. De par leur éclectisme, ils s'inspiraient non seulement des traditions de quakers et des puritains, mais aussi des philosophes grecs et allemands et des religions orientales.

Ils mirent en question les conceptions de l'époque dans chaque domaine : la religion, la philosophie, la science, l'économie, les arts, l'éducation et la politique. Ils anticipèrent nombre des mouvements du XXe siècle. De même que le Mouvement du Potentiel humain des années soixante, les transcendantalistes soutenaient que la plupart des individus n'avaient pas commencé à puiser dans leurs propres potentialités naturelles, n'avaient pas découvert leur unicité, leur matrice de créativité.

Ils toléraient parmi leurs membres les différences d'opinion et la diversité, par certitude que l'unanimité n'était ni possible ni désirable. Ils savaient que chacun voit le monde à travers ses propres yeux, sa propre perspective. Ils cherchaient des compagnons, non des disciples. Emerson recommandait d'ouvrir les portes pour ceux qui viennent derrière.

Ils croyaient à la continuité de l'esprit et de la matière. Contrairement aux idées mécanistes de Newton qui prévalaient à l'époque, ils concevaient un univers ouvert, organique, en évolution. Selon eux, la forme et le sens peuvent être découverts dans le flux universel en faisant appel à l'intuition ou « raison transcendantale ». Plus d'un siècle avant la confirmation, par la neurologie, que le cerveau procède de manière holiste, les transcendantalistes décrivaient des intuitions, des prises de conscience et une forme de savoir simultané. Des générations avant Freud, ils reconnaissaient l'existence de l'inconscient. « Nous nous trouvons dans le giron d'une immense intelligence », disait Emerson.

Les transcendantalistes maintenaient que la réforme intérieure doit précéder la réforme sociale ; pourtant ils se retrouvèrent en train de faire campagne en faveur du droit de vote et du pacifisme et de s'opposer à l'esclavage. En outre, ils furent des innovateurs sociaux, créant une communauté coopérative et un collectif d'artistes.

Avant que la guerre de Sécession n'éclatât, le transcendantalisme avait presque atteint les proportions d'un mouvement populaire dans la nation. De nombreux Américains de l'époque étaient apparemment attirés par une philosophie qui insistait sur une recherche intérieure. Bien que le mouvement transcendantaliste fût submergé par le matérialisme à la fin du XIXe siècle, il entra, sous des aspects variés, dans le grand courant de la philosophie mondiale, pour inspirer des géants littéraires comme Whitman et Melville et pour fortifier des générations de réformateurs sociaux.

La seconde révolution américaine

La seconde révolution américaine, la révolution pour atteindre une dimension plus vaste de la liberté, attendait pour se produire la mise en place d'un nombre critique de facteurs de changement et la possibilité de communications faciles entre eux. En 1969, dans *Ni Marx ni Jésus,* Jean-François Revel voyait dans la nation américaine le meilleur prototype pour une révolution mondiale. « Voilà qu'aujourd'hui se lève dans cette Amérique, fille de notre impérialisme, la révolution originale, celle de notre époque... la seule issue possible pour l'humanité actuelle. »

Il remarquait que l'activité révolutionnaire réelle consiste à *transformer la réalité,* c'est-à-dire à faire que la réalité se conforme plus exactement à son idéal. Lorsque nous parlons de « révolution », nous devons nécessairement parler de quelque chose qui ne peut être conçu ni compris dans le contexte des idées anciennes. La matière de la révolution, et son premier succès, doit être la capacité d'innover. En ce sens, il y a plus d'esprit révolutionnaire aux Etats-Unis aujourd'hui, même à droite, que partout ailleurs à gauche.

La relative liberté dont jouissent les Etats-Unis permettrait à une telle révolution de se produire sans effusion de sang, disait Revel. Dans ce cas, et si un système politique devait être échangé contre un autre, comme il semble que cela se produise, le choc pourrait être ressenti mondialement par osmose. Cette transformation radicale nécessiterait l'occurrence simultanée de révolutions plus petites — en politique, dans la société, dans les relations internationales et interraciales, dans les valeurs culturelles et dans la technologie et la science. Pour Jean-François Revel, les Etats-Unis sont le seul pays où ces révolutions sont conduites de front et organiquement reliées, de telle sorte qu'elles constituent une seule révolution.

Dans *Radioscopie des Etats-Unis,* Jacqueline Grapin reprend la thèse de Revel : « Sans doute, en effet, la contestation des pouvoirs centraux quels qu'ils soient sera-t-elle la grande révolution du XXIe siècle. Et il est certain que l'Amérique y sera mieux préparée que d'autres régions et d'autres régimes, par son expérience politique, par le niveau moyen d'éducation de sa population, par les possibilités techniques dont elle dispose (notamment grâce à l'informatique et à l'installation d'un réseau dense de communications électroniques entre particuliers), par sa capacité financière de diffuser largement les réseaux d'information, par son aptitude scientifique à maîtriser de gigantesques systèmes complexes. » Mais elle ajoute,en une prudente expectative : « Ces possibilités ouvrent-elles la perspective d'un conditionnement plus subtil des masses pour une meilleure acceptation d'élites dominantes ? *Le meilleur des mondes ? 1984 ?* Conditionnement ou liberté ? Tel est l'enjeu. »

Pour éviter ces écueils, il faut que s'effectue de l'intérieur une critique de l'injustice, de l'utilisation des ressources matérielles et humaines, et des abus du pouvoir politique. Par-dessus tout, il doit y avoir critique de la culture elle-même : sa moralité, la religion, les coutumes et l'art.

Enfin, on doit exiger le respect de l'unicité individuelle, la société étant considérée comme le milieu du développement humain et de la fraternité.

De même que le transcendantalisme, la révolution de Revel comprendrait la libération de la personnalité créative et l'éveil de l'initiative personnelle, contrairement aux horizons fermés de sociétés plus répressives. Le déclenchement viendrait d'après lui des classes privilégiées, parce qu'il en a toujours été ainsi dans les révolutions. Elles sont lancées par les individus désabusés devant le système de récompense ultime de la culture. Si un nouveau prototype de société doit émerger, plutôt qu'un coup d'état, il faut porter le dialogue et le débat au plus haut niveau.

Revel met l'accent sur la composante religieuse du « mouvement » : « L'Amérique est un pays où il n'y a jamais eu de religion d'Etat, officiellement ou officieusement. Les esprits forts de l'Europe qui se moquent de la religiosité diffuse américaine, de la Bible dans les chambres d'hôtel, de l'inscription *In God we trust* sur les billets de banque, feraient bien de réfléchir aux conséquences de ce fait culturel très important d'un immense pays où jamais une Eglise, quelle qu'elle soit, n'a dominé avec force de loi ou même *de facto* la vie morale, intellectuelle, artistique, politique. »

D'après l'historien William McLoughlin, on comprend mieux l'histoire américaine, l'on voit celle-ci comme un mouvement millénariste, fondé sur une vision spirituelle du changement. Bien qu'elle s'adapte aux diverses contingences et aux nouvelles expériences, on peut en dégager une constante : « la croyance fondamentale que la liberté et la responsabilité mèneront non seulement l'individu mais le monde à la perfection ». Ce sens d'un but collectif et sacré, qui, parfois, a conduit à des agressions dans le passé, s'est métamorphosé en un sens de l'unité mystique de l'humanité et du pouvoir vital d'harmonie entre les êtres humains et la nature.

Notre présente transformation culturelle alarme les conservateurs tout autant que les libéraux par ses nouvelles promesses radicales. Alors que, dans l'histoire, les conservateurs demandaient un retour à la loi et à l'ordre civils durant les périodes de troubles sociaux, maintenant les « nativistes », aux deux extrêmes du spectre politique, demandent un retour aux lois et à l'ordre de l'univers.

Les communications — notre système nerveux

Dans une période perturbée, les questions posées et les alternatives proposées par une minorité, les défis à l'autorité et aux valeurs établies peuvent s'étendre rapidement à toute une culture. Amplifiant à la fois l'agitation et les options, un réseau de communications agit un peu au sein d'une société comme un système nerveux collectif. En ce sens, la technologie qui sembla un temps nous décevoir et nous conduire à un avenir déshumanisé, se révèle un moyen puissant de connexion entre les hommes. Comme Marshall McLuhan l'a dit récemment : « Les réseaux électroniques sont en train d'orientaliser l'Occident. Le contenu, le distinct, le séparé, notre legs occidental sont remplacés par le circulant, l'unifié, le fusionné. »

Ces voies nerveuses transmettent nos chocs et nos douleurs, les hauts et les bas de la vie, les atterrissages sur la lune et les meurtres, nos frustrations collectives, les tragédies et les futilités, les effondrements d'institutions, tout cela en couleurs vives. Elles amplifient la douleur émanant des parties aliénées de notre corps social. Elles aident à briser notre transe culturelle en franchissant les frontières et les fuseaux horaires. Elles nous donnent des aperçus des qualités humaines universelles qui viennent illuminer l'étroitesse de nos modes de vie et nous révéler notre interdépendance. Elles nous montrent des modèles de transcendance : des virtuoses et des athlètes, des attitudes de bravoure lors d'inondations ou d'incendie, de l'héroïsme quotidien.

Notre système nerveux collectif nous renvoie l'image de notre décadence. Il stimule notre cerveau droit par de la musique, des drames archétypaux, de surprenantes sensations visuelles. Il tient notre journal des rêves, prenant note de nos fantasmes et de nos cauchemars pour nous dire ce que nous craignons le plus, ce que nous désirons le plus. Si on la laisse faire, notre technologie peut nous tirer d'un séculaire sommeil somnambulique.

Max Lerner a comparé la société à un grand organisme pourvu de son propre système nerveux : « Au cours des dernières décennies, nous avons assisté à une surcharge neurale de notre société, à une tension peu différente de ce qu'un individu ressent lorsqu'il se trouve au bord de la fatigue ou de la dépression nerveuse. » Pourtant, ajoutait-il, la technologie peut désormais servir à nous transporter plus avant dans l'exploration des états de conscience. « Les nouveaux mouvements de conscience, la nouvelle recherche du soi, peuvent contribuer à la cohésion plutôt qu'à la désintégration »

Les connexions de ce système nerveux en expansion ne se limitent pas aux vastes réseaux de la télévision commerciale, aux quotidiens et à la radio ; elles englobent aussi les innovations qui diffusent « l'autre savoir », la télévision privée, les radios libres, les petits éditeurs, les coopératives de magazines à tirage réduit. On assiste à une prolifération de bulletins, journaux et revues, de livres édités par leur auteur. Chaque quartier est doté d'imprimeries équipées pour un tirage rapide, chaque supermarché, chaque bibliothèque possède des photocopieuses. Le citoyen moyen a désormais accès aux cassettes audio et vidéo, aux ordinateurs commerciaux ou personnels, à tout un équipement de composition électronique bon marché. Bref, tout le monde peut être un

Gutemberg. Les supports de communication vont jusqu'à comprendre les autocollants et les T-shirts.

En outre, notre penchant national pour l'autoquestionnement a évolué de plus en plus vers une recherche intérieure et ce, non seulement en utilisant la psychologie populaire et les livres pratiques, mais en effectuant un retour aux sources : la littérature de transformation. Teilhard de Chardin, Abraham Maslow, Carl Jung, Aldous Huxley, Hermann Hesse, Carl Rogers, Jiddu Krishnamurti, Theodore Roszak et Carlos Castaneda, sont tous en collection de poche et occupent des étagères entières du rayon librairie des drugstores.

Enfin s'ajoutent toutes sortes de publications du « nouvel-âge » : bulletins et programmes radio, répertoires d'organisations, listes de ressources, annuaires et manuels, nouveaux journaux consacrés à la conscience, aux mythes, à la transformation, à l'avenir. Des milliers d'ouvrages traitant de spiritualité sortent des presses en éditions de poche.

Si nous voulons que le rêve américain s'élargisse, il nous faut aller au-delà de notre propre expérience, un peu comme les auteurs de la Constitution se sont imprégnés des idées politiques et philosophiques de nombreuses cultures, et comme les transcendantalistes ont fait la synthèse d'idées venant de la littérature et de la philosophie du monde entier pour formuler leur conception de la liberté intérieure. La créativité requiert une transformation, une expérimentation, une flexibilité permanentes.

Traversant les remous de la crise, des mouvements sociaux et des guerres, des scandales, des déceptions, des dépressions, les Etats-Unis ont été constamment ouverts au changement. A la télévision, en 1978, Jean-François Revel fut interrogé sur l'évolution de son opinion quant au potentiel de transformation en Amérique : « Les Etats-Unis, répondit-il, sont toujours le pays le plus révolutionnaire du monde, laboratoire de la société. Toutes les expériences — sociales, scientifiques, inter-raciales, inter-générations — ont lieu aux Etats-Unis. »

La Californie, laboratoire pour la transformation

Si l'Amérique est ouverte à l'innovation, l'innovation est le propre de la Californie. La Californie est un avant-goût de nos futurs changements de paradigmes nationaux tout autant que de nos manies et de nos modes. C'est le septième « pays » le plus riche du monde, l'état le plus peuplé de l'Union. Le seul comté de Los Angeles dépasse la population de quarante et un états. Ainsi, un phénomène existant « seulement en Californie » peut être quand même d'une importance capitale.

La Californie est enrichie par une diversité de cultures produite par la convergence de deux flux immigrants : l'asiatique et l'européen. En elle l'Orient et l'Occident font leur jonction. Plus de la moitié de ses habitants sont nés en dehors de l'Etat.

La Californie est aussi une synthèse de ce que C.P. Snow a appelé les Deux Cultures — l'Art et la Science. On estime que 80 % du traitement de la science pure de l'Union s'effectue en Californie. On y rencontre plus de prix Nobel que dans tout autre Etat et les membres de l'Académie nationale des sciences sont en majorité californiens. Les arts, à la fois commerce et expression d'avant-garde, représentent l'entreprise principale de la Californie. On estime que près d'un demi-million de personnes dans l'agglomération de Los Angeles gagnent plus ou moins leur vie grâce à des occupations artistiques. Les divertissements de toute la nation sont principalement produits en Californie. Les acteurs, les écrivains, les peintres, les architectes et les stylistes constituent une industrie majeure. Pour le meilleur et pour le pire, ils contribuent en grande partie à créer la culture de la nation.

Pour l'historien William Irwin Thompson, la Californie n'est pas tant un état de l'Union qu'un état d'esprit, une « imagi-nation qui a depuis longtemps fait sécession avec notre réalité. En tenant d'emblée le rôle de leader, elle a aidé le monde à effectuer la transition de la société industrielle à la société postindustrielle, du matériel au logiciel, de l'acier au plastique, du matérialisme au mysticisme ». La Californie fut ainsi la première à découvrir que « c'est l'imagination qui a le pouvoir sur la réalité et non le contraire ». Nous pouvons faire de nos visions une réalité.

Le rêve californien de soleil et de liberté économique, comme le rêve expansionniste américain, a toujours eu un second corps, une vision transcendantale d'une autre sorte de lumière et d'une autre sorte de liberté.

Si quelque chose soude les Californiens, suggérait Michael Davy en 1972, c'est bien « la recherche d'une nouvelle religion », une vision qui pourrait émerger « du méli-mélo de la pensée de type Esalen, du bavardage révolutionnaire et du mysticisme à la Huxley ». Quelle que soit l'origine de ces nouvelles passions, disait-il, elles pourraient bien avoir quelque « importance pour l'ensemble du pays ».

« Il y a de l'orientalisme chez le plus remuant des pionniers, dit un jour Thoreau, et l'Ouest le plus lointain n'est rien d'autre que l'Est le plus lointain. » Lorsqu'il écrivait cette phrase, au XIXe siècle, la côte ouest était déjà parsemée de centres et de groupes d'étude sur les enseignements bouddhistes et « hindous ». Aujourd'hui, l'influence de la pensée orientale se fait sentir un peu partout en Californie.

Il est normal que la Conspiration du Verseau se soit mieux épanouie parmi une population que sa richesse relative a conduite à se sentir frustrée par le rêve matérialiste dans sa forme la plus hédoniste et dans un environnement pluraliste et accueillant vis-à-vis des changements et de l'expérimentation : peu de traditions contraignantes, tolérance à l'égard des différentes opinions, atmosphère d'expérimentation et d'innovation, intérêt de longue date pour les philosophies orientales et les états non ordinaires de conscience

La Californie et la Conspiration du Verseau

Dans les années cinquante et soixante, Aldous Huxley, qui vivait à Los Angeles, encouragea Michel Murphy et Richard Price lorsqu'ils décidèrent, en 1961, d'ouvrir l'Institut Esalen à Big Sur. Esalen fut en grande partie à l'origine de ce que l'on connaît sous le nom de « mouvement du potentiel humain ». Parmi les principales personnalités qui participèrent aux séminaires d'Esalen les trois premières années, on comptait Gerald Heard, Alan Watts, Arnold Toynbee, Linus Pauling, Norman O. Brown, Carl Rogers, Paul Tillich, Rollo May et un jeune éudiant nommé Carlos Castaneda. En 1962, Abraham Maslow rallia Esalen, constituant ainsi un pont entre les réseaux des deux côtes. Puis, en 1965, ce fut au tour de George Leonard de rejoindre Esalen. Des personnalités d'opinions totalement différentes, tels B. F. Skinner et S. I. Hayakawa participèrent à des séminaires vers la fin 1965, de même que J. B. Rhine et bien d'autres.

Toutes ces personnes éminentes se rencontraient à un moment clef de l'histoire de la nation, où les mouvements sociaux proliféraient dans tout le pays : mouvement en faveur de la libération sexuelle, de la Libre parole, des droits des Chicanos et des Indiens américains et, surtout, le mouvement des droits civils conduit par Martin Luther King.

Bientôt, Leonard et Murphy se mirent à chercher des moyens d'appliquer les idées de ce nouveau mouvement du potentiel humain à toute la société. Ils voyaient parfaitement son influence sur l'éducation, la politique, la santé, les relations raciales et la planification urbaine.

Quand les médias diffusèrent ses idées à travers le monde, Esalen connut un rayonnement intense. Des centres de potentiel humain commencèrent à éclore un peu partout.

Il va sans dire que la Conspiration du Verseau puise sa substance dans ce substrat qu'est la Californie. Ses « agents », venus de tous les Etats de l'Union, s'y rassemblent de temps en temps pour se soutenir et s'encourager mutuellement.

Il est intéressant de noter que, si la côte est a tendance à traiter la côte ouest avec condescendance, comme un parent un peu bizarre, la Radio-Télévision belge a envoyé une équipe à Los Angeles tourner un documentaire sur la manière dont la contreculture des années soixante a affecté la décennie suivante et laisse présager que « ce que connaît la Californie finira par se produire en Europe ».

A la fin de son *Journal de Californie,* Edgar Morin écrit : « Là, en Californie, mon destin m'a été restitué. Là, en Californie, j'ai reconnu l'utilité de ma recherche et j'ai été relancé vers ma quête essentielle. C'est dans cette terre en transe que j'ai bu au bouche à bouche le message renaissant du très vieil évangile, *Love, Peace.* C'est en Californie que j'ai enfin pu retrouver les miens et faire miens les autres. »

CHAPITRE VI

NOUVELLES DES FRONTIÈRES DE LA SCIENCE

Toute vérité crée un scandale.
Marguerite YOURCENAR

LES découvertes récentes sur la nature saisissante de la réalité constituent un facteur majeur de changement, qui vient saper le sens commun et les vieilles philosophies institutionnalisées. « Les années quatre-vingt seront une période révolutionnaire, dit le physicien Fritjof Capra, car la structure de notre société ne correspond plus à la nouvelle conception du monde qui émerge de l'investigation scientifique. »

Le programme de la décennie qui commence doit se conformer à ce nouveau savoir scientifique, à ces découvertes qui mettent en questions des données mêmes sur lesquelles nous avons établi nos conceptions, nos institutions et nos vies. Les perspectives offertes sont bien plus vastes que celles de la vieille vision réductionniste. Ce savoir révèle une réalité riche, créative, dynamique, toute d'interactions. Nous découvrons que la nature n'est pas une force dont il nous faut triompher, mais le moyen de notre transformation.

Les mystères que nous allons explorer dans ce chapitre ne sont pas éloignés de nous, comme les trous noirs aux confins de l'espace. Ils sont *nous-mêmes :* le cerveau, le corps, le code génétique, la nature du changement, la faculté d'expansion ou de contraction de l'expérience consciente, le potentiel de l'imagination et de l'intention, la nature malléable de l'intelligence et de la perception.

Nous vivons comme nous savons. Si nous concevons l'univers et nous-mêmes comme des mécaniques, nous mènerons une vie mécanique. Au contraire, si nous pensons que nous faisons partie d'un univers aux potentialités sans limites, et que notre esprit est une matrice de réalité, alors notre vie deviendra un potentiel créatif.

Si nous nous représentons comme des êtres isolés, flottant sur un océan d'indifférence, nous ne nous conduirons différemment que si nous considérons l'univers comme un tout indivisible. Croyant à un monde fixe, nous combattrons le changement ; adhérant à l'idée d'un monde fluide, nous devenons des coopérants du changement.

Comme le disait Abraham Maslow, la peur de savoir est en fait, au plus profond de nous, la peur d'agir, à cause des responsabilités inhérentes au nouveau savoir. Les nouvelles découvertes révèlent des aspects de la nature trop riches pour être analysés, mais que nous pouvons pourtant comprendre. En fait, qu'on les baptise cœur, cerveau droit, « petit doigt » ou inconscient collectif, nous reconnaissons la justesse et même la simplicité des principes impliqués. Ils correspondent à un savoir profondément enraciné en nous.

La science ne fait que confirmer les paradoxes et les intuitions que l'humanité a découverts par hasard à diverses reprises, mais qu'elle a négligés avec obstination. Elle nous dit que nos institutions sociales et nos modes mêmes d'existence violent la nature. Nous fragmentons et figeons ce qui devrait être en mouvement et dynamique. Nous érigeons d'artificielles hiérarchies de pouvoir. Nous nous livrons à la compétition au lieu de coopérer.

Si nous lisons ce qui est inscrit sur le mur de la science, nous y déchiffrons le besoin impérieux de changer, de vivre avec la nature et non pas contre elle.

Des découvertes émanant de divers domaines de la science — la recherche sur le cerveau, la physique, la biologie moléculaire, l'étude de l'apprentissage et de la conscience, l'anthropologie, la psychophysiologie — convergent dans leurs approches révolutionnaires ; et pourtant le tableau qui s'esquisse est loin de nous être familier. Les nouvelles provenant du front de la science ne sont habituellement divulguées qu'à travers des medias hautement spécialisés, ou alors dénaturées lorsqu'elles atteignent le public. Ce sont des informations qui pourtant nous concernent tous et qu'il faut répandre, et non pas classer dans des dossiers.

Avant de considérer ces découvertes, nous allons étudier brièvement les raisons pour lesquelles nous n'avons eu connaissance que par bribes, et encore. Certes, personne ne les censure, mais, comme nous le verrons, leur caractère étrange nuit à leur diffusion, de même que l'extrême spécialisation des chercheurs et leur manque d'une vision d'ensemble. En effet, très rares sont ceux qui font la synthèse d'informations provenant de domaines très éloignés. C'est un peu comme si les éclaireurs d'une armée rapportaient des observations de leurs missions de reconnaissance, sans qu'il se trouve de général pour les rassembler et en tenir compte.

Il fut un temps où chacun « faisait » de la science. Bien avant que celle-ci ne devienne une profession, les gens essayaient de comprendre la nature par amusement ou par passion. Ils collectionnaient les spécimens, expérimentaient, construisaient des microscopes et des télescopes. Si certains de ces scientifiques amateurs sont devenus célèbres, il nous est difficile de concevoir qu'ils n'avaient pas reçu de formation au sens habituel du terme. Pas de bac, pas de mémoire de maîtrise ou de thèse de doctorat.

Nous aussi, nous avons tous été des scientifiques, des enfants curieux testant des substances avec notre langue, découvrant la gravité, allant fouiner sous les pierres, imaginant des motifs dans les étoiles, nous demandant pourquoi le ciel est bleu, pourquoi la nuit nous fait frissonner.

Mais le romantisme de la science s'efface pour la plupart d'entre nous à l'adolescence, en partie parce que le système éducatif enseigne une conception réductionniste, du type cerveau gauche, et en partie parce que la société exige que la technologie débouche sur des applications pratiques. Ceux qui aiment la nature sans aimer disséquer des petits animaux apprennent bientôt à éviter l'enseignement de la biologie classique. Les étudiants qui s'inscrivent en psychologie dans l'espoir d'apprendre comment l'homme peut sentir et penser en viennent à en savoir plus sur les rats et les statistiques qu'ils ne le souhaitaient.

Plus on gravit les échelons et plus la science se rétrécit. Suivant leurs affinités pour les sciences exactes ou humaines, les étudiants sont parqués dans des enclos séparés ; en effet, ce clivage du savoir se retrouve au niveau des bâtiments dans de nombreuses universités. La plupart des étudiants en humanités évitent tout enseignement scientifique au-delà du minimum d'heures obligatoires ; les étudiants doués pour la science sont canalisés à l'intérieur de leurs spécialités, sous-spécialités, micro-spécialités. Du collège à la faculté, les étudiants peuvent à peine communiquer entre eux.

Nous finissons par penser que la science est quelque chose de spécial, de séparé, et qui dépasse nos compétences, comme le grec ou l'archéologie. Une minorité continue dans sa voie, de plus en plus étroite, et l'on aboutit ainsi aux Deux Cultures dont parle C. P. Snow, la Science et l'Art, chacune se voulant un peu supérieure, un peu envieuse de l'autre, et se sentant tragiquement incomplète, en définitive.

Chaque discipline scientifique est une île. La spécialisation a empêché la plupart des scientifiques d'aller visiter d'autres « champs » que le leur, aussi bien par peur de paraître insensés que par difficulté de communication. La synthèse est laissée aux quelques rares chercheurs dont l'irrépressible créativité et les percées conceptuelles sont le véritable moteur de toute la machinerie scientifique.

Lors d'une récente rencontre annuelle de l'Association américaine pour le progrès de la science (qui a pour but de favoriser les échanges interdisciplinaires), des anthropologues se sont rencontrés dans un hôtel de Philadelphie pour entendre un exposé sur les causes probables de l'extinction de certaines tribus. A la même heure, des centaines de biologistes se réunissaient dans un hôtel voisin pour discuter des raisons de l'extinction de certaines espèces. Les deux groupes — en leurs hôtels séparés — parvinrent à la même réponse : *la spécialisation à outrance.*

Cette spécialisation a engendré un autre problème, celui de la Tour de Babel des jargons techniques et mathématiques.

Rien que dans la recherche sur le cerveau, cinq cent mille articles sont publiés chaque année. La neurologie est devenue une telle discipline ésotérique, à ce point morcelée en sous-spécialités, que les chercheurs ont de plus en plus de difficultés à communiquer, ne serait-ce qu'entre eux. Ceux qui essayent d'intégrer l'ensemble des recherches ne sont qu'une poignée.

La seconde cause du problème de communication est l'étrangeté totale de cette nouvelle vision du monde. Il nous faut en effet aller de changement de paradigme en changement de paradigme, modifier fondamentalement nos vieilles conceptions en les considérant dans une tout autre perspective.

On dit que la science remplace le sens commun par du savoir. Il est vrai que nos aventures intellectuelles de pointe nous entraînent dans des pays des merveilles, par-delà les limites de la logique et du raisonnement linéaire. On connaît la remarque souvent citée du grand biologiste J.B.S. Haldane, selon laquelle la réalité est non seulement plus étrange que nous le concevons, mais plus étrange que nous *pouvons* le concevoir.

La nature est sans fond. Ce lieu où tout s'ordonnerait n'existe pas. Cela peut faire peur. On peut avoir l'impression de régresser à l'enfance, lorsque la nature semblait immense, mystérieuse et emplie de pouvoir, avant que nous ayons appris à distinguer les faits de l'imaginaire et à réduire le mystère par des « explications ».

L'étude des « faits » concernant par exemple l'éclair, le magnétisme ou les ondes radio nous a conduits à penser que la nature était comprise ou sur le point de l'être. Cette conception erronée partagée par la plupart des scientifiques de la fin du XIXe siècle gagna le public, l'amenant à mécomprendre les pouvoirs de la science. Le positivisme a répandu une conception du monde et de l'homme que le biologiste et prix Nobel Jacques Monod décrivait ainsi en 1970, dans son ouvrage *Le Hasard et la Nécessité :*

« L'ancienne alliance est rompue ; l'homme sait enfin qu'il est seul dans l'immensité indifférente de l'Univers d'où il a émergé par hasard. »

Dix ans plus tard, Ilya Prigogine et Isabelle Stengers écrivent dans *La Nouvelle Alliance* que la science s'est métamorphosée ; la science classique, dont les réussites ont conduit à un désenchantement du monde n'est plus aujourd'hui notre science. Selon ces auteurs, la signification la plus profonde de l'activité scientifique est « celle d'une tentative pour communiquer avec la nature, pour apprendre à son contact qui nous sommes et à quel titre nous participons de son évolution ». « Or, affirment-ils nous nous retrouvons dans un monde irréductiblement aléatoire, dans un monde où la réversibilité et le déterminisme font figure de cas particuliers, où l'irréversibilité et l'indétermination microscopique sont la règle. Ils ajoutent : « Nous savons que nous sommes seulement au début de l'exploration ; la synthèse théorique universelle ne nous attend pas au détour d'un progrès, dans aucun des domaines de la physique. Nous ne verrons pas la fin de l'incertitude et du risque. »

Ainsi la science ne fait plus de nous « des êtres seuls au monde, tziganes aux marges de l'univers, mais nos théories se définissent désormais comme l'œuvre d'êtres inscrits dans le monde qu'ils explorent... Le temps aujourd'hui retrouvé, c'est aussi le temps qui ne parle plus de solitude, mais de l'alliance de l'homme avec la nature qu'il décrit ».

Alors que la science la plus avancée vient à apparaître mythique et symbolique, qu'elle renonce à l'espoir d'atteindre la certitude ultime, nous ne le croyons pas. C'est comme si on nous demandait de retrouver le respect mêlé de crainte et de crédulité de la prime enfance, avant que nous sachions ce qu'est « réellement » un arc-en-ciel.

Comme nous le verrons, la nouvelle science va au-delà des observations froides et cliniques pour atteindre un domaine où chatoie le paradoxe, où notre raison même semble en danger. Pourtant, de même que nous pouvons profiter des développements technologiques de notre civilisation, notre vie peut être libérée par la nouvelle conception du monde de la science de pointe, à condition de la comprendre en détail.

Nombre des saisies profondes de la science moderne sont exprimées dans un « langage » mathématique que la plupart d'entre nous ne parlent ni ne comprennent. Le langage ordinaire n'est pas approprié à rendre compte du non-ordinaire. Les mots et les phrases nous ont conduits à de fausses représentations, en nous dissimulant les aspects complexes et dynamiques de la nature.

La vie n'est pas construite comme une phrase, le sujet agissant sur l'objet. Dans la réalité, de nombreux événements sont en interaction simultanée. Par exemple, prenons l'impossibilité de déterminer dans une famille « qui a fait quoi le premier » ou « qui a provoqué tel comportement ». Nous construisons toutes nos explications sur un modèle linéaire qui n'existe que comme un idéal.

Des sémanticiens comme Alfred Korzybski et Benjamin Whorf nous ont avertis : les langues indo-européennes nous imposent un modèle fragmenté de la vie. Elles négligent la relation. Par leur structure sujet-attribut, elles façonnent notre pensée, nous forçant à tout concevoir en termes de simples causes et effets, alors que certaines langues, comme le hopi ou le chinois, sont structurées différemment et peuvent exprimer plus facilement des idées non linéaires. Pour cette raison il nous est difficile de décrire ou même de *penser* la physique quantique, ou une quatrième dimension, ou bien toute autre notion dans laquelle l'espace et le temps ne sont pas bien définis.

Selon Korzybski, nous ne saisirons pas la nature de la réalité tant que nous n'aurons pas réalisé la limitation qu'imposent les mots. Le langage est notre cadre de pensée et, par ce fait, érige des barrières. Mais la carte *n'est pas* le territoire. Une rose *n'est pas* une rose est une rose ; la pomme du 1er août *n'est pas* la pomme du 10 septembre ou le fruit desséché du 2 octobre. *Le changement et la complexité excèdent toujours nos pouvoirs de description.*

Il est curieux de noter que la plupart des scientifiques eux-mêmes ne font pas la relation entre leur savoir scientifique et la vie de tous les jours. La pression exercée par leurs pairs les décourage de chercher un complément de sens « hors de leur champ ». Ils conservent ce qu'ils savent être compartimenté et hors de propos, comme une religion qu'on ne pratique que les jours saints. Seuls quelques-uns ont la rigueur intellectuelle et le courage personnel de tenter l'intégration à leur vie de leurs conceptions scientifiques. Capra remarque que la plupart des physiciens, une fois hors de leur laboratoire, se comportent chez eux comme si Newton avait raison et non Einstein, comme si le monde était fragmenté et mécanique. « Ils ne semblent pas avoir conscience des implications philosophiques, culturelles et spirituelles de leurs théories. »

Les instruments qui nous servent à quantifier — microscopes électroniques, ordinateurs, télescopes, générateurs de nombres au hasard, E.E.G., statistiques, éprouvettes, calcul intégral, cyclotrons — nous ont finalement ouvert un passage vers un domaine au-delà des nombres. Ce que nous découvrons n'est pas l'absence de sens, mais une sorte de méta-sens, non pas illogique, mais qui transcende la logique telle que nous l'avons définie jusqu'ici.

Bâtir une nouvelle théorie, a dit un jour Einstein, n'est pas ériger un gratte-ciel à la place d'une vieille baraque, « c'est plutôt comme de gravir une montagne et d'avoir peu à peu une vue différente, plus vaste, de découvrir des relations inattendues entre notre point de départ et son riche environnement. Car le point d'où nous sommes partis existe toujours et reste visible, bien qu'il paraisse plus petit et ne soit plus qu'une faible partie de notre vision élargie... »

Voir le nouveau monde

Il nous manque une dimension. Cette dimension, aussi étrange que cela puisse sembler *a priori,* se trouve être justement la genèse de notre monde, notre domicile réel.

Ce chapitre va nous mener, à travers différentes ouvertures scientifiques, à cette autre dimension. Les termes techniques ont été réduits au minimum afin que la ligne directrice puisse être mieux suivie. Ceux qui désireront plus d'informations trouveront des références techniques à la fin de l'ouvrage.

Le cerveau gauche est un compagnon utile dans le voyage mais jusqu'à un certain point seulement. Son génie des mesures nous a conduits à poser intellectuellement l'hypothèse de l'existence de cette dimension plus vaste. Mais il présente de nombreux points communs avec le Virgile de *la Divine comédie* de Dante. Virgile pouvait accompagner le poète en enfer et au purgatoire, où tout était raisonnable et où, par exemple, la punition correspondait au crime.

Mais lorsque Dante arriva en vue du Paradis, Virgile dut rester en retrait. S'il pouvait faire face au mystère, il ne pouvait le pénétrer. Béatrice, la muse du poète, accompagna celui-ci dans le lieu de transcendance.

La saisie non linéaire consiste plus à se mettre à l'écoute qu'à voyager d'un point à un autre. Les découvertes scientifiques dont il sera question dans ce chapitre nous conduisent dans un pays dont la carte n'est pas encore tracée : on ne fait qu'en deviner les contours.

Lorsque le cerveau gauche se heurte à la dimension non linéaire, il se met à tourner autour, à morceler en parties les totalités, à reconstituer les données à sa manière et à poser des questions hors de propos, comme un journaliste à des funérailles. *Où, quand, comment, pourquoi ?* Il nous faut pour l'instant inhiber ses questions, suspendre tout jugement, sinon nous ne pourrons « saisir » l'autre dimension, pas plus qu'on ne peut se laisser emporter par une symphonie tout en analysant son mode de composition.

Un monde sans références spatiales ni temporelles n'est pas pour autant complètement étranger à notre expérience. Dans nos rêves, par exemple, passé et avenir semblent se mêler et les lieux changent mystérieusement.

Prenons le modèle du changement de paradigme proposé par Thomas Kuhn : en sciences, chaque idée neuve d'importance semble *a priori* étrange. Comme le physicien Niels Bohr le fait remarquer, les grandes innovations paraissent inévitablement embrouillées, déroutantes et incomplètes. Elles demeurent même un peu énigmatiques pour leurs inventeurs, et un mystère pour tous les autres. Or, dit Bohr, il n'y a guère d'espoir pour qu'une spéculation qui n'apparaît pas absurde au premier regard se révèle exacte. Ou, comme l'a dit son collègue Werner Heisenberg « ce n'est pas assez fou pour être vrai ».

Si nous nous entêtons à refuser de considérer ce qui semble magique ou incroyable, nous serons en bonne compagnie. Ainsi, l'Académie des sciences française annonça un jour qu'elle n'accepterait plus de rapports sur les météorites, puiqu'il était manifestement impossible que des pierres tombent du ciel. Quelque temps plus tard, une pluie de météorites fut à deux doigts de casser les vitres de l'Académie.

Si les scientifiques sont lents à accepter une nouvelle information, que dire alors du public ? Erwin Schrödinger, le grand physicien, a déclaré un jour qu'il fallait au moins *cinquante ans* avant qu'une découverte scientifique majeure ne pénètre la conscience du public. Un demi-siècle pour que les gens s'aperçoivent que des conceptions vraiment surprenantes occupent la pensée des scientifiques de pointe... L'espèce humaine ne peut plus s'offrir le luxe d'un délai si long ni des revirements peu empressés des scientifiques retranchés dans leur routine. Le prix en est devenu trop élevé : pour notre écologie, nos relations, nos luttes, notre santé, notre avenir collectif menacé. Il est de notre devoir de chercher, de questionner, d'ouvrir nos esprits.

Une des tâches principales de la Conspiration du Verseau est de faciliter les changements de paradigme en révélant les défauts de l'ancien et en montrant combien le nouveau contexte est plus apte à offrir des explications satisfaisantes. Comme nous le verrons, la plupart des idées transformatives puissantes qui émanent de la science moderne s'agencent à la façon des éléments d'un puzzle. Elles se soutiennent les unes les autres, formant un échafaudage d'où se dégage une vision du monde plus large.

Chacune de ces idées majeures est un tout en elle-même, un système permettant de comprendre tout un spectre de phénomènes dans notre vie et dans la société. Chacune présente aussi des parallèles troublants avec les anciennes descriptions de la nature effectuées par les poètes et les mystiques. La science ne fait que vérifier aujourd'hui ce que l'humanité a intuitivement connu depuis l'aube de l'histoire.

Dans *Le Matin des magiciens,* Pauwels et Bergier ont spéculé l'existence d'une conspiration ouverte de scientifiques qu'auraient découverte ces réalités métaphysiques. De même, dans *La Gnose de Princeton,* le philosophe Raymond Ruyer, qui se veut son porte-parole en France, évoque un groupement discret de scientifiques dont l'origine remonte à 1969. Il réunit des physiciens, des astronomes, des biologistes qui partagent une même vision gnostique, cosmocentrique, et il débouche sur des préoccupations politiques. Nombre des Conspirateurs du Verseau sont des scientifiques, une fraternité de « casseurs » de paradigmes qui se rencontrent sur le territoire des autres pour faire naître de nouvelles idées. Plus nombreux encore sont les amateurs qui montrent un intérêt pour la recherche de pointe. Ils tirent des découvertes scientifiques sur la nature fondamentale de la réalité des modèles pour le changement social. D'autres conspirateurs se sont intéressés à la science parce qu'ils voulaient comprendre la dimension physique des expériences intérieures qu'ils avaient vécues grâce aux psychotechniques. Les Conspirateurs du Verseau font, dans leur vie, l'union entre les deux cultures : la science et l'art. Ils attendent de la science plus que des informations : la découverte d'un sens, c'est la quête essentielle de l'artiste.

Dans *L'Homme intérieur et ses métamorphoses,* la philosophe Marie-Magdeleine Davy écrit :

> « L'homme intérieur est comparable à la fois à l'artiste et au scientifique. Les deux termes qui semblent opposés fusionnent dans sa démarche... il préfère le sens à l'événement, le mouvement au statique, la recherche à la certitude, l'intelligence de l'ensemble à la diversité des faits. Scientifique, il se livre à la condition des possibles et dans sa liberté créatrice il rejoint l'artiste. »

En organisant des rencontres où des scientifiques de diverses disciplines peuvent commenter les implications de leurs travaux dans des changements sociaux et individuels, la Conspiration du Verseau joue un rôle éducatif important. Prenons pour exemple cette rencontre typique qui eut lieu à New York en 1978 avec, pour vedettes, deux physiciens, le prix Nobel Eugène Wigner et Fritjof Capra, la psychologue Jean Houston, spécialiste des états non ordinaires de conscience ; le neurophysiologiste Karl Pribram et le Swami Rama, un yogi qui devint célèbre au début des années soixante-dix, lorsque la Fondation Menninger et d'autres laboratoires vérifièrent sa faculté remarquable de contrôler ses processus physiologiques (dont l'arrêt virtuel du cœur). Le sujet de la rencontre : « Les Nouvelles dimensions de la conscience. »

Le prospectus de la conférence, typique lui aussi, affirmait la convergence de la science et de l'intuition :

> Nous sommes aujourd'hui à l'aube d'une nouvelle synthèse. Ces quatre derniers siècles ont vu la science occidentale réformer continuellement, voire fracasser ses concepts de base. Voici que la communauté scientifique se met à envisager d'étonnantes corrélations entre ces découvertes et celles qui furent exprimées de façon abstruse par les anciens mystiques.
>
> Tous les visionnaires, hommes et femmes, sont invités à être les pionniers de cette nouvelle synthèse.

De semblables rencontres ont été organisées dans tout le pays, dans les universités, les musées, etc., avec des titres du genre *Sur la nature ultime de la réalité, La Physique de la Conscience, Conscience et Cosmos, Conscience et Changement culturel.*

Les recherches sur le cerveau et la conscience

Avant les années soixante, relativement peu de scientifiques étudiaient le cerveau, et encore moins l'interaction entre le cerveau de l'expérience consciente Depuis, la recherche sur le cerveau et la conscience a connu une expansion considérable. Plus nous en savons dans ce domaine et plus les questions qui en émanent deviennent radicales. « Il n'y aura pas de fin à cette entreprise avant des siècles », a dit le neurophysiologiste et prix Nobel John Eccles.

La recherche sur le biofeedback a commencé dans ces années-là. Elle a montré que l'homme est capable de contrôler de délicats processus internes qu'on avait cru longtemps involontaires. En laboratoire, des individus ont pu s'entraîner à accélérer ou ralentir leur rythme cardiaque, modifier l'activité électrique à la surface de leur peau, faire passer leurs ondes cérébrales du rythme rapide bêta à un rythme alpha plus lent. Certains sujets ont même appris à produire une décharge bioélectrique dans une seule de leurs cellules nerveuses. Barbara Brown, pionnière dans ce domaine, a noté que cette conscience biologique profonde reflète la capacité de l'esprit à modifier chaque système physiologique, chaque cellule du corps.

Or, si les sujets savaient bien ce qu'ils ressentaient pendant ces modifications, ils étaient en revanche incapables d'expliquer comment ils y parvenaient. D'un côté, le biofeedback n'est qu'une technique toute simple : la machine détecte l'information corporelle, la traduit en signaux lumineux ou sonores et permet d'identifier les sensations associées à ces fluctuations reçues en retour. Mais il demeure un fossé mystérieux entre l'*intention* et l'action physiologique. Comment la volonté peut-elle sélectionner une cellule donnée parmi des milliards et provoquer sa décharge ? Ou faire se libérer une substance chimique spécifique ? Ou limiter la sécrétion de suc gastrique ? Ou modifier le comportement rythmique de populations entières des cellules du cerveau ? Ou dilater les capillaires pour augmenter la température de la main ?

La conscience est plus vaste et plus profonde, l'intuition plus puissante qu'on ne le croyait. Cela veut dire que les êtres humains ont à peine commencé à exploiter leur potentiel de changement.

Les phénomènes obtenus à l'aide du biofeedback ont amené les chercheurs à se référer en hâte à la poignée de rapports scientifiques décrivant des possibilités de contrôle semblables chez les yogis, sans l'aide du biofeedback. Jusque-là, on estimait couramment que les yogis avaient dû tromper d'une façon ou d'une autre les quelques chercheurs désireux de vérifier leurs prouesses.

A la même époque, ont été faites des études de laboratoire sur la méditation et d'autres états non ordinaires de conscience. Des changements spécifiques de fonctions physiologiques dans l'E.E.G., la respiration, l'activité électrique à la surface de la peau ont été notés chez les méditants. L'aspect des ondes cérébrales, plus amples, plus lentes, rythmées ont confirmé les prétentions selon lesquelles ceux qui pratiquent les psychotechniques parviennent à une plus grande harmonie intérieure.

Durant la même période, les recherches sur des individus au cerveau clivé (voir chapitre III) ont démontré que les êtres humains sont véritablement constitués « de deux esprits » et que de tels centres de conscience peuvent fonctionner indépendamment l'un de l'autre dans un même crâne. L'importance de cette recherche, qui a ouvert un domaine connexe en étudiant la spécialisation des hémisphères du cerveau, ne peut être exagérée. Elle nous a aidés à comprendre la nature spécifique des processus « holistes », ce savoir mystérieux sur lequel on a insisté, dont on a discuté et douté pendant des siècles. Désormais, l'« intuition » était située, au moins vaguement, sur la carte neuroanatomique.

L'hémisphère quantifiant a confirmé la réalité de la différence qualitative de son frère « mineur » en fait son partenaire parfaitement égal, bien que réprimé. Les pouvoirs de celui-ci étaient évidents dans les performances stupéfiantes des sujets soumis au biofeedback, les modifications des processus physiologiques mesurées chez les méditants, l'étrange double existence que connaissent les patients au cerveau clivé. Des techniques plus subtiles révélèrent bientôt la présence de l'« autre esprit ». Les chercheurs ont pu montrer que notre attention se montre extrêmement sélective selon nos croyances et nos émotions ; une information peut être acheminée en même temps par plusieurs canaux parallèles ; nous disposons d'extraordinaires capacités mnémoniques (même si nous n'avons pas toujours un accès facile à nos banques d'informations).

Il y a quelques années, une série de percées ont ouvert un nouveau champ de recherches passionnantes, car elles remettent en question ce que nous savions du fonctionnement du cerveau. La mieux connue est la découverte de la classe des substances cérébrales appelées endorphines ou enképhalines, qu'on surnomme parfois « la morphine naturelle du cerveau ». On a pu l'identifier, à l'origine, grâce à son affinité pour les sites récepteurs de la morphine dans le cerveau. Les endorphines, comme la morphine, sont des analgésiques.

On sait que les transmetteurs chimiques connus fonctionnent selon un mode linéaire, de cellule à cellule. Les nouvelles substances, elles, ont une action plus simultanée ; elles semblent moduler l'activité des cellules du cerveau un peu comme on « attrape » une station sur un poste de radio et comme on en adapte le volume. Certaines d'entre elles « émettent » de véritables messages, ce qui a conduit le prix Nobel Roger Guillemin, pionnier dans ce domaine, à supposer l'existence d'un « nouveau » système nerveux contrôlé par ces substances.

Celles-ci, de par leur action générale, puissante, ont sur le corps et le comportement un effet souvent spectaculaire. On a montré, par exemple, que les endorphines peuvent affecter la sexualité, l'appétit, les relations sociales, la perception de la douleur, la vigilance, l'apprentissage, la récompense, les attaques, la psychose. De même, les endorphines seraient impliquées dans le mystérieux effet placebo : une substance inactive, telle une pilule de sucre, produit un soulagement du fait que cela correspond à l'attente du patient. Des patients qui avaient été soulagés par placebo après une extraction dentaire ont fait part d'un regain de douleur après qu'ils eurent pris une substance qui interfère avec les endorphines. La foi qu'induit le placebo libère, apparemment, des endorphines. Son mécanisme demeure un mystère aussi épais que celui de l'intention dans le biofeedback.

Les endorphines peuvent également être impliquées dans le système qui nous permet de rejeter hors de notre conscience ce que nous ne voulons pas sentir ou penser : c'est le système chimique du refus. Elles interviennent aussi dans les états de bien-être mental. Des petits d'animaux que l'on sépare de leurs mères montrent une chute du niveau d'endorphines correspondant à leur détresse. Il s'avère en outre que l'action de manger libère des endorphines dans le système digestif, ce qui peut expliquer la sensation de bien-être que certains cherchent dans la nourriture.

Des états mentaux comme la solitude, la contrainte, l'angoisse, l'attachement, la douleur et la foi ne sont pas seulement « dans la tête », mais aussi dans le cerveau. Cerveau, esprit et corps sont un même *continuum*.

Nos pensées — intention, peur, images, suggestion, attente — modifient la chimie du cerveau. Et cette action s'effectue dans les deux sens ; les pensées peuvent être modifiées par des changements intervenus dans la chimie du cerveau sous l'effet de l'oxygène, des aliments ou des drogues.

Le cerveau est d'une complexité désespérante. Selon le biologiste Lyall Watson, « si le cerveau était aussi simple que nous puissions le comprendre, *nous* serions si simples que nous ne le pourrions pas ! »

Holisme et théorie des systèmes

Paradoxalement, les découvertes scientifiques sur les facultés holistes du cerveau, sur la capacité de l'hémisphère droit à comprendre les totalités, mènent à s'interroger sur la méthode scientifique elle-même. La science a toujours essayé de comprendre la nature en morcelant les objets. C'est désormais une évidence écrasante que *les totalités ne peuvent pas être comprises par l'analyse.* Il s'agit là d'un boomerang logique telle la preuve mathématique qu'aucun système mathématique ne peut être véritablement cohérent en lui-même.

Le préfixe grec *syn* (« ensemble avec »), comme dans *syn*thèse, *syn*ergie, *syn*tropie, prend de plus en plus tout son sens. Lorsque les choses se rassemblent, quelque chose de nouveau se produit. De leur relation émergent une nouveauté, une créativité, une complexité accrues. Que nous parlions de réactions chimiques ou de sociétés humaines, de molécules ou de traités internationaux, on ne peut en prévoir certaines qualités par la seule observation de leur composants.

Il y a un demi-siècle, Jan Smuts essaya, dans son livre *Holisme et Evolution,* de synthétiser la théorie évolutionnaire de Darwin, la physique d'Einstein et ses propres idées, pour rendre compte de l'évolution de l'esprit aussi bien que de la matière.

La totalité, dit Smuts, est une caractéristique fondamentale de l'univers, le produit d'une tendance à synthétiser que présente la nature. « L'holisme est autocréateur » et ses structures finales sont *plus* holistes que ses structures initiales. Ces touts, ces unions, sont dynamiques, évolutionnaires, créatifs. Ils tendent à s'élever vers des ordres de complexité et d'intégration toujours supérieurs. Selon Smuts, « l'évolution présente une dimension intérieure et spirituelle qui va en s'approfondissant ».

Comme nous le verrons bientôt, la science moderne a avéré cette qualité qu'a la nature de produire des totalités, cette caractéristique qui la fait rassembler les éléments dans une structure toujours plus synergique et riche de sens.

La moderne Théorie générale des systèmes affirme que toute variable d'un système quelconque interagit si intimement avec les autres variables qu'il n'est pas possible de séparer la cause de l'effet. Une même variable peut être à la fois cause et effet.

Les cybernéticiens, les systémiciens, méditant sur la propriété de « causalité circulaire » que présentent les boucles de rétroaction, ont été contraints d'abandonner le principe de causalité et d'introduire la notion de finalité, d' « intention », dans le monde des machines puis des êtres vivants, comme l'a illustré le biologiste Joël de Rosnay dans *Le Macroscope.*

La réalité n'est pas une chose immobile, susceptible d'être démontée ! Il n'est pas possible de comprendre une cellule, un rat, une structure cérébrale, une famille ou une culture en l'isolant de son contexte. *L'essentiel, c'est la relation.*

Pour le père de la Théorie générale des systèmes, Ludwig von Bertalanffy, celle-ci a pour but de comprendre les principes de totalité et d'auto-organisation à tous les niveaux :

> Ses applications vont de la biophysique des processus cellulaires à la dynamique des populations, des problèmes de physique aux problèmes de psychiatrie, de politique et d'unité culturelle...
>
> La Théorie générale des systèmes est symptomatique d'un change-

ment dans notre vision du monde. Nous ne considérons plus le monde comme un aveugle jeu d'atomes, mais plutôt comme une grande organisation.

Selon cette théorie, l'histoire, bien qu'intéressante et instructive, est incapable de prévoir l'avenir. Qui peut savoir ce que la danse des variables produira demain... dans un mois... l'an prochain ? La surprise est inhérente à la nature.

Evolution : le nouveau paradigme

Nombre de scientifiques compétents ont le sentiment que l'homme est en mesure de jouer avec sa propre évolution, comme on joue d'un instrument.

La théorie de l'évolution de Darwin — mutation au hasard et persistance des plus aptes — s'est révélée désespérément inappropriée à rendre compte d'un grand nombre d'observations en biologie. Tout comme les faits en désaccord avec la physique de Newton ont conduit Einstein à formuler une nouvelle théorie provocante, un paradigme plus vaste est en train d'émerger, afin d'élargir notre compréhension de l'évolution.

Darwin défendait l'idée d'une évolution très progressive. Steven Jay Gould, biologiste et géologue à Harvard, précise que la veille de la publiccation de *L'Origine des espèces,* T. H. Huxley écrivit à Darwin, l'assurant de son soutien, mais le mettant en garde contre cette conception qui, selon lui, alourdissait son argumentation. Pour Darwin, l'image d'une évolution lente, telle la formation d'un glacier, reflétait en partie l'admiration qu'il témoignait à Charles Lyell, partisan de l'idée du gradualisme en géologie. Gould écrit que, dans l'optique de Darwin, l'évolution est un processus majestueux et ordonné, « travaillant à un rythme si lent que personne ne peut espérer l'observer pendant sa vie ».

En outre, de même que Lyell rejeta les preuves de l'existence des cataclysmes en géologie, de même Darwin éluda les problèmes que suscitaient ses propres observations. Certes, il semblait exister de larges fossés, des échelons manquant sur l'échelle de l'évolution, mais il les attribuait à de simples imperfections de la méthode paléontologique. Pour lui, le changement n'était abrupt qu'*en apparence.*

Mais à ce jour, l'étude des fossiles n'a toujours pas trouvé ces chaînons manquants. Cette extrême rareté des formes transitoires de vie dans les fossiles, Gould la nomme « le secret de fabrication de la paléontologie ». Devant cette absence prolongée des chaînons manquants, les jeunes scientifiques sont de plus en plus sceptiques vis-à-vis de la théorie en place. « L'explication traditionnelle selon laquelle la méthode d'investigation par les fossiles est inadéquate est en elle-même une explication inadéquate », a lancé Niles Eldredge, de l'American Museum of Natural History.

Gould et Eldredge ont propose — chacun — une solution à ce problème, une théorie en accord avec les données paléontologiques. Des chercheurs soviétiques ont mis au point une théorie semblable. Le *ponctualisme,* ou *équilibre ponctué,* suggère que l'équilibre de la vie est de temps en temps « ponctué » de stress sévère. Si une petite partie de la population ancestrale est isolée à la périphérie de son habitat normal, elle peut donner naissance à une nouvelle espèce. Par ailleurs, la ***population est intensément stressée parce qu'elle vit à la limite du supportable.*** Selon Gould, « des variations favorables s'étendent rapidement. Quelques individus, à la périphérie, constituent le laboratoire du changement évolutionnaire ».

Les données paléontologiques indiquent que la plupart des espèces ne montrent pratiquement pas de changement depuis leur apparition. En revanche, une nouvelle espèce peut soudain émerger. Elle n'évolue pas graduellement, grâce à un changement ancestral régulier, mais apparaît d'un coup, *pleinement achevée.*

L'ancien paradigme considérait l'évolution comme l'escalade régulière d'une échelle, alors que Gould et les autres la comparent plutôt au développement des ramifications de différentes branches maîtresses d'un arbre ; par exemple, les anthropologues ont découvert, ces dernières années, qu'au moins trois types d'hominidés — des créatures ayant dépassé le stade du singe, coexistèrent. Auparavant, on pensait que ces différents types formaient une séquence. On sait désormais qu'un « descendant » vivait à la même époque que ses ancêtres présumés. Plusieurs lignées différentes se séparèrent du lot parental des primates. Certaines survécurent et poursuivirent leur évolution, d'autres disparurent. C'est assez brutalement que l'Homo, au vaste cerveau, a surgi. Le nouveau paradigme attribue l'évolution à des sauts périodiques effectués par de petits groupes. Ce changement de conception est important pour au moins deux raisons : elle requiert un mécanisme de changement biologique plus puissant que la mutation au hasard, et elle nous ouvre à la possibilité d'une évolution rapide à notre propre époque, dès lors que l'équilibre de l'espèce est ponctué de stress. Dans notre société moderne, on fait l'expérience du stress aux frontières de nos capacités psychologiques plutôt qu'à celles de nos limites géographiques. La démarche du pionnier devient une aventure de plus en plus psychospirituelle puisque nous sommes à court d'espaces physiques à explorer.

Etant donné ce que nous apprenons de la nature du changement profond, la transformation de l'espère humaine semble de moins en moins improbable.

Selon Gould, si les Européens du XIXe siècle défendaient l'idée du gradualisme, c'est parce que celle-ci s'inscrivait dans la philosophie dominante, où l'on avait les révolutions en horreur, même dans la nature. Il ajoute que les philosophies limitent ce que nous nous permettons de voir. D'après lui, il nous faut des philosophies pluralistes qui nous permettent d'envisager les faits de plusieurs points de vue.

> Si le gradualisme est plus un produit de la pensée occidentale qu'un fait de la nature, nous devrions considérer d'autres philosophies du changement pour élargir notre domaine de préjugés contraignants. En Union soviétique, par exemple, les scientifiques sont entraînés à une philosophie du changement très différente... Ils parlent de « transformation de la quantité en qualité ». Ce qui peut paraître un charabia suggère, en fait, que le changement se produit selon de grands sauts consécutifs à la lente accumulation de stress auquel un système résiste jusqu'à ce qu'il atteigne le point de rupture. Chauffez de l'eau et elle finira par atteindre le point d'ébullition. Opprimez de plus en plus les travailleurs et, soudain, ils briseront leurs chaînes.

On trouve une conception analogue dans la théorie des catastrophes du mathématicien René Thom. Les « catastrophes » sont des événements qualitatifs dont l'émergence dépend d'un grand nombre de paramètres. Thom écrit à propos de son modèle : « Les situations dynamiques régissant l'évolution des phénomènes naturels sont fondamentalement les mêmes que celles qui régissent l'évolution de l'homme et des sociétés. »

A la lumière de récentes découvertes, il se pourrait que l'évolution soit accélérée par un certain nombre de mécanismes génétiques. On a en effet montré que des framents d'A.D.N. porteurs de gènes peuvent quitter ou intégrer des chromosomes de bactéries ou même de certains autres organismes vivants ; cette découverte suggère que les chromosomes sont susceptibles d'être modifiés en permanence. Des chercheurs ont même pensé que de telles réorganisations génétiques pourraient s'effectuer dans *toutes* les formes de vie.

Certains segments de l'A.D.N. ne semblent pas impliqués dans la régulation génétique habituelle. La découverte de ces séquences, qui sont un non-sens dans le contexte du code génétique, fut qualifiée d' « épouvantable » par le chercheur Walter Gilbert, de Harvard. On a d'ailleurs pu lire dans la revue britannique *New Scientist :* « C'est notre notion même de gène qui est désormais mise en question. » Il est possible que l'A.D.N. ne soit pas la banque d'information logique que les biologistes avaient supposée, mais plutôt un flux, « un système dynamique dans lequel des groupes de gènes peuvent se dilater ou se contracter, et des éléments vagabonds pénétrer ou quitter le bagage génétique ». Les scientifiques pensent maintenant que les mécanismes à la base de la divergence des espèces ne semblent pas tant dus à des accumulations de mutations qu'à de multiples réarrangements du matériel génétique.

Le biochimiste et prix Nobel Albert Szent-Gyorgyi, qui découvrit la vitamine C, a émis l'hypothèse que tendre vers un ordre plus élevé peut être un principe fondamental de la nature. Il a intitulé cette tendance *syntropie* — l'opposé de l'entropie — et pense que la matière vivante possède un instinct inhérent d'autoperfection. Pourquoi, dans un organisme vivant, le reste de la cellule ne retournerait-il pas des informations à son centre, où siège l'A.D.N., modifiant ainsi les instructions ? « Après tout, ajoute-t-il, ce n'est que depuis quelques années que l'on sait comment l'A.D.N. délivre ses instructions au reste de la cellule, dans un premier temps. Il se peut qu'un autre processus tout aussi élégant vienne modifier ces instructions. »

Ce chercheur a rejeté l'idée que des mutations au hasard puissent rendre compte de la complexité du vivant. Les réactions biologiques sont des réactions en chaîne, et les molécules s'adaptent entre elles plus précisément que les rouages d'une montre suisse. Comment alors pourraient-elles s'être agencées par accident ?

> Car si l'un des « rouages » extrêmement spécifique est modifié à l'intérieur d'une chaîne, l'ensemble du système se bloque tout simplement. Dire qu'il peut être amélioré par une mutation au hasard portant sur un chaînon me paraît équivaloir à dire que l'on peut améliorer une montre suisse en la laissant tomber, tordant ainsi une de ses roues ou un axe. Pour obtenir une meilleure montre, on doit changer toutes ses pièces simultanément pour qu'elle fonctionne de nouveau parfaitement.

Les biologistes ont observé qu'il existe de nombreuses caractéristiques tout-ou-rien qui sont apparues dans l'évolution, telle la structure adaptée au vol qui, chez les oiseaux, ne pourrait avoir émergé par simple mutation au hasard ni persistance du plus apte. Une moitié d'aile n'aurait conféré aucun avantage de survie. Et les ailes n'auraient été d'aucune utilité si la structure osseuse n'avait pas changé en même temps.

L'évolution nécessite une véritable transformation, une ré-forme de la structure de base, et non une simple addition.

Même chez les êtres vivants plus simples, on rencontre des réalisations si stupéfiantes qu'elles rendent humbles nos théories les plus élaborées. Dans *African Genesis,* Robert Ardrey évoque une anecdote : au Kenya, Louis Leakey lui montra ce qui semblait être une fleur couleur de corail et, un peu comme une jacinthe, composée de nombreux boutons. En y regardant de plus près, chacun de ces boutons oblongs se révéla être l'aile d'un insecte. Ce sont des punaises Flatidae dit Leakey.

Ahuri, Ardrey remarqua que c'était là un exemple frappant de défense par imitation de la nature. Leakey écouta, amusé, puis il expliqua que la fleur de corail « imitée » par les punaises Flatidae n'existe pas dans la nature. De plus, dans chaque groupe d'œufs déposés par la femelle est incluse au moins une punaise Flatidae avec des ailes vertes, et non corail, et plusieurs avec des ailes de nuances intermédiaires.

> Je regardai attentivement. A la pointe de la fleur d'insectes se trouvait un unique bourgeon vert. En dessous étaient disposés une demi-douzaine de boutons partiellement ouverts présentant seulement des races de corail. Plus bas, sur le rameau, se serrait la société des punaises Flatidae au grand complet, toutes pourvues d'ailes du corail pur pour compléter la création de la colonie et tromper le plus affamé des oiseaux.
>
> Il y a des moments où la seule réaction que l'on ait devant ce genre d'exploit évolutionnaire est de sentir ses cheveux se dresser sur sa tête.
>
> J'étais déjà sans voix. Je n'avais pourtant pas encore vu le plus stupéfiant. Leakey secoua la brindille. La colonie effarouchée quitta la branchette et l'air se remplit de l'agitation des punaises Flatidae. Puis elles revinrent à leur support. Elles ne se posèrent pas dans un ordre particulier et, pendant un instant, le rameau fut animé par les petites créatures qui se montaient les unes sur les autres dans ce qui semblait un mouvement au hasard. Mais ce mouvement ne devait rien au hasard.
>
> Bientôt le calme se fit sur la branchette. Le motif floral était de nouveau apparent.

Comment les punaises Flatidae ont-elles pu évoluer ainsi ? Comment peuvent-elles connaître leurs places respectives et gagner leur position, comme des écoliers dans un spectacle de fin d'année ?

Colin Wilson a suggéré que les punaises Flatidae font non seulement preuve d'une conscience commune, mais que leur existence même provient de ce qu'elles sont reliées génétiquement et télépathiquement. La communauté est, en un sens, un seul individu, un seul esprit, dont les gènes ont été influencés par son besoin *collectif*.

L'écologiste Patrick Blandin écrit dans la revue *CoEvolution*, « Quand on étudie les relations plantes-papillons ou les complexes mimétiques on en arrive à se demander si c'est l'ensemble qui évolue en étant soumis à une sorte de sélection globale... les écosystèmes ont-ils une sorte de comportement d'ensemble face aux problèmes d'adaptation ? ». Pour cet auteur, le débat se place à la charnière entre réductionnisme et globalisme ; « la biosphère est une unité. . je crois qu'il est temps de faire pencher la balance du côté du globalisme, pour voir quelles nouvelles interprétations, ou quelles améliorations de notre vision des choses on peut en tirer. » Pour lui, « l'idée de coévolution sous-entend l'existence de mécanismes qui font que l'évolution des parties est déterminée par l'évolution du tout et réciproquement ».

Est-il possible que nous aussi exprimions un besoin collectif, préparant un saut évolutionnaire ? Le physicien John Platt a émis l'hypothèse que l'humanité qui est en train de vivre un choc évolutionnaire frontal et « pourrait émerger très rapidement sous des formes coordonnées telles qu'elle n'en a jamais connues... implicites dans le matériel biologique depuis toujours, tout comme le papillon est implicite dans la chenille ».

La science de la transformation

Lorsque les puzzles et les paradoxes réclament une solution, un nouveau paradigme devient une nécessité. Par chance, une nouvelle explication profonde, rendant compte d'une rapide évolution biologique, culturelle et personnelle est en train d'émerger.

La théorie des structures dissipatives a valu au physico-chimiste belge Ilya Prigogine le prix Nobel de chimie en 1977. Cette théorie peut s'avérer une percée conceptuelle importante pour l'ensemble de la science comme l'ont été les théories d'Einstein pour la physique. Elle jette un pont au-dessus du fossé critique entre la biologie et la physique — ce chaînon manquant entre les systèmes vivants et l'univers apparemment sans vie dans lequel ils sont apparus.

Elle explique les « processus irréversibles » dans la nature, le mouvement vital vers une complexité toujours croissante. Prigogine, qui s'était intéressé au départ à l'histoire et aux humanités, sentait que la science ignorait un aspect fondamental, le *temps*. Dans l'univers de Newton, le temps était considéré seulement en regard du mouvement, de la trajectoire d'un objet mobile. Pourtant, comme Prigogine aime le rappeler, il existe bien d'autres aspects du temps : l'histoire, l'évolution, la détérioration ou la création de nouvelles formes, de nouvelles idées. Quelle place l'ancien univers faisait-il au *devenir ?*

La théorie de Prigogine résout l'énigme fondamentale, à savoir comment les êtres vivants ont pu accroître leur complexité dans un univers qui est supposé aller en se dégradant.

De plus, cette théorie est directement applicable à la vie de tous les jours, aux *individus.* Elle offre un modèle scientifique de transformation à tous les niveaux. Elle explique le rôle critique du stress dans la transformation et l'impulsion transformative inhérente à la nature.

Comme nous le verrons, les principes révélés par la théorie des structures dissipatives peuvent nous aider à comprendre le changement profond que connaissent la psychologie, la santé, la sociologie et même la politique et l'économie. Par exemple, le ministère des Transports des Etats-Unis a appliqué cette théorie à la prévision de la circulation automobile. Des scientifiques de nombreuses disciplines l'utilisent au sein de leur spécialité, tant ses applications sont infinies.

L'essence de cette théorie n'est pas difficile à comprendre dès lors qu'on a évité quelques confusions sémantiques possibles. Dans leurs descriptions de la nature, les physiciens emploient souvent des mots ordinaires dans leur sens le plus littéral, mots auxquels nous-mêmes donnons les significations abstraites et fortement chargées de valeurs affectives. Pour comprendre la théorie de Prigogine, il nous faut mettre de côté le sens habituel des mots comme « complexité », « dissipation », « cohérence », « instabilité » et « équilibre ».

Tout d'abord, évoquons quelques structures qui font apparaître la nature comme saturée d'ordre et riche de schèmes : les fleurs et les colonies d'insectes, les interactions cellulaires, les étoiles du type pulsar ou quasar, le code génétique, les horloges biologiques, les échanges symétriques d'énergie lors de la collision de particules subatomiques, les structures mnémoniques de l'esprit humain.

Puis, souvenons-nous qu'au niveau le plus profond de la nature, rien n'est fixe. Ces structures sont constamment animées. Même une roche est une danse d'électrons.

Certains systèmes de la nature sont dits *ouverts* car ils échangent continuellement de l'énergie avec leur environnement. Une graine qui germe, un œuf fécondé, tous les êtres vivants sont des systèmes ouverts. Il existe aussi des systèmes ouverts créés par l'homme. Prigogine donne l'exemple d'une ville : elle tire son énergie des alentours (matériaux bruts, électricité), la transforme dans ses usines et la restitue à l'environnement. Dans les *systèmes fermés*, au contraire — donnons pour exemples approximatifs une roche, une tasse de café froid, une bûche — il n'existe pas de transformation interne d'énergie.

Prigogine appelle *structures dissipatives* les systèmes ouverts. C'est-à-dire que leur forme, leur structure, est maintenue par une dissipation (consommation) continue d'énergie. Un peu comme l'eau s'écoule dans un tourbillon et le crée en même temps, le courant d'énergie passe à travers les structures dissipatives et, ce faisant, les façonne. On peut décrire une structure dissipative comme une *totalité fluide*. Elle est hautement organisée mais toujours en processus.

Voyons maintenant la signification du mot *complexe,* littéralement, « entrelacés ensemble ». Une structure complexe présente des éléments reliés en de nombreux points et de multiples façons. Plus une structure dissipative est complexe et plus grande est l'énergie nécessaire pour maintenir toutes ces connexions. Elle est donc plus vulnérable aux fluctuations internes. On dit qu'elle est « loin de l'équilibre » (c'est-à-dire loin de l'ultime dispersion de l'énergie au hasard, l'équilibre étant une sorte de mort).

Ces connexions ne pouvant être soutenues que par un flux d'énergie, le système est toujours en mouvement. Remarquons le paradoxe : plus la structure est *cohérente,* faite d'une plus grande intrication de connexions, et plus elle est instable. *C'est précisément cette instabilité qui permet la transformation.* Comme Prigogine l'a démontré dans son modèle mathématique élégant, la dissipation d'énergie crée la potentialité d'un réordonnancement soudain.

Le mouvement continuel d'énergie à travers le système se traduit par des fluctuations ; si elles sont réduites, le système les amortit et elles n'altèrent pas son intégrité structurale. Mais si les fluctuations atteignent un niveau critique, elles « perturbent » le système. Elles augmentent le nombre de nouvelles interactions qui l'animent, jusqu'à le bouleverser. Les éléments de l'ancienne structure viennent en contact les uns avec les autres selon de nouveaux modes et tissent de nouvelles liaisons. *Les parties se réorganisent en un nouveau tout. Le système s'échappe en un ordre plus élevé*

Plus une structure est complexe ou cohérente et plus le niveau de complexité suivant sera grand. Chaque transformation rend la prochaine plus probable. Chaque niveau nouvellement atteint est encore plus intégré et connecté que le précédent, ce qui nécessite un flux d'énergie plus élevé pour le maintenir, le rendant ainsi encore moins stable. Ce qui revient à dire que la flexibilité engendre la flexibilité. Selon Prigogine, à des niveaux plus hauts de complexité, « la nature des lois de la nature vient à changer ». La vie « mange » l'entropie. Elle dispose d'un potentiel pour créer de nouvelles formes en permettant le bouleversement des anciennes.

Les éléments d'une structure dissipative coopèrent pour provoquer cette transformation du tout. Dans un tel changement, même les molécules ne font pas qu'interagir avec leurs voisines immédiates, remarque Prigogine, « mais aussi elles montrent un comportement cohérent adapté aux besoins de l'organisme parental ». A d'autres niveaux, les insectes coopèrent à l'intérieur de leurs colonies, les êtres humains au sein de formes sociales.

On a rapporté récemment un exemple d'une nouvelle structure dissipative chez une certaine souche bactérienne placée dans de l'eau, milieu qui ne lui est pas naturel. Les bactéries se mirent à s'assembler selon un mode extrêmement organisé permettant à certaines d'entre elles de survivre.

La réaction de Zhabotinskii — une structure dissipative en chimie — a causé une certaine sensation parmi les chimistes, dans les années soixante. C'est un exemple spectaculaire de la capacité de la nature à créer des motifs à la fois dans l'espace et dans le temps. Une solution placée dans un récipient montre un déploiement de très belles formes spiralées dont les couleurs alternent régulièrement du rouge au bleu. De même, lorsqu'on chauffe certaines huiles, un motif complexe d'hexagones apparaît à la surface. Plus on chauffe et plus le motif est complexe. Ces changements sont soudains et non linéaires. De multiples facteurs agissent les uns sur les autres à la fois[1].

Edgar Morin écrit dans *La Méthode* que de tels exemples ont « une portée physique et cosmique générale ». D'après lui, il convient « d'explorer l'idée d'un univers qui constitue son ordre et son organisation dans la turbulence, l'instabilité, la déviance, l'improbabilité, la dissipation énergétique ». C'est l'idée d'un ***hasard organisateur*** dégagée par Henri Atlan, hasard qui peut contribuer à créer de la complexité organisationnelle au lieu de n'être qu'un facteur de désorganisation. Atlan écrit dans *Entre le cristal et la fumée* « lorsqu'on cherchait dans le monde physique une image de l'organisé, on pensait toujours et tout de suite au cristal avec son ordonnancement bien régulier et bien stable ; aujourd'hui, ce n'est plus au cristal que l'on pense, c'est au tourbillon de liquide, qui se fait et se défait, dont la forme reste à peu près stable, à la fois contre et grâce à des perturbations aléatoires, imprévisibles, qui maintiennent ce tourbillon tout en le détruisant, et le détruisent tout en le maintenant ».

A priori, l'idée de créer un nouvel ordre au moyen de perturbations semble extravagante, un peu comme de brasser une boîte de mots au hasard et d'en retirer une phrase cohérente. Pourtant, notre sagesse traditionnelle contient des idées semblables. Nous savons que le stress contraint souvent à de nouvelles solutions soudaines ; qu'une crise nous avertit souvent d'une occasion ; que le processus créatif requiert un chaos avant qu'une forme n'émerge ; que les individus sortent souvent renforcés de la souffrance et des conflits ; et que les sociétés ont besoin des remous salubres des différences d'opinions.

La société humaine offre un exemple d'auto-organisation spontanée. Dans une société assez dense, les individus sont amenés à se connaître, et chacun voit bientôt s'accroître ses points de contact dans tout le système grâce à ses amis et aux amis de ses amis. ***Plus grandes seront l'instabilité et la mobilité de la société, et plus il y aura d'interactions.*** Cela signifie un potentiel plus grand de nouvelles connexions, de nouvelles organisations menant à une diversification. Un peu comme certaines cellules ou certains organes du corps se spécialisent au cours de l'évolution, les gens

1. La non-linéarité n'est pas un mystère. Prigogine donne comme exemple quotidien la circulation automobile. Lorsqu'elle est fluide, on peut conduire de façon linéaire avec beaucoup de liberté et un minimum de ralentissements et de changements de files. Mais si le trafic devient plus serré, « il y a un nouveau régime, une compétition entre les événements ». Alors, non seulement nous conduisons, mais nous sommes *conduits par* le système. Toutes les voitures s'influencent les unes les autres.

qui partagent un même intérêt se rencontrent et affinent leur spécialité en se stimulant par l'émulation et par les échanges d'idées.

La théorie des structures dissipatives offre un modèle scientifique pour rendre compte de la transformation de la société par une minorité dissidente comme la Conspiration du Verseau. Prigogine a fait remarquer que cette théorie « viole la loi des grands nombres ». Et pourtant, les historiens ont noté depuis longtemps qu'une minorité créative peut réordonner une société. « L'analogie historique est évidente », dit Prigogine. « Des fluctuations, le comportement d'un petit groupe de gens, peuvent complètement changer le comportement du groupe entier. »

Des perturbations critiques — « une dialectique entre la masse et la minorité » — peuvent conduire la société à « une nouvelle moyenne ». Les sociétés, ajoute-t-il, ont un pouvoir d'intégration limité. Chaque fois qu'une perturbation dépasse la capacité de la société à l' « amortir » ou à la réprimer, l'organisation sociale sera, soit détruite, soit conduite à un nouvel ordre.

Prigogine remarque que les cultures sont les structures dissipatives les plus cohérentes et les plus étranges. Un nombre critique de partisans du changement peuvent créer « une direction privilégiée », tout comme un motif cristallin ou un aimant viennent à organiser l'ensemble de leur environnement.

Les sociétés modernes doivent à leur taille et leur densité la possibilité de grandes fluctuations internes. Celle-ci peuvent déclencher des changements vers un ordre supérieur et plus riche. Prigogine dirait qu'elles peuvent accroître leur pluralisme et leur diversification.

L'interaction avec l'environnement nous transforme. La science peut désormais exprimer avec autant de bonheur que les humanités le grand paradoxe final : notre besoin d'être en connexion avec le monde (relation) et d'affirmer en lui notre unicité (autonomie).

Edgar Morin écrit dans *Le Paradigme perdu : La nature humaine,* que la richesse d'un groupe est faite de « ses mutins et de ses mutants ». Le généticien Albert Jacquard fait aussi l'*Eloge de la différence en écrivant :* « il s'agit de reconnaître que l'autre nous est précieux dans la mesure où il nous est dissemblable. Et ce n'est pas là une morale quelconque résultant d'une option gratuite ou d'une religion révélée, c'est directement la leçon que nous donne la génétique ».

Prigogine reconnaît qu'il existe une forte ressemblance entre cette « science du devenir » et la vision des philosophies orientales, des poètes, des mystiques et des philosophes-scientifiques comme Henri Bergson et Alfred North Whitehead. C'est pour lui « une profonde vision collective ». Il pense que la rupture entre les deux cultures ne vient *pas,* comme le croyait C.P. Snow, de ce que les gens versés dans les humanités ne lisent pas assez d'ouvrages scientifiques et *vice versa.*

« Un des aspects de base des humanités est le temps, le mode par lequel changent les choses. Les lois du changement. Tant que nous n'avions que les visions naïves du temps développées en physique et en chimie, la science avait peu à dire à l'art. » Désormais en science, nous passons d'un monde de quantités à un monde de qualités — un monde dans lequel nous pouvons nous reconnaître, « une physique humaine ». Cette vision du monde dépasse la dualité et les options traditionnelles pour aborder une perspective culturelle riche, pluraliste, la reconnaissance qu'une vie en un ordre supérieur n'est pas liée par des « lois » mais peut s'ouvrir à des innovations sans limites, à d'autres réalités.

> Et ce point de vue a été exprimé par de nombreux poètes et écrivains, Tagore, Pasternak... Le fait que nous puissions parler de la vérité des scientifiques et de la vérité des poètes est déjà, en un sens, la preuve que nous pouvons d'une certaine façon jeter un pont entre les deux cultures et que nous nous trouvons au seuil d'un nouveau dialogue.
>
> Nous approchons d'une nouvelle unité — une science non totalitaire, dans laquelle nous n'essayons plus de réduire un niveau à un autre.

Le cerveau comme structure dissipative

Bien avant que la théorie de Prigogine ne fût confirmée expérimentalement, son importance avait stupéfié un chercheur israélien, Aharon Katchalsky, également physico-chimiste. Cela faisait de nombreuses années qu'il étudiait les structures dynamiques des fonctions cérébrales, essayant de comprendre le mode d'intégration du cerveau, le sens de ses rythmes et de ses oscillations.

Le cerveau semblait être un exemple parfait de structure dissipative. En effet, il représente le summum de la complexité. On y trouve tout, formes, flux, interaction avec l'environnement, des changements abrupts et une sensibilité aux perturbations. Il se taille la part du lion de l'énergie corporelle puisque, ne représentant que 2 pour cent du poids du corps, il consomme cependant 20 pour cent de l'oxygène disponible. Les variations de son flux énergétique sont caractéristiques de l'instabilité d'une structure dissipative.

Au printemps 1972, Katchalsky organisa une session de travail réunissant, l'Institut de technologie du Massachusetts, les plus grands spécialistes du cerveau, dans le but d'introduire en neurophysiologie la théorie que Prigogine venait d'avancer. Katchalsky présenta aussi les preuves qu'il avait accumulées des propriétés dynamiques d'organisation que présente la nature et expliqua la manière dont elles sont affectées de fluctuations soudaines et profondes.

La théorie des structures dissipatives était susceptible de relier la dynamique des structures cérébrales aux transitions de l'esprit. La psychologie *Gestalt*, expliquait-il, s'intéresse depuis longtemps aux transitions soudaines, aux sauts perceptifs. « La restructuration d'une personnalité individuelle peut s'effectuer soudainement, comme lors d'une prise de conscience, de l'acquisition d'une nouvelle technique, d'un coup de foudre, ou comme ce fut le cas lors de la conversion de saint Paul. »

Cette approche du cerveau semblait permettre la compréhension du vieux mystère : la différence qui fait qu'un tout est plus que la somme de ses parties. Et l'idée de coopération semblait être une clef de l'énigme : plus un système est complexe et plus son potentiel d'autotranscendance grandit.

La plupart des participants découvraient cette théorie. Ils tombèrent vite d'accord, cependant, pour en pousser plus loin l'étude de la synthèse. Tout un nouveau champ d'investigations semblait émerger. Cette idée de structure dissipative allait peut-être ouvrir un nouveau champ d'investigations à la recherche sur le cerveau, dont l'approche linéaire s'essoufflait. On convint que Katchalsky organiserait de nouvelles rencontres, dirigerait la recherche et synthétiserait les résultats.

Deux semaines plus tard, Katchalsky était abattu par les balles de terroristes à l'aéroport de Lod, à Tel Aviv.

Il se trouvait alors sur la piste d'un rapprochement très prometteur. Considérons la théorie des structures dissipatives telle qu'elle peut s'appliquer à la conscience et au cerveau de l'homme. Elle permet d'expliquer le pouvoir transformatif des psychotechniques, et de comprendre pourquoi elles sont capables de briser le conditionnement qui résiste au changement avec tant de fermeté dans les états ordinaires de conscience.

Les ondes cérébrales reflètent des *fluctuations d'énergie*. Les groupes de neurones sont le siège d'une activité électrique suffisante pour être détectée par l'E.E.G. Dans la conscience normale, des ondes courtes, rapides (rythme bêta), prédominent dans le tracé E.E.G. de la plupart des gens. Selon le mode bêta, nous sommes plus attentifs au monde extérieur qu'à l'expérience intérieure. La méditation, la rêverie, la relaxation et d'autres psychotechniques voisines tendent à augmenter les ondes plus lentes et *plus longues* baptisées alpha et thêta. Autrement dit, l'attention interne génère dans le cerveau une fluctuation plus importante. *Dans les états non ordinaires de conscience, les fluctuations peuvent atteindre un niveau critique suffisamment important pour provoquer le saut vers un niveau d'organisation plus élevé.*

Les souvenirs, qui incluent des structures de comportements et de pensées profondément ancrées, sont des structures dissipatives. Ce sont des structures ou des formes entreposées dans le cerveau. Souvenons-nous que des *petites* fluctuations au sein d'une structure dissipative sont amorties par la forme existante ; elles n'ont pas d'effet durable. Mais des fluctuations d'énergie plus amples ne peuvent être absorbées par la structure en place. Elles déclenchent des ondulations dans tout le système, créant soudain des connexions nouvelles. D'anciennes structures ont d'autant plus de chance de changer qu'elles sont perturbées ou secouées, par exemple lors d'états de conscience caractérisés par un flux énergétique important.

La théorie de Prigogine aide à rendre compte de ces effets spectaculaires rencontrés parfois en méditation, sous hypnose ou en imagerie dirigée : la libération soudaine d'un problème psychique ou d'une phobie, qui duraient depuis toujours. En revivant un traumatisme dans un profond état de concentration intérieure, un individu perturbe la structure correspondant à cet ancien souvenir, déclenchant une réorganisation, une nouvelle structure dissipative.

L'ancienne structure est brisée.

— Le « changement de sensation » dans le processus de concentration d'Eugene Gendlin, caractérisé par un saut inopiné du tracé E.E.G. vers les harmoniques alpha, correspond probablement à l'émergence d'un nouveau savoir, d'une nouvelle structure dissipative. De semblables altérations de tracé chez des sujets en méditation ont pu être associées à des rapports subjectifs de prise de conscience.

Une structure de pensée bloquée, un vieux paradigme, un comportement compulsif, un réflexe rotulien... sont autant de structures dissipatives susceptibles d'être élargies brusquement. La nouvelle structure s'apparente à un paradigme plus vaste. Et la perturbation qui provoque le nouvel ordre au sein d'une structure dissipative est comparable à la crise qui contraint à changer de paradigme.

Quelles que soient les formes de la nature et leur niveau d'organisation : étoiles et molécules, concepts et ondes cérébrales, individus et sociétés, toutes présentent cette potentialité de transformation.

La transformation, comme un véhicule sur une pente, accumule dans sa course de l'énergie cinétique.

Les touts transcendent leurs parties en vertu de la cohérence interne, de la coopération entre leurs éléments et par le fait qu'ils sont ouverts à de nouvelles données.

Plus l'échelle évolutionnaire est élevée et plus grande est la liberté de réorganisation. Si une fourmi est contrainte de suivre sa destinée, l'être humain peut façonner la sienne.

L'évolution est un mouvement continuel de dégradation et de reconstitution produisant de nouveaux touts plus riches. Le matériel génétique lui-même est un flux.

Si nous essayons de vivre comme des systèmes fermés, nous sommes condamnés à régresser. En élargissant notre conscience, en admettant une nouvelle information et en profitant des merveilleuses capacités du cerveau à concilier et à intégrer, nous pouvons faire un bond en avant.

PSI : L'inconnu en physique et en parapsychologie

Pour réaliser vraiment à quel point la complexité de la nature transcende la logique ordinaire, nous n'avons qu'à visiter le pays fabuleux de la physique quantique ou des laboratoires de parapsychologie. Dans ces deux domaines, la lettre grecque *psi* désigne l'inconnu.

La physique moderne, s'engageant toujours plus dans l'inconnu, a révélé une réalité évanescente, fluide comme les montres molles et surréalistes de Salvador Dali. La matière a seulement « une tendance à exister ». Il n'y a pas d'objet, seulement des interactions. Si la matière entre en collision, son énergie est redistribuée dans d'autres particules, dans un kaléidoscope de vie et de mort, comme la danse de Shiva dans la mythologie hindoue.

A la place d'un monde solide, réel, la physique théorique nous offre un réseau changeant d'événements, de relations et de potentialités. Les particules connaissent de soudaines transitions ou « sauts quantiques ». Elles se comportent parfois comme des corpuscules et parfois, à d'autres occasions, comme des ondes. Il existe une théorie de l'univers comme « matrice de diffusion », dans laquelle il n'y a pas de particules du tout, mais seulement des relations entre événements.

A son niveau primordial, l'univers semble être, paradoxalement, un tout indifférencié, une continuité qui, *d'une certaine façon* crée la tapisserie intriquée de notre expérience, une réalité que nous n'avons pas la capacité de nous représenter.

Mais les mathématiques peuvent aller là où le sens commun s'essouffle. Au moment même où Prigogine développait un modèle mathématique pour décrire la force étrange, auto-organisatrice et transcendante de la nature, un autre argument mathématique est venu menacer les fondements de la physique post-einsteinienne, qui déjà dépassait l'entendement de la plupart d'entre nous.

Cet argument, le théorème de Bell, fut proposé en 1964 par J.S. Bell, un physicien travaillant en Suisse, et confirmé expérimentalement pour la première fois en 1972. Le physicien Henry Stapp, dans un rapport fédéral datant de 1975, en fit « la découverte la plus profonde de la science ».

Le théorème de Bell s'esquissa en 1935, lorsque Einstein et deux de ses collaborateurs proposèrent une expérience pour démontrer, pensaient-ils, la fausseté de la logique quantique, dont Einstein n'appréciait pas l'importance donnée à l'incertitude. Si la théorie de la mécanique quantique était juste, alors, dans un système de deux particules, le changement de spin de l'une d'elles devait simultanément affecter la particule jumelle, même si les deux étaient séparées dans l'intervalle.

Cette idée sembla absurde *a priori*. Comment deux particules séparées pourraient-elles être ainsi reliées ? Ce défi, connu plus tard sous le nom de paradoxe d'Einstein-Podolsky-Rosen, ne provoqua pas, comme prévu, la réfutation de la théorie quantique. Au lieu de cela, il attira l'attention sur la nature bizarre du monde subatomique.

C'est alors qu'intervient le théorème renversant de Bell. Les expériences ont montré que si l'on sépare une paire de particules (qui sont des jumelles identiques quant à leur polarité) et que la polarité de l'une est modifiée par un expérimentateur, celle de l'autre change *instantanément*. Les deux particules sont restées mystérieusement en relation.

Bernard d'Espagnat, directeur du laboratoire de physique théorique à l'université de Paris XI Orsay, écrit dans *A la recherche du réel*, « je dois bien admettre que ces objets, même s'ils occupent des régions de l'espace très éloignées l'une de l'autre, ne sont pas vraiment *séparés* ». C'est ce fait que, pour des raisons de brièveté, j'appellerai désormais la « *non-séparabilité* ». « Et il ajoute, je suis donc *obligé par les faits* d'admettre la non-séparabilité dans tel ou tel cas : je n'ai plus dès lors de motif valable pour ne pas y croire également dans tous les cas où la mécanique quantique me suggère son existence. Comme la mécanique quantique est la théorie très générale des atomes, et que le " le monde est fait d'atomes ", je suis ainsi conduit à estimer que la non-séparabilité est sans doute un fait général. »

Pour le physicien Nick Herbert, « cet effet n'est probablement pas causé par un transfert d'information, en tout cas pas dans le sens habituel ; c'est plutôt la simple conséquence de l'unité des objets apparemment séparés... un biais, au sein de la mécanique quantique, par lequel la physique admet, non pas la simple possibilité, mais la *nécessité* de la vision unitaire mystique : « nous sommes un ».

Des physiciens sérieux sont frappés par les analogies curieuses entre leurs découvertes et les anciennes descriptions mystiques de la réalité. Ces similitudes ont été signalées dans *Le Tao de la physique* de Fritjof Capra et *Les Maîtres du Wu Li dansant* de Gary Zukav. Capra a comparé la vision organique, unifiée et spirituelle de la réalité telle que la conçoivent les philosophies extrême-orientales, au paradigme qui naît en physique. Le livre de Zukav tire son titre de l'expression chinoise qui signifie « physique », *wu li*, et qu'il traduit ainsi : « Structures de l'énergie organique. »

Selon Zukav, « non seulement le théorème de Bell suggère que le monde est bien différent de ce qu'il paraît, mais il *exige* cette différence. Quelque chose de passionnant est sans aucun doute en train de se produire ; les physiciens ont « prouvé » rationnellement que nos idées rationnelles sur le monde dans lequel nous vivons sont profondément déficientes ».

Il cite l'opinion de Geoffrey Chew, directeur du département de physique de l'université de Californie, à Berkeley : « Notre lutte habituelle (en physique avancée) peut ainsi n'être qu'un avant-goût d'une forme complètement neuve de l'effort intellectuel humain, effort qui non seulement sera extérieur à la physique mais ne pourra même pas être considéré comme « scientifique ».

Selon Zukav, il est possible que nous approchions de « la fin de la science ». Alors même que nous continuons à chercher à comprendre, nous apprenons à accepter les limites de nos méthodes réductionnistes. Seule l'expérience directe peut donner un sens à cet univers non local, à ce domaine de l'interaction. Une conscience élargie, comme dans la méditation, peut nous transporter hors des limites de notre logique vers un savoir plus complet.

La fin de la science traditionnelle peut signifier « l'accès de la civilisation occidentale, en son temps et à sa manière, à des dimensions plus élevées de l'expérience humaine ».

Au cours des années, de nombreux physiciens se sont plongés dans la compréhension du rôle de l'esprit dans la construction de la réalité. Par exemple, Schrödinger a pu dire qu'explorer la relation entre le cerveau et l'esprit est la *seule* tâche importante de la science. Il cita un jour le mystique persan Aziz Nasafi :

> Le monde spirituel est un unique esprit qui se tient, comme inondé de lumière, derrière le monde concret. Lorsqu'une créature vient à l'existence, en elle il resplendit comme à travers une fenêtre. Il dépend du genre et de la taille de la fenêtre que plus ou moins de lumière pénètre le monde.

Schrödinger disait que la pensée occidentale essaye encore de tout objectiver : « Elle a besoin d'une transfusion de sang venant de la pensée orientale. » Un sutra hindou déclare, « il n'y a rien dans le jeu du monde que l'esprit lui-même », vision qui trouve un écho chez le physicien John Wheeler : « L'univers serait-il, par quelque faculté étrange, « amené à l'existence » par l'acte vital de participation ? »

Niels Bohr eut l'idée de symboliser sa théorie de la complémentarité en créant un blason où figure le symbole du yin et du yang. Et l'aphorisme taoïste, « le réel est vide et le vide est réel » n'est pas différent de cette pensée du physicien Paul Dirac, « toute matière est créée à partir de quelque substrat imperceptible... un néant, inimaginable et indétectable. Mais c'est d'une forme particulière de néant que toute matière est créée »

Le psi ultime en physique reste inconnaissable. Dans sa critique de la théorie du « Big Bang » sur l'origine de l'univers, l'astrophysicien Robert Jastrow, qui dirige l'Institut Goddard d'études spatiales de la NASA, fait remarquer que cette théorie ne fournit pas d'explication causale. « Si un scientifique en examinait réellement les implications, il en serait traumatisé. Comme d'habitude, lorsque l'esprit est exposé à un traumatisme, il réagit en ignorant les implications en science, on appelle cela « refuser de s'interroger » — ou en banalisant l'origine du monde en l'appelant le « Big Bang », comme si l'univers était un simple pétard. »

> Considérons l'énormité du problème : la science a prouvé que l'univers s'est mis à exister lors d'une explosion remontant à une certaine époque. Elle se demande : quelle cause a pu produire cet effet ? Qui ou quel élément a introduit la matière et l'énergie dans l'univers ? Est-ce que l'univers est sorti de rien ou est-ce qu'il provient du rassemblement de matériaux préexistants ? Et la science ne peut répondre à ces questions.
>
> ... Ce n'est pas l'affaire d'un an ou d'une décennie de travail, d'effectuer d'autres mesures ou une autre théorie. A l'heure qu'il est, on se demande si la science pourra jamais lever le rideau sur le mystère de la création.

Prigogine fait remarquer que la nature n'a pas de niveau simple. Plus nous essayons de nous rapprocher d'elle et plus grande est la complexité à laquelle nous sommes confrontés. Dans cet univers riche et créatif, les prétendues lois de stricte causalité sont presque des caricatures de la vraie nature du changement. Il existe « une forme de réalité plus subtile où sont impliqués tout ensemble des lois et des jeux, le temps et l'éternité... A la place de la description classique du monde comme un automate, voilà que nous revenons au paradigme de la Grèce antique, où le monde était vu comme une œuvre d'art ».

Prigogine et ses associés de Bruxelles travaillent maintenant sur un concept qu'ils estiment plus important que la théorie des structures dissipatives, une nouvelle sorte de théorie de l'incertitude applicable à la réalité quotidienne et non pas seulement dans les domaines de l'infiniment petit ou de l'infiniment grand. Des processus prévisibles sont modifiés par l'imprévisible. Ici, comme dans la science moderne en général, les découvertes clefs s'effectuent par surprise. « L'impossible devient possible. »

Il existe un domaine de totalité indivisible, qui engendre notre monde d'apparente matérialité ; de cette dimension où n'existent que des potentialités, nous extrayons du sens — nous sentons, nous percevons, nous mesurons.

Selon Eugène Wigner, « chaque phénomène est inattendu, improbable, jusqu'à ce qu'il ait été découvert. Certains restent déraisonnables longtemps après leur découverte ».

Les phénomènes dits paranormaux, ou psi, ne sont probablement pas moins naturels que les phénomènes de la physique subatomique, mais ils sont notoirement moins prévisibles. Et ils sont plus menaçants pour beaucoup de gens. Après tout, il nous est loisible de négliger le monde inquiétant de la physique moderne. C'est une chose d'entendre un astrophysicien comme Stephen Hawking, de l'université de Cambridge, décrire ainsi les trous noirs, « où l'espace-temps devient tellement comprimé qu'il en arrive à son terme et que toutes les lois connues de la physique deviennent caduques ». Nous ne nous attendons pas à rencontrer un trou noir. Mais c'est une tout autre affaire d'accepter la dimension inconnue dans la vie quotidienne : la réalité de la clairvoyance (vision à distance), de la télépathie (transfert d'événements mentaux), de la précognition (conscience d'événements futurs), de la psychocinèse (interaction de l'esprit et de la matière) et de la synchronicité (coïncidence chargée de sens, un composé des autres phénomènes).

La synchronicité exceptée, ces phénomènes peuvent être soumis à l'expérimentation. En dépit du cadre artificiel des laboratoires, de l'importance de l'état mental et de l'élusivité notoire du psi, la preuve est faite que ces phénomènes existent et qu'ils peuvent être facilités par les psychotechniques.

On a pu montrer que l'intention de l'homme interagit avec la matière à distance, affectant les particules dans une chambre à bulles, des cristaux, le taux de désintégration radioactive. On a démontré que la volonté de « guérir » pouvait modifier l'activité d'enzymes, les caractéristiques de l'hémoglobine, la vitesse de cicatrisation de souris blessées. Le mode de transmission est inconnu, tout comme il existe dans le biofeedback un hiatus entre l'intention et l'effet observé, ou encore entre l'intention et la chimie cérébrale impliquée dans l'effet placebo. En effet, toute action physique qui résulte d'une intention humaine relève de l'influence de l'esprit sur la matière. Et le mystère reste entier sur l'interaction entre la conscience et le monde physique.

Si la parapsychologie fut au départ le domaine fréquenté par les psychologues et les psychiatres, ces dernières années ont vu nombre de physiciens s'y intéresser [1]. Même ainsi, les théories sur le mécanisme du

1. Historiquement, de nombreux scientifiques éminents ont été conduits à s'intéresser au psi. Parmi les premiers membres de la Société pour la recherche psychique britannique on trouvait trois prix Nobel : J.J. Thompson, Lord Rayleigh et Charles Richet. William James, considéré habituellement comme le père de la psychologie américaine a été cofondateur de la Société américaine pour la recherche psychique. Parmi les prix Nobel intéressés particulièrement par le psi, on peut citer : Alexis Carrel, Max Planck, Pierre et Marie Curie, E. Schrödinger, Charles Sherrington et Einstein (qui écrivit la préface de l'ouvrage d'Upton Sinclair sur la télépathie, *Mental Radio*). Pierre Janet entreprit de nombreuses investigations au XIXe siècle et, si Freud ne s'intéressa que tardivement à

psi restent sommaires et la plupart essayent plutôt de comprendre ce qui favorise ou ce qui empêche la production des phénomènes.

Une récente étude portant sur plus de sept cents références parapsychologiques passe en revue une variété étourdissante d'approches et de facteurs étudiés : l'effet du temps et de la distance, le choix forcé, la spontanéité, la motivation, les facteurs interpersonnels, l'effet de l'expérimentateur, les modifications de la conscience (rêves, hypnose, biofeedback, drogues), les corrélats cérébraux (ondes alpha, spécialisation hémisphérique, dommages cérébraux, profils de personnalité suivant les réussites aux tests (névrose, extraversion, créativité, psychose), influences dues au sexe, à l'âge, à l'ordre de naissance, aux croyances, l'apprentissage, les effets de déclin, le court-circuitage de l'ego, le langage du corps, les réponses dans le système nerveux autonome (variations de volume sanguin dans les capillaires, par exemple), les effets de lumières stroboscopiques.

L'esprit est un circuit invisible nous liant tous ensemble. « Ainsi, dit le *Livre de Mirdad,* pensez comme si chacune de vos pensées allait être gravée sur le ciel par le feu au vu et au su de tous, car, en vérité, c'est ce qu'il advient. » Le psi n'est pas un jeu de salon. Ces phénomènes nous rappellent que nous avons accès à une source de savoir transcendant, à un domaine que le temps et l'espace ne limitent pas.

De la quantité à la qualité : les chaînons manquants

Dans toutes ces percées scientifiques, nous avons découvert des changements qualitatifs : des transformations plutôt que des variations graduelles ; ce sont des sauts, des « chaînons manquants ». Par exemple :

Les changements soudains de l'activité cérébrale observés dans les états non ordinaires de conscience.

Le hiatus entre l'intention et le changement physiologique dans le biofeedback... et entre la suggestion et l'analgésie dans l'effet placebo.

L'aspect soudain de l'intuition, la saisie d'une solution sans qu'elle soit amenée par des étapes claires et logiques, comme dans la perception soudaine des gestalts, des totalités, par le cerveau droit.

Les « gènes sauteurs » observés en biologie moléculaire. Les muta-

certains phénomènes psi, on sait que Carl Jung élabora avec le physicien et prix Nobel Wolfgang Pauli une théorie de la synchronicité.

Actuellement en France, où la parapsychologie est souvent « activement ignorée », le biologiste Rémy Chauvin et le physicien Olivier Costa de Beauregard s'impliquent ouvertement dans le psi. En outre, la Revue des polytechniciens a consacré récemment aux phénomènes psi un numéro complet et fouillé.

Les Conspirateurs du Verseau qui ont répondu à l'enquête ont montré un niveau extrêmement élevé de croyance au psi (de 82 % à 96 % suivant les phénomènes). Ils les acceptent comme une extension des pouvoirs créatifs de l'homme et comme preuves de l'unité essentielle de toute la vie.

tions, les transformations à l'intérieur de l'information génétique. Les apparitions soudaines de nouvelles formes de vie au cours de l'évolution.

Les sauts quantiques en physique.

La saisie d'une information « psi ».

Le passage d'une structure dissipative à un ordre plus élevé.

Dans notre vie et dans nos institutions culturelles, nous avons abordé les qualités avec des outils prévus pour évaluer des quantités. Mais au moyen de quel instrument peut-on mesurer une ombre, la flamme d'une bougie ? Que mesure un test d'intelligence ? Dans tout l'arsenal médical, où se trouve la volonté de vivre ? Quelle est la taille d'une intention ? Le poids d'un chagrin ? La profondeur de l'amour ?

Nous ne pouvons pas quantifier les relations, l'interaction, la transformation. Il n'est rien dans la méthode scientifique qui puisse venir à bout de la richesse et de la complexité des changements qualitatifs. Dans un univers en transformation, l'histoire est instructive, mais pas nécessairement prophétique. En tant qu'individus, nous ne pouvons raisonnablement poser des limites à nos potentialités ou à celles d'autres personnes en fonction du savoir passé et du présent, la science traditionnelle comprise.

Pour ceux qui savent écouter, la science elle-même nous raconte des histoires saisissantes et qui ouvrent sur le mystère, sur un monde riche qui défie notre imagination. Tout comme celui qui fait une trouée dans la forêt augmente le périmètre de contact avec l'inconnu, nous ne faisons que prendre conscience de l'étendue du territoire qu'il nous reste à explorer.

Un monde holographique

Certaines découvertes scientifiques sont prématurées, observait en 1972 le généticien moléculaire Gunther Stent. Ces découvertes intuitives ou accidentelles sont réprimées ou ignorées, jusqu'à ce qu'elles puissent être reliées à des données existantes. En fait, elles attendent que se constitue le contexte susceptible de les éclairer.

La découverte du gène par Gregor Mendel, la théorie de l'absorption de Michael Polanyi en physique et l'identification de l'ADN comme la substance héréditaire de base par Oswald Avery furent ignorées pendant des années et même des décennies. Stent suggère que l'existence des phénomènes psi est également une découverte prématurée qui ne sera pas reconnue par la science, malgré les résultats obtenus, tant qu'un cadre conceptuel n'aura pas été établi pour les recevoir.

Récemment, un neurophysiologiste de Stanford, Karl Pribram, a proposé un paradigme qui englobe aussi bien la recherche sur le cerveau que la physique théorique, il rend compte à la fois de la perception normale et, les extirpant du surnaturel, des expériences « paranormales » et transcendantales en démontrant qu'elles font partie de la nature

Les affirmations paradoxales des mystiques prennent soudain tout leur sens sous l'angle radicalement neuf de cette « théorie holographique » Non pas que Pribram fût le moins intéressé de donner du crédit aux illuminations visionnaires ; il a simplement essayé de comprendre les données accumulées dans son laboratoire de Stanford, où il étudie avec soin les processus cérébraux des mammifères supérieurs et en particulier des primates.

Au début de sa carrière de neurochirurgien, Pribram travailla avec le célèbre Karl Lashley, qui chercha pendant trente ans l'insaisissable « engramme », le site de la mémoire et son support. Lashley entraînait des animaux d'expériences, puis endommageait sélectivement des portions de leur cerveau, pensant qu'adviendrait un moment où il exciserait le locus qui est le siège de leur apprentissage. L'ablation de parties du cerveau diminua quelque peu leurs performances mais il fut impossible d'obtenir l'éradication de ce qu'on leur avait enseigné sans endommager irrémédiablement leur cerveau.

Lashley en vint à dire facétieusement que sa recherche prouvait que l'apprentissage est impossible. Pribram participa à la rédaction de la monumentale recherche de Lashley, tout imprégné du mystère de l'absence de l'engramme. Comment la mémoire pouvait-elle ne résider dans aucune partie du cerveau, mais être distribuée dans son ensemble ?

Plus tard, lorsque Pribram travailla à Stanford, au Centre d'études des sciences du comportement, il était toujours profondément troublé par le mystère qui l'avait attiré dans la recherche sur le cerveau : comment se rappelle-t-on ? Au milieu des années soixante, il lut un article du *Scientific American* décrivant l'obtention du premier hologramme, une image à trois dimensions produite par un système photographique sans lentilles. Le principe de l'holographie fut découvert en 1947 par Dennis Gabor ; cette découverte lui valut plus tard le prix Nobel, mais pour obtenir des hologrammes, il fallut attendre l'invention du laser.

L'hologramme est une des inventions vraiment remarquables de la physique moderne, inquiétante, même lorsqu'on en voit pour la première fois. Son image fantomatique peut être observée selon des angles variés et elle semble comme suspendue dans l'espace. Voici comment le biologiste Lyall Watson décrit son principe :

> Si l'on jette une pierre dans un bassin, il se produit une série d'ondes régulières qui s'étendent en cercles concentriques. La chute de deux pierres identiques en deux points différents du bassin engendrera deux ensembles de telles ondes qui vont se rencontrer et interférer. Si la crête de l'une heurte la crête de l'autre, elles vont se renforcer en une crête du double de leur hauteur. Là où une crête de

l'une coïncide avec un creux de l'autre elles vont s'annuler en une plage isolée d'eau calme. En fait, on rencontre toutes les combinaisons possibles, et le résultat final est un arrangement complexe de rides qu'on appelle un réseau d'interférences.

Les ondes lumineuses se comportent exactement de la même manière. Le type de lumière le plus pur dont nous disposons est celui produit par un laser, qui envoie un faisceau dont toutes les ondes sont synchrones. Lorsque deux faisceaux laser se touchent, ils produisent des franges d'interférences faites de rides lumineuses et obscures, qui peuvent être fixées sur une plaque photographique. Si l'un des faisceaux, au lieu de venir directement du laser, est d'abord reflété par un objet, comme un visage humain, le réseau qui en résultera sera certes très complexe, mais pourra encore être photographié. Cet enregistrement sera un hologramme du visage.

La lumière du laser arrive sur la plaque photo par deux voies différentes : la première, directe, est constituée par le faisceau de référence ; la seconde passe par un miroir puis par l'objet avant d'atteindre la plaque. L'embrouillamini apparemment sans signification qui est gravé sur la plaque ne ressemble en rien à l'objet original, mais il suffit pourtant d'une source de lumière cohérente comme un faisceau laser pour le reconstituer ; il en résulte une image tridimensionnelle de l'objet projetée dans l'espace à distance de la plaque.

L'hologramme présente cette propriété remarquable d'enregistrer l'ensemble des informations sur l'objet en chacun de ses points ; ainsi, *s'il est rompu, chacun de ses morceaux est capable de reconstituer l'image entière.*

Pribram a vu dans l'hologramme un modèle passionnant pour expliquer la manière dont le cerveau enregistre les souvenirs. Si la mémoire est distribuée plutôt que localisée, peut-être est-elle holographique.

En 1966, Pribram publia son premier article dans lequel il proposait de développer cette comparaison. Les années suivantes, lui-même et d'autres chercheurs découvrirent ce qui était, apparemment, les stratégies de calcul utilisées par le cerveau en matière de connaissance et de sensations. Il s'avère que pour voir, entendre, sentir, goûter, etc., le cerveau doit entreprendre des calculs complexes sur les fréquences des données qu'il reçoit. La dureté, la rougeur, l'odeur d'ammoniac ne sont plus que des fréquences lorsque le cerveau les aborde. *Ces processus mathématiques n'ont plus guère de rapports de bon sens avec ce que nous percevons comme le monde réel.*

Pour le neuroanatomiste Paul Pietsch, « les principes abstraits de l'hologramme peuvent expliquer les propriétés les plus insaisissables du cerveau ». L'hologramme diffus n'a guère plus de rapports avec le bon sens que le cerveau. L'ensemble du codage existe en tout point de la substance. « L'esprit enregistré n'est pas une *chose,* il est constitué de relations abstraites... Si l'on parle de rapports, d'angles, de racines carrées, l'esprit est une mathématique. Pas étonnant qu'il soit difficile à pénétrer. »

Pribram a suggéré que les opérations mathématiques pourraient s'effectuer selon des ondes lentes qu'on sait se mouvoir le long d'un réseau de fibres fines des cellules nerveuses. Le cerveau peut décoder les traces mnémoniques enregistrées de la même manière que se dessine l'image codée par un hologramme dès que celui-ci vient à être frappé par un faisceau laser. L'efficacité extraordinaire du principe holographique le rend également intéressant. En effet, le réseau d'interférences n'a pas de dimensions spatio-temporelles sur la plaque et des milliards de bits d'information peuvent être entreposés dans un espace infime, tout comme des milliards sont manifestement enregistrés dans le cerveau.

Pourtant, en 1970 ou 1971, Pribram commença à se poser une pénible et ultime question. S'il est vrai que le cerveau fonctionne selon un mode holographique par la transformation mathématique de fréquences provenant de l'extérieur, *qui,* dans le cerveau, interprète les hologrammes ?

Vieille, harcelante question qui a suscité chez les philosophes, depuis l'Antiquité, tant de spéculations sur « le cheval dans la locomotive »... Où est ce *je,* cette entité qui utilise le cerveau ?

Qui effectue véritablement l'acte de savoir ?

Lors d'une conférence, Pribram songea que la réponse pouvait se trouver dans le domaine de la gestalt psychologie, théorie qui prétend que ce que nous percevons comme externe est la même chose que les processus cérébraux.

Il s'écria soudain : « Et si le *monde* était un hologramme ? »

Il se tut, quelque peu déconcerté par les implications de ses paroles. Les membres de l'auditoire qui l'entouraient étaient-ils des hologrammes, des représentations de fréquences interprétées par son cerveau et par le cerveau d'autrui ? Si la nature de la réalité est *elle-même* holographique, et si le cerveau fonctionne holographiquement, alors le monde est vraiment, comme l'ont dit des religions orientales, *maya :* une apparence magique. Sa matérialité est une illusion.

Peu après, il passa une semaine avec son fils, physicien, à discuter, et à rechercher quelques lumières du côté de la physique. Son fils lui apprit que David Bohm, un disciple d'Einstein, était parvenu à des réflexions semblables. Quelques jours plus tard, Pribram lut certains des principaux articles de Bohm appelant à un nouvel ordre en physique. Ce fut pour lui un choc. *Bohm y décrivait un univers holographique.*

Ce qui apparaît comme un monde stable, tangible, visible, audible, disait Bohm, est une illusion. S'il est dynamique, kaléidoscopique, il n'est pas réellement « là ». Ce que nous voyons normalement est l'ordre des choses explicite, déployé, qui se déroule comme un film dont nous serions les spectateurs. Mais il existe un ordre sous-jacent, matrice de cette réalité de seconde génération. Cet autre ordre est implicite, replié. L'ordre replié abrite notre réalité un peu comme l'ADN recèle au sein du noyau cellulaire les potentialités du vivant et dirige la nature de son déploiement.

Pour illustrer cette idée, Bohm propose l'image d'une gouttelette d'encre insoluble jetée dans de la glycérine. Si, au moyen d'un mécanisme, on étire lentement la glycérine, la gouttelette finit par devenir un fil ultra fin tellement réparti sur l'ensemble du support qu'il n'est même plus visible à l'œil nu. Si l'on renverse le dispositif, le fil va se rassembler lentement, jusqu'à fusionner de nouveau, et, soudain redevenir une gouttelette visible.

Avant que la fusion se produise, on peut dire que la gouttelette est en développement, alors qu'ensuite elle est en enveloppement.

Selon Bohm, toute substance ou tout mouvement apparents sont illusoires, tout comme dans une enseigne commerciale faite d'une rangée de lampes qui s'éclairent et s'éteignent pour donner l'impression d'une flèche en vol, ou bien dans un dessin animé qui donne l'illusion d'un mouvement continu. Les phénomènes émergent d'un autre ordre de l'univers, plus primordial. Bohm nomme ce phénomène l'*holomouvement.*

Depuis Galilée, dit Bohm, nous regardons la nature à travers des lentilles ; notre acte même d'objectivation, comme un microscope électronique, altère ce que nous avons l'espoir de voir. Nous cherchons à trouver ses frontières, à le faire se tenir tranquille un instant, alors que sa vraie nature est dans un autre ordre de réalité, une autre dimension où il n'y a pas d'*objets.* C'est comme lorsque l'on cherche à régler l'objectif sur l'objet « observé », seulement le *flou* est une représentation plus exacte. Le flou lui-même est la réalité de base.

Il est venu à l'esprit de Pribram que le cerveau peut focaliser la réalité selon un mode comparable à des lentilles, au moyen de ses stratégies mathématiques. Ces transformations mathématiques extraient des objets à partir de fréquences. Elles transforment le potentiel flou en son, couleur, toucher, odeur et goût.

« Il est possible que la réalité ne soit pas ce que nous voyons avec nos yeux, dit Pribram. Si nous n'avions pas cette lentille qu'est le processus mathématique accompli par le cerveau, peut-être que nous connaîtrions un monde organisé dans le domaine des fréquences, sans espace ni temps, avec seulement des événements. La réalité serait-elle déchiffrée à partir de ce domaine ? »

Il suggère que les expériences transcendantales, les états mystiques, peuvent nous permettre d'avoir un accès occasionnel, mais direct, à ce domaine. En passant outre à notre mode de perception habituel et son effet constricteur — ce qu'Aldous Huxley appelait la valve réductrice — il nous serait possible de nous accorder à la source ou à la matrice de la réalité.

Les structures d'interférence neurales et les processus mathématiques du cerveau pourraient être identiques à l'état primordial de l'univers. C'est-à-dire que nos processus mentaux seraient en réalité de la même nature que le principe d'organisation. Les physiciens et les astronomes ont parfois remarqué que la nature réelle de l'univers est immatérielle mais ordonnée. Einstein professait une crainte révérentielle en face de cette harmonie. On connaît cette phrase de l'astronome James Jeans, selon laquelle l'univers ressemble plus à une grande pensée qu'à une grande machine, ou celle de l'astronome Arthur Eddington, « la matière de l'univers est celle de l'esprit ». Plus récemment, le cybernéticien David Foster a décrit « un univers intelligent », dont la matérialité apparente est en fait produite par des données cosmiques émanant d'une source organisée inconnaissable.

En bref, la superthéorie holographique affirme que *notre cerveau construit mathématiquement une réalité « en dur » en interprétant des fréquences provenant d'une dimension qui transcende l'espace et le temps. Le cerveau est un hologramme interprétant un univers holographique.*

Nous participons de fait à la réalité, observateurs qui affectons ce que nous observons.

Dans ce cadre, les phénomènes psi ne sont que des sous-produits de la matrice a-temporelle et a-spatiale. Les cerveaux individuels sont des parties du grand hologramme. Dans certaines conditions, ils ont accès à toute l'information du système cybernétique global. La synchronicité, ce réseau de coïncidences qui semble témoigner de quelque relation ou de quelque intention supérieures, s'accorde également avec le modèle holographique. De telles coïncidences chargées de sens proviennent de la nature structurée, intentionnelle et organisatrice de la matrice. La psychocinèse, l'action de l'esprit sur la matière, peut être un résultat naturel de l'interaction au niveau primordial. Le modèle holographique résout enfin une énigme de longue date posée par le psi : l'échec expérimental à détecter le transfert apparent d'énergie lors de phénomènes de télépathie, de clairvoyance ou de guérison. Si ces événements se produisent dans une dimension qui transcende le temps et l'espace, aucune énergie n'est requise pour voyager d'ici à là. Comme l'a exprimé un chercheur, « il n'y a pas de là-bas ».

Depuis des années, ceux qui s'intéressaient aux phénomènes de l'esprit humain avaient prévu qu'une théorie de pointe émergerait et qu'elle s'appuierait sur les mathématiques pour établir que le surnaturel fait partie intégrante de la nature.

Le modèle holographique est une théorie globale de ce type, qui réunit tous les aspects extravagants de la science et de l'esprit. Il pourrait bien être le paradigme sans limites, paradoxal, que notre science réclamait.

Son pouvoir explicatif enrichit et élargit de nombreuses disciplines, donnant une signification à d'anciens phénomènes et faisant naître avec insistance de nouvelles questions. La théorie contient implicitement cette hypothèse que des états de conscience harmonieux et cohérents sont plus intimement en accord avec le niveau primordial de la réalité, dimension toute d'ordre et d'harmonie. Un tel accord serait gêné par la colère, l'anxiété, la peur, et facilité par l'amour et l'empathie. Les implications dans l'enseignement, l'environnement, la vie familiale, les arts, la religion et la philosophie sont évidentes. Qu'est-ce qui nous fragmente ? Qu'est-ce qui nous unifie ?

Les expériences si souvent rapportées dans les questionnaires de la Conspiration du Verseau : sentiment d'être porté, de coopérer avec l'univers — que ce soit dans le processus créatif, lors de performances athlétiques extraordinaires et parfois dans la vie de tous les jours — indiquent-elles notre union avec la source ? Ces heures et même ces mois de « grâce », lorsqu'il semblait qu'on coopérait avec la source de vie elle-même, étaient-ce des moments où l'on se trouvait en harmonie avec le principe primordial de réalité ? Des millions d'entre nous expérimentent les psychotechniques ; sont-ils en train de faire naître une société plus cohérente, dont les membres entreront plus en résonance, propageant leur ordre de proche en proche dans le grand hologramme social comme des cristaux amorcés dans une solution ? Peut-être est-ce là le processus mystérieux de l'évolution collective.

Le modèle holographique permet aussi d'expliquer l'étrange pouvoir de l'*image*. Pourquoi les événements paraissent-ils affectés par ce que l'on imagine, ce que l'on visualise ? Une image évoquée lors d'un état transcendantal peut devenir réalité.

Keith Floyd, psychologue à Viriginia Intermont College, affirme que, compte tenu de l'hypothèse holographique et « contrairement à ce que chacun croit vrai, ce n'est peut-être pas le cerveau qui produit la conscience, mais plutôt la conscience qui crée l'apparence du cerveau — la matière, l'espace, le temps et tout ce que nous aimons considérer comme l'univers physique ».

L'accès à un domaine qui transcende le temps et l'espace pourrait aussi rendre compte des intuitions anciennes sur la nature de la réalité. Pribram remarque que Leibniz, philosophe et mathématicien du XVIIe siècle, avait postulé un univers de *monades*, unités qui incorporent l'information de l'ensemble. Il est intéressant de noter que Leibniz a découvert le calcul intégral, qui a rendu possible l'invention de l'holographie. Il soutenait que le comportement extrêmement ordonné de la lumière — dont on connaît l'importance en holographie — indiquait l'existence d'un ordre structuré de réalité, radicalement sous-jacent.

Les anciens mystiques avaient aussi décrit correctement la fonction de la glande pinéale, des siècles avant que la science ne puisse le confirmer. Pribram s'interroge : « Comment de telles idées ont-elles pu émerger des siècles avant que nous ayons les moyens de les comprendre ? Peut-être que dans l'état holographique — le domaine des fréquences — il y a quatre mille ans équivaut à demain. »

De même, Bergson disait en 1907 que la réalité ultime est un tissu de connexions sous-jacent, et que le cerveau fait écran à cette réalité plus large. En 1929, Whitehead décrivait la nature comme une grande liaison d'occurrences située au-delà de la perception sensorielle. Nous imaginons que la matière et l'esprit sont différents. De fait, ils sont intriqués. Bergson soutenait que les artistes, comme les mystiques, ont accès à l'*élan vital,* l'impulsion créative fondamentale. Les poèmes de T.S. Eliot sont remplis d'images holographiques : « le point immobile du monde en rotation », sans arrêt ni mouvement. « Et ne l'appelez pas fixité, où passé et avenir sont rassemblés. Sauf pour le point, le point immobile. Il n'y aurait pas de danse, et il n'y a que la danse. »

Le mystique rhénan Me Eckhart disait « Dieu se fait et se défait », et Rumi, le mystique soufi, « les esprits des hommes perçoivent les causes secondes, mais seuls les prophètes perçoivent l'action de la cause première ».

Emerson a suggéré que nous voyons « médiatement et non directement », que nous sommes des lentilles colorées et déformées. Peut-être, disait-il, nos « lentilles subjectives » ont-elles un pouvoir créatif et n'existe-t-il pas d'objets réels en dehors de nous-mêmes dans l'univers : ce jeu et ce terrain de jeu qu'est l'histoire entière peuvent n'être que des radiations émanant de nous-mêmes. Un opuscule publié par la Société théosophique dans les années trente décrivait la réalité comme une matrice, « dont chaque point mathématique contient les potentialités de l'ensemble... »

Selon Teilhard, la conscience humaine peut retourner au point où les racines de la matière disparaissent de la vue. La réalité a un « dedans » aussi bien qu'un « dehors ». Dans les livres sur Don Juan, Carlos Castaneda décrit deux dimensions qui ressemblent aux dimensions primaire et secondaire de l'holographie : le puissant *nagual,* vide indescriptible qui contient toutes choses, et le *tonal,* reflet de cet inconnu indescriptible et rempli d'ordre.

Dans *L'Homme qui donna le tonnerre à la Terre,* Nancy Wood reprend une histoire taoïste :

> Le Second Monde est le vrai centre de la vie, dit le Vieil Homme. C'est là où tout peut arriver, car là où toutes les choses sont possibles. C'est un monde de peut-être et de pourquoi pas... Le Second Monde est un monde où se défont les nœuds... le monde où l'on n'a pas de nom, pas d'adresse... Là où il n'existe pas de réponses, bien que de nouvelles questions soient toujours posées.

Arthur Koestler a décrit une « réalité du troisième ordre » qui contient des phénomènes impossibles à appréhender ou à expliquer, que ce soit à un niveau sensoriel ou conceptuel, « et qui pourtant les envahit (ces niveaux) à l'occasion, comme des météores perçant la voûte céleste du primitif ».

Dans un ancien sutra de Patanjali, il est dit que la connaissance « du subtil, du caché et du distant » naît en regardant avec le *pravritti* — un terme sanskrit qui signifie « avant l'onde ». Cette description équivaut à l'idée d'un monde apparemment concret engendré par des structures d'interférence, par des ondes.

Enfin, cette extraordinaire description ancienne d'une réalité holographique se trouve dans un sutra hindou :

> On dit que dans le ciel d'Indra existe un réseau de perles disposé de telle façon que si l'on en regarde une, toutes les autres s'y reflètent. De même, chaque objet dans le monde n'est pas simplement lui-même, mais comprend chaque autre objet et *est* en fait dans chaque autre objet.

Si Pribram reconnaît qu'il a fait apparaître le cerveau comme un ordinateur, il ajoute que « notre connaissance du cerveau peut désormais rendre compte des expériences provenant des disciplines spirituelles ».

Cependant, nous sommes réduits aux conjectures quant à savoir comment les processus du cerveau peuvent être modifiés pour permettre une expérience directe du domaine des fréquences. Un phénomène de perception connu sous le nom de « projection » pourrait être impliqué ; c'est lui qui nous permet d'apprécier le son stéréophonique à trois dimensions, comme s'il émanait d'un point à mi-chemin entre les deux haut-parleurs et non de deux sources distinctes. La recherche a montré que les relations kinesthésiques peuvent être affectées de la même manière ; si une personne frappe doucement des deux mains à une fréquence particulière, elle sentira finalement la présence d'une troisième main centrale. Pribram a émis l'hypothèse de l'implication d'une région cérébrale profonde, qui serait le site de désordres pathologiques, d'impressions de déjà-vu et, semble-t-il, de la « conscience sans contenu » de l'expérience mystique. Certaines alternances de fréquence et les relations de phase dans ces structures pourraient jouer les « sésame ouvre-toi » des états transcendantaux.

L'expérience mystique, dit Pribram, n'est pas plus étrange que de nombreux autres phénomènes dans la nature, telle la dérépression sélective de l'ADN pour former un premier organe, puis un autre. « Si nous obtenons une perception extrasensorielle ou des phénomènes paranormaux — ou des phénomènes nucléaires en physique — cela signifie simplement qu'à ce moment nous faisons s'exprimer quelque autre dimension. Dans notre mode ordinaire, nous ne pouvons pas comprendre cela. »

Pribram reconnaît que son modèle n'est pas aisé à assimiler ; il renverse trop radicalement nos systèmes de croyance antérieurs, notre (bon) sens de la compréhension des choses, du temps et de l'espace. Mais une nouvelle génération se développera, qui sera accoutumée à la pensée holographique. Pour faciliter ce travail, Pribram suggère que les enfants devraient apprendre à manier les paradoxes à l'école, puisque les nouvelles découvertes scientifiques sont toujours grosses de contradictions.

Les scientifiques féconds doivent être prêts à défendre aussi bien l'esprit que les résultats. « C'est ainsi qu'on concevait la science à l'origine : la poursuite de la compréhension, dit Pribram. Les jours des technocrates au cœur froid et à la tête dure sont apparemment comptés. »

Pribram a cherché à synthétiser ses idées non seulement avec celles de Bohm, mais avec celles de Prigogine. Il pense que les structures dissipatives peuvent représenter les modes de déploiement de l'ordre replié son mode de manifestation dans le temps et l'espace.

La pertinence de cette vaste synthèse a stimulé l'intérêt de certains scientifiques, des philosophes et des artistes. Des symposiums ont été organisés pour des rencontres interdisciplinaires. Ainsi, Pribram, Bohm, Capra, Olivier Costa de Beauregard, le prix Nobel Brian D. Josephson et de nombreux autres théoriciens se rencontrèrent-ils lors du coloque international consacré au thème « Science et Conscience », organisé à Cordoue en 1979 par France-Culture. Même le journal *Le Monde* a pu titrer à cette occasion : « Préoccupés par la parapsychologie, férus de sagesse orientale, enclins à la métaphysique : où vont les physiciens ? » En fait, ces physiciens côtoyaient des neurophysiologistes, des psychologues, des spécialistes de l'imagerie mentale et de la pensée symbolique.

Les organisateurs ont choisi la ville de Cordoue en souvenir d'un événement considérable, investi d'une fonction symbolique inappréciable pour l'orientation de l'intelligence européenne, et qu'Henry Corbin a mis en lumière dans son livre *L'Imagination créatrice dans le soufisme d'Ibn Arabi*. Cet événement fut la rencontre du plus célèbre philosophe de la rationalité aristotélicienne de son époque, Averroës, et de celui qui devait être appelé « fils de Platon », l'un des plus grands maîtres de la pensée et de l'expérience mystiques dans l'Orient de l'Islam, Ibn Arabi.

Ces deux hommes, symbolisant chacun l'une des « deux lectures de l'univers » — l'approche scientifique et l'expérience spirituelle — ne trouvèrent pas de terrain d'entente quant à savoir si la solution trouvée par la réflexion spéculative est identique à ce à quoi conduit l'illumination et l'inspiration divine.

Ce qui fut dénoué à Cordoue vers 1200 vient peut-être de se renouer dans cette même ville en 1979 lors du colloque « Science et Conscience ».

De cette convergence rapide de révolutions scientifiques, qui touchent la physique, les phénomènes psi, l'interaction de l'esprit et du corps, le dynamisme évolutionnaire, les deux modes de savoir du cerveau et ses potentialités de conscience transcendante, une leçon doit sans aucun doute être tirée.

Plus nous apprenons sur la nature de la réalité et plus se découvre à l'évidence le caractère artificiel de notre environnement et de notre vie. Par ignorance, par morgue, nous avons œuvré à l'encontre de la nature. Parce que nous n'avons pas compris la capacité du cerveau à transformer la douleur et le déséquilibre, nous l'avons étouffée avec des tranquillisants ou distraite avec ce qui nous tombait sous la main. Parce que nous n'avons pas compris que les touts sont plus que la somme de leurs parties, nous avons isolé nos informations dans des îles, dans tout un archipel de données séparées. Chacune de nos grandes institutions s'est développée pratiquement à l'écart des autres.

Ignorant que notre espèce a évolué en coopération, nous avons opté pour la compétition au travail, à l'école, dans les relations. Ne sachant pas que le corps est capable de réorganiser ses processus internes, nous nous sommes drogués et auto-médiqués, faisant apparaître de bizarres effets secondaires. Ne concevant pas nos sociétés comme de grands organismes, nous les avons traitées par des « remèdes » pires que les maux.

Tôt ou tard, si la société humaine doit évoluer, ou plus précisément si elle doit survivre, il nous faut assortir notre vie avec notre nouveau savoir. Trop longtemps les deux cultures — les humanités toutes d'esthétique et de sentiments et la science analytique et froide — ont fonctionné indépendamment, comme les hémisphères droit et gauche des patients au cerveau clivé. Nous avons été les victimes de notre conscience collective divisée.

Lawrence Durrell écrit dans *Justine :* « Quelque part au cœur de l'expérience se trouvent un ordre et une cohérence que nous pourrions surprendre si nous étions assez attentifs, assez aimants ou assez patients. En aurons-nous le temps ? » Peut-être, enfin, la Science peut-elle dire « oui » à l'Art.

CHAPITRE VII

LE POUVOIR JUSTE

Il n'y a pas de passagers sur le vaisseau spatial Terre. Nous sommes tous l'équipage.

Marschall McLUHAN

Je veux agir comme si ce que j'entreprends changeait quelque chose

William JAMES

« UNE nouvelle science politique est indispensable à un nouveau monde », disait Tocqueville. La Conspiration du Verseau pense que le contraire aussi est vrai. Un nouveau monde, une nouvelle conception de la réalité, est indispensable à une nouvelle politique. Huxley parlait de « tournant de l'esprit ». Theodore Roszak disait que le sentiment de la réalité lui-même doit être transformé. Divers noms ont été donnés à cela : nouvelle métaphysique, « politique de la conscience », « politique du Nouvel Age », « politique de transformation ».

Ce chapitre traite de politique dans son sens le plus large. Il y est question de l'émergence d'une nouvelle sorte de dirigeants, d'une nouvelle définition du pouvoir, d'une puissance dynamique inhérente aux réseaux et de la croissance rapide du nombre des conspirateurs, capable de faire toute la différence.

Notre culture a rendu la notion de pouvoir ambivalente. Nous parlons de soif de pouvoir, de folie du pouvoir, de pouvoir absolu. On considère ceux qui détiennent le pouvoir comme des êtres sans pitié, résolus, solitaires.

Pourtant le pouvoir — qui dérive du latin *potere*, « être capable » — est manifestement de l'énergie. Sans pouvoir il n'y a pas de mouvement.

Tout comme la transformation personnelle confère un pouvoir à l'individu en lui révélant une autorité intérieure, la transformation sociale est la conséquence d'une réaction en chaîne de changements personnels.

Dans l'esprit du Sentier octuple du Bouddha qui nous enjoint à la Parole juste, l'Action juste, la Concentration juste, nous pourrions aussi proposer le terme Pouvoir juste, c'est-à-dire un pouvoir utilisé non pas comme un bélier ou pour glorifier l'ego, mais mis au service de la vie. Un pouvoir adéquat.

Le pouvoir est au centre de la transformation personnelle et sociale. Les sources et les usages du pouvoir établissent nos limites, façonnent nos relations et déterminent même jusqu'à quel point nous nous permettons de libérer et d'exprimer les aspects du soi. Bien plus que l'adhésion à un parti, bien plus que les philosophies ou idéologies dont nous nous réclamons, le pouvoir personnel définit notre politique.

Selon le scientifique et politicien Melvin Gurtov, « la nouvelle personne crée la nouvelle collectivité et la nouvelle collectivité crée *est* la nouvelle politique ». Ce changement de paradigme tient compte de ce que l'on ne peut isoler l'individu de la société ni séparer la « politique » des gens qui y sont engagés.

La personne et la société sont unies comme l'esprit et le corps. Tenter de définir laquelle est la plus importante des deux équivaut à déterminer ce qui, de l'oxygène ou de l'hydrogène, est le plus essentiel dans l'eau. Pourtant, ce débat a fait rage pendant des siècles. Après avoir retracé l'histoire philosophique du débat individu-contre-société, de Platon à Marx via Kant et Hegel, Martin Buber conclut qu'on ne peut choisir : l'individu et la société sont inséparables. Il en découle que *quiconque est soucieux de la transformation de l'individu est conduit à s'engager dans l'action sociale.*

Crise politique et transformation

Le nouveau paradigme politique émerge en un consensus croissant, que le Canadien Ruben Nelson, analyste de la société, a décrit comme « la littérature de la crise et de la transformation ». Bien que cette littérature exprime la situation par une vérité de métaphores et selon des degrés variables de désespoir, son essence est la suivante :

La Crise : Nos institutions — tout spécialement nos structures de gouvernement — sont mécaniques, rigides, fragmentées. Le monde ne tourne pas rond.

Le Remède : Nous devons faire face à la douleur et au conflit. Tant que nous n'aurons pas cessé de nier nos erreurs, d'étouffer notre malaise, tant que nous n'avons pas reconnu notre désorientation, notre aliénation, nous ne pourrons franchir les étapes nécessaires.

Le système politique a besoin d'être *transformé,* non *réformé.* Il nous faut quelque chose d'autre, non quelque chose de plus. Selon l'économiste Robert Theobald, « si le courant de pensée transformationnel est dans le vrai, nous sommes engagés dans un processus sans équivalent dans l'histoire : *tenter de changer l'ensemble d'une culture selon un processus conscient* ».

Nos prises de conscience des besoins et des capacités des hommes ont changé plus rapidement, surtout grâce à la science, que nos structures sociales. Si nous devions être soudain confrontés avec des êtres extraterrestres, nul doute que nous serions craintifs ; nous nous demanderions comment communiquer avec eux et ce qu'ils nous veulent. Dans le cas présent, l'étranger, c'est l'image d'un nouvel être humain. Le discerner des structures et des possibilités jusque-là insoupçonnées nous plonge dans l'agitation.

L'autarcie ou le gouvernement par le soi

S'il nous fallait restructurer la société avec les vieilles tactiques (organisation, propagande, pression politique, rééducation), la tâche nous paraîtrait vaste et sans espoir, comme d'inverser le sens de rotation de la planète. Mais les révolutions personnelles peuvent changer les institutions. Après tout, les individus *sont* les composants de ces institutions. Le gouvernement, la politique, la médecine et l'éducation ne sont rien en soi, mais des activités humaines en processus, comme constituer des lois, voter, effectuer des démarches, faire de la recherche, donner un traitement médical, élaborer un programme, etc.

L'*autarcie* est le gouvernement par le soi. Cette idée que l'harmonie sociale prend sa source dans le caractère des individus apparaît tout au long de l'histoire. D'après Confucius, les individus avisés désirant un bon gouvernement devaient regarder d'abord en eux-mêmes, y chercher les mots précis pour exprimer leurs aspirations restées muettes, « les sons venant du cœur ». Une fois rendus capables de mettre en mots l'intelligence du cœur, ils se disciplinaient. L'ordre émanant du soi conduisait à l'harmonie, d'abord au sein de leur maisonnée, puis de l'Etat et finalement de l'empire.

Les découvertes dans le domaine de la transformation modifient inévitablement notre perception du pouvoir. Par exemple, la découverte de la liberté a peu de sens si nous n'avons pas pleins pouvoirs pour agir, pour être *libres* de faire quelque chose et — pas seulement *libérés* de quelque chose. A mesure que la peur s'évanouit, nous craignons moins cette jumelle du pouvoir qu'est la responsabilité. On devient moins sûr de ce qui est bon pour les autres. La conscience de réalités multiples nous fait perdre notre attachement dogmatique à un point de vue unique. Un nouveau mode de relation avec les autres engendre des préoccupations sociales. Une vision du monde plus bienveillante rend autrui moins menaçant ; les ennemis disparaissent. On s'engage dans un processus plutôt que dans des programmes. Ce qui compte surtout, ce sont les moyens par lesquels nous arrivons à nos fins. Désormais, sans intrigue ni manipulation, nous pouvons passer de l'intention à l'action, de la vision à la réalisation.

Le pouvoir coule tel un fleuve d'un centre intérieur, un mystérieux sanctuaire plus sûr que l'argent, la réussite ou la réputation. En découvrant notre autonomie, nous devenons très affairés. Nous sommes étonnés de découvrir combien nous avions été distraits et prodigues en renonçant à tant d'aspects qui comptent réellement, et réciproquement combien nous avons empiété souvent sur l'autonomie d'autrui. Le pouvoir sur la vie d'un être est perçu comme un droit de naissance et non un luxe, et nous nous demandons comment nous avons pu jamais penser autrement.

La politique et la peur de la dénégation

« Il avait remporté la victoire sur lui-même » ; ainsi s'achève le roman de George Orwell, *1984*. « Il aimait Big Brother. » Tout comme les otages viennent parfois à aimer leurs ravisseurs, nous nous attachons aux facteurs qui nous emprisonnent : les habitudes, les coutumes, les attentes des autres, les règles, les programmes, l'Etat. Pourquoi remettons-nous notre pouvoir et ne le réclamons-nous jamais ? Peut-être ainsi pouvons-nous éviter décisions et responsabilités. L'idée d'éviter la douleur et les conflits nous séduit.

Notre pouvoir naturel est sapé par les parasites des siècles : la peur, la superstition, une vision du monde qui réduit les merveilles de la vie à une machinerie grinçante. Si nous affamons ces croyances parasites, celles-ci mourront. Mais nous rationalisons notre fatigue, notre inertie ; nous nions que nous sommes hantés.

Parfois un sentiment d'impuissance est justifié chez un individu ; il existe en effet des cercles vicieux dont privations et manques d'occasions rendent difficile toute libération. Mais la plupart d'entre nous sommes passifs parce que, simplement, notre conscience est réduite. L'énergie de ce « passager » qu'est notre conscience s'épuise en permanence à nous divertir de tout ce qui nous fait trop peur pour qu'on le prenne en main consciemment. Alors nous acquiesçons, nous nions, nous nous conformons.

Le gouvernement lui-même est une stratégie impressionnante de l'esquive de la douleur et des conflits. Moyennant un prix considérable, il nous libère de responsabilités, en se chargeant d'activités qui répugneraient à la plupart d'entre nous. En tant que notre représentant, le gouvernement a des droits qui vont de la taxation au bombardement d'autres pays. En tant que notre représentant, il peut nous libérer de responsabilités autrefois prises en charge par la communauté : prendre soin des jeunes, des blessés de guerre, des personnes âgées, des handicapés. Il étend notre bienfaisance impersonnelle aux indigents du monde entier, libérant notre conscience collective en nous évitant une implication directe et pénible. Nous lui déléguons notre pouvoir, notre responsabilité, *notre conscience.*

L'échec des institutions sociales nous a conduits à reporter plus de responsabilité sur le gouvernement, l'institution la plus lourde de toutes. Nous avons abandonné à l'Etat de plus en plus d'autonomie, forçant le gouvernement à assumer des fonctions dont se chargeaient jadis les communautés, les familles, les églises — *les gens.* De nombreuses tâches sociales sont revenues au gouvernement, faute d'être prises en charge par le tissu social, avec pour résultat final une paralysie et un décalage avec la réalité croissants.

Tocqueville considérait comme un danger l'abandon des responsabilités dans une démocratie : « la centralisation administrative n'est propre qu'à énerver les peuples qui s'y soumettent », disait-il il y a plus d'un siècle et demi. Les véritables fruits d'une démocratie, ses libertés, peuvent conduire ses membres à ne considérer que leurs intérêts privés. Ils mènent une vie si affairée et si agitée, « si remplie de désirs, de travaux, qu'il ne reste presque plus d'énergie ni de loisirs à chaque homme pour la vie politique ».

Cette tendance dangereuse les conduit, non seulement à éviter de participer au gouvernement, mais aussi à craindre toute perturbation de cet état de fait. « L'amour de la tranquillité publique est souvent la seule passion politique que conservent ces peuples... » Tocqueville prévoyait qu'un gouvernement démocratique accroîtrait ses attributions par le seul fait qu'il dure. « Le temps travaille pour lui ; tous les accidents lui profitent... il devient d'autant plus centralisé que la société démocratique est plus vieille. »

Il avertissait que ces bureaucraties pourraient créer leur propre tyrannie douce, d'un type qui n'avait encore jamais existé dans le monde. Lorsqu'un grand nombre de gens recherchent avant tout le plaisir, ils agissent comme si leurs propres enfants et leurs amis proches représentaient l'ensemble de l'humanité. Ils se coupent de leurs concitoyens ; même s'ils en sont physiquement proches, ils ne verront ni ne toucheront ceux qui sont en dehors de leurs cercles d'intimes. Chaque citoyen n'existe plus alors qu'en et pour lui-même et ses proches parents ; *il a perdu son pays.*

Au-dessus des citoyens se tient un immense pouvoir doux et paternel qui les maintient perpétuellement en enfance. Cent ans avant Orwell,

Tocqueville avait prévu Big Brother, le rôle paternel du gouvernement et de nos autres grandes institutions hiérarchiques (corporations, églises, hôpitaux, écoles, syndicats). Par leur structure même, ces institutions engendrent la fragmentation, la conformité, l'amoralité. Tout en étendant leur pouvoir, elles perdent de vue leur mandat originel. Comme un grand demi-cerveau linéaire incapable de sentiments, elles n'ont pas de saisie globale. Elles sucent la vie et la signification du corps politique.

Que le raisonnement soit capitaliste, socialiste ou marxiste, il est artificiel de concentrer dans une société un grand pouvoir central, ni assez flexible, ni assez dynamique pour répondre aux besoins toujours changeants des citoyens, tout spécialement le besoin d'une participation créative.

Les changements de paradigmes en politique

Selon George Cabot Lodge, la transformation qui menace de nous faire passer du paradigme sociopolitique issu du XVIIe siècle à un nouveau cadre, représente un tremblement de terre pour nos institutions car leur légitimité s'écroule avec la mort de l'idéologie.

Considérer la crise de nos institutions comme l'annonce d'un changement de paradigme sociopolitique imminent peut nous rassurer et même nous éclairer car cette vision intègre notre stress et nos ennuis de la vie courante dans une perspective de transformation historique.

Une communauté d'individus — une *société* — administre ses affaires selon un cadre convenu — un *gouvernement.* Tout comme le paradigme scientifique établi stipule ce qu'est la « science normale », le gouvernement et les coutumes sociales qui prévalent décident des conduites normales d'une société. La *politique* est l'exercice du pouvoir à l'intérieur de ce consensus.

De même, tout comme les scientifiques rencontrent inévitablement des faits qui contredisent le paradigme existant, les individus à l'intérieur d'une société commencent à faire l'expérience d'anomalies et de conflits : une distribution inégale du pouvoir, une privation de libertés, des lois ou des pratiques injustes. A l'instar de l'establishment scientifique, la société commence par ignorer et nier ces contradictions inhérentes. A mesure que la tension monte, elle essaye de les résoudre au sein du système existant par toutes sortes de raisonnements élaborés.

Si ce conflit est trop intense ou trop concentré pour qu'on en vienne à bout, une révolution se déclare finalement sous forme d'un *mouvement social.* L'ancien consensus est abrogé et les libertés sont étendues.

On peut dire qu'un changement de paradigme politique se produit lorsque les nouvelles valeurs sont assimilées par la société dominante. Elles deviennent alors des dogmes sociaux pour les membres d'une nouvelle génération qui s'étonnent que l'on ait pu jamais croire autrement. Pourtant, parmi eux émergeront des idées et des conflits nouveaux qui seront déniés, ignorés, réprimés même, et ainsi de suite.

La structure irrationnelle du comportement humain se répète, toujours semblable, sur le plan individuel comme sur le plan collectif. Même si nos vieilles formes échouent misérablement, même si elles ne peuvent prendre en main les problèmes du jour, elles sont férocement défendues et ceux qui les défient tournés en ridicule.

De génération en génération, l'humanité lutte pour préserver le *statu quo,* soutenant qu' « on sait ce qu'on perdrait, mais on ne sait pas ce qu'on y gagnerait », formule populaire et cynique où l'inconnu est perçu comme dangereux. Nous ne voyons pas que toute croissance dépend de la capacité de transformer. Au milieu de ce flux qu'est le monde naturel, nous résistons à la transformation en nous accrochant à ce qui nous est familier. « Placés devant le choix entre avoir à changer nos conceptions ou prouver qu'il n'est nul besoin de le faire, la plupart d'entre nous s'emploient à fourbir des preuves », a dit John Kenneth Galbraith.

Si nous voulons sortir de cette structure, si nous devons nous libérer de notre histoire personnelle et collective, il nous faut apprendre à l'identifier — pour percevoir les modes de découverte et d'innovation, surmonter notre malaise et notre résistance face à la nouveauté et reconnaître les avantages qu'il y a à aller dans le sens du changement.

Thomas Kuhn ne fut pas le premier à mettre en lumière cette structure. Le philosophe politique anglais John Stuart Mill traitait de ce sujet un siècle auparavant. Pour lui, chaque époque a tenu pour vrai ce que les générations suivantes ont jugé non seulement faux, mais absurde. Il avertissait ses contemporains que nombres des idées admises couramment seraient rejetées dans l'avenir. Ils devraient ainsi être ouverts à la mise en question de toute idée, même celle qui semble la plus certaine, comme les conceptions de Newton ! La meilleure façon de protéger une idée, c'est encore « d'inviter le monde entier à prouver sans cesse qu'elle n'est pas fondée ».

Mill disait que, si un individu défendait une opinion contre toute l'humanité, les autres n'auraient pas plus le droit de le réduire au silence que lui-même de censurer la majorité. Il soulignait que son argument n'était pas moral mais pratique : si une société supprime les nouvelles idées, elle se vole elle-même. « Nous ne devons rien négliger qui puisse donner à la vérité une chance de nous atteindre. »

Mill faisait remarquer que de nombreuses idées importantes avaient émergé plusieurs fois dans l'histoire, et que leurs tenants avaient été persécutés, avant qu'on ne les redécouvre à une époque plus tolérante. Bien qu'historiquement l'Europe n'ait progressé que lorsqu'elle brisa le joug d'anciennes idées, la plupart des gens ont continué à agir comme si « les nouvelles vérités pouvaient avoir été désirables au début, mais que maintenant elles commençaient à lasser ». Mill ajoutait que ces nouvelles vérités, ces « hérésies », ont couvé au sein de groupuscules plutôt qu'elles ne flamboyaient dans toute la culture. La peur de l'hérésie est plus dangereuse que l'hérésie, car elle prive un peuple de « la spéculation libre, audacieuse, qui pourrait affermir et élargir les esprits ».

De nombreux philosophes politiques ont médité ce problème de la résistance populaire aux idées nouvelles et étranges. Ils ont nommé « tyrannie de la majorité », cette tendance des sociétés, même les plus libérales, à supprimer la pensée libre. C'est le paradoxe de la liberté : quiconque vient à apprécier l'autonomie doit l'accorder aux autres, et le seul moyen d'auto-détermination est la règle de la majorité, qui peut alors menacer la liberté elle-même.

Les penseurs révolutionnaires ne croient pas aux révolutions isolées. Ils conçoivent le changement comme un mode de vie. Jefferson, Mill, Tocqueville, et nombre d'autres furent soucieux de créer un environnement favorable au changement, au sein d'un système politique relativement stable. Ils appelaient de leurs vœux des gouvernements suffisamment mobiles pour susciter un renouveau continu au sein duquel les libertés seraient élargies et étendues en permanence. Par exemple, Thoreau recherchait une forme de gouvernement au-delà de la démocratie, dans laquelle la conscience individuelle serait respectée par l'Etat comme « un pouvoir différent et plus élevé », contexte indispensable à toute autorité.

Thoreau disait que la société jette en prison ses esprits libres alors qu'elle devrait « chérir cette minorité avisée ». Mais il existe un moyen : quiconque découvre une vérité devient une majorité de un, une force qualitativement différente de la majorité non engagée. Dans leur refus de pratiquer les vertus qu'ils prêchaient, Thoreau considérait les habitants de sa ville comme « une espèce distincte de la mienne ». Emprisonné pour refus de payer ses impôts car il s'opposait à la guerre contre le Mexique, Thoreau observait que, même derrière les barreaux, il était plus libre que ceux qui l'avaient emprisonné. « Je ne suis pas né pour qu'on me force. Je veux respirer à ma façon. Seuls peuvent me forcer ceux qui obéissent à une loi supérieure à la mienne. »

Dans son célèbre essai sur la désobéissance civile, il déclare que si tous ceux qui s'opposent à l'esclavage et à la guerre refusaient de payer leurs impôts, ils contraindraient l'Etat à revenir sur sa décision, devant les prisons débordantes et la diminution des réserves. Ainsi se ferait une révolution pacifique.

Gandhi a appliqué, au XXe siècle, cette idée de minorité profondément engagée, d'abord en obtenant la reconnaissance des droits des Indiens vivant en Afrique du Sud, puis en parvenant à libérer l'Inde de la domination britannique. Il disait : « C'est être superstitieux et irréligieux que de croire qu'un acte posé par une majorité peut lier une minorité. Ce n'est pas le nombre qui compte, mais la qualité... Je ne conçois pas le nombre comme une force nécessaire dans une cause juste. »

Le principe révolutionnaire introduit par Gandhi résout le paradoxe de la liberté. Il l'a nommé *satyagraha*, « force de l'âme » ou « force de la vérité ». Satyagraha a été particulièrement mal comprise en Occident ; on l'a prise pour de la « résistance passive », terme que Gandhi désapprouvait à cause de sa connotation de faiblesse, ou encore « non-violence », qui n'est qu'un de ses composants. C'est un peu comme si l'on appelait la lumière la non-obscurité ; son aspect positif et énergétique est éludé.

Satyagraha tient son pouvoir de deux aspects apparemment opposés : une autonomie farouche et une absolue compassion. En effet, elle signifie : « Je ne veux pas te forcer ; ni que tu me forces. Si tu es injuste dans tes actes, je ne m'opposerai pas à toi par la violence (corporelle) mais par la force de la vérité, par la probité de mes croyances. Mon intégrité est évidente dans ma volonté de souffrir, de m'exposer au danger, d'aller en prison, et même de mourir s'il le faut. Mais je ne veux pas participer à l'injustice.

« En voyant mon intention, en sentant ma compassion et mon ouverture à tes besoins, tu auras une réaction que je n'aurais jamais pu obtenir par la menace, le marchandage, les prières ou la violence. Ensemble, nous pouvons résoudre le problème. C'est *lui* l'adversaire et non pas toi et moi. »

Satyagraha est la stratégie de ceux qui rejettent les solutions compromettant la liberté ou l'intégrité d'un des participants. Gandhi disait toujours que c'est l'arme du fort car elle requiert une retenue héroïque et le courage de pardonner. Il a retourné de fond en comble toute la conception du pouvoir. Lors d'une visite à des militants indiens cachés dans les montagnes, il leur dit en voyant leurs armes, « comme vous devez avoir peur ».

Satyagraha, ou quelque nom qu'elle porte, est une attitude qui introduit dans l'arène politique la franchise, l'empathie, la recherche de la compréhension. Elle transforme le conflit à sa source : les cœurs des participants. Elle est un climat de consentement dans lequel les gens peuvent changer sans se tenir vaincus. Ceux qui la pratiquent doivent être vigilants et flexibles, cherchant le vrai même dans la position de l'adversaire. Erik Erikson a dit de Gandhi qu'il « pourrait aider autrui à renoncer aux défenses et aux refus coûteux... La prise de conscience et la discipline peuvent désarmer ou donner un pouvoir plus fort que toutes les armes ».

Gandhi disait que satyagraha travaille en silence et avec une lenteur apparente, « mais en réalité il n'est pas de force dans le monde aussi directe ou aussi prompte ». Il ajoutait que c'est une très vieille idée que ses amis et lui ont seulement expérimentée. « Ceux qui croient aux vérités simples que j'ai établies ne peuvent les propager qu'en les vivant. »

Commencez là où vous êtes, conseillait-il à ses disciples, rejoignant cette phrase de Thoreau : « Peu importe si le début paraît petit. »

Le rôle des dirigeants dans la transformation

James MacGregor Burns, historien, spécialiste de la politique et lauréat du prix Pulitzer, a pris Gandhi comme exemple de la « transformation du rôle de dirigeant », en tant que processus de changement et de croissance continue. Le vrai chef, selon la définition de Burns, ne se limite pas à « l'exercice du pouvoir », avide de réaliser ses objectifs personnels. *Le vrai dirigeant est capable de sentir et de transformer les besoins de ceux qui le suivent.*

> Du fait de cet engagement envers leurs partisans, les dirigeants subissent également une transformation. Il peut même se produire un renversement des rôles, comme lorsque les enseignants firent un enseignement des étudiants.

Selon la définition de Burns, les dictateurs ne peuvent être de véritables leaders car, en supprimant l'information en retour émanant des citoyens, ils interrompent la dynamique de la relation. Les besoins changeants du peuple ayant cessé de les transformer, les dictateurs ne peuvent plus favoriser sa croissance. Les relations leader-partisan sont du même type que les relations parents-enfants, entraîneur-athlète, enseignant-étudiant. De nombreux parents, entraîneurs et enseignants ne sont pas de véritables leaders car ils ne font qu'exercer leur pouvoir. La transformation du rôle de dirigeant ne peut être à sens unique.

L'histoire montre que, parfois, les dirigeants ont inspiré à leurs électeurs des initiatives élevées. Burns cite les conventions qui conduisirent à la ratification de la Constitution des Etats-Unis en 1787. La population était peu éduquée, les communications mauvaises et cependant ces conventions traitèrent de sujets tels que le besoin d'une déclaration des droits, le mode de représentation, la distribution du pouvoir. « Voici, remarque Burns, un superbe exemple de la capacité des leaders *et* de leurs partisans à élever le débat à un niveau qui touche à l'âme. »

Pour cet historien, de nombreuses révolutions ont réussi malgré, au départ, un soutien populaire limité, « car les dirigeants motivaient leurs partisans avec une telle intensité que les attitudes étaient transformées et que la conscience s'en trouvait éveillée ». Le rôle des dirigeants ne se limite pas à la satisfaction de nos besoins présents, il nous fait découvrir des soifs profondes, des insatisfactions refoulées. Par définition, on ne peut « éveiller la conscience » qu'à propos d'un objet vrai. Au contraire, la propagande peut mentir. La différence entre un leader authentique, qui nous rend conscients de besoins et de conflits inexprimés, et un chef qui exerce le pouvoir, équivaut à la différence entre un conseiller et un partisan de la vente forcée.

Le véritable dirigeant favorise un changement de paradigme chez ceux qui y sont prêts. Mais il sait qu'il ne peut pas « enseigner » ou « aider » autrui à élever sa conscience comme on peut l'assister pour la rédaction de sa feuille d'impôts. S'il est possible d'entraîner les gens à faire des expériences directes, ou d'être la liberté et la vigueur incarnées, on ne peut *convaincre* personne de changer.

Les dirigeants les plus efficaces ne peuvent pas non plus s'attribuer le mérite de changements qu'ils ont aidé à provoquer. Comme le disait Lao Tseu, la meilleure direction est celle qui permet au peuple de dire « nous l'avons fait nous-mêmes ».

Dès que le pouvoir est localisé, dès que l'attention se concentre sur un individu, il y a diminution de la cohérence et de l'énergie d'un mouvement. Il n'est pas facile de sentir le moment où il faut assumer le rôle de dirigeant et celui où il faut l'abandonner. C'est comme pour apprendre à rouler à bicyclette, cela ne va pas sans quelques chutes et un réajustement constant de l'équilibre. Mais les individus *peuvent* s'assembler en groupes auto-organisés, et obtenir un résultat excellent. Et il existe des moyens de se gouverner sans choisir de patron ou établir un programme clair. De tels groupes auto-organisés sont le tissu même de la Conspiration du Verseau. Même les individus habitués à évoluer dans de grandes institutions peuvent aisément s'adapter à un tel format. Robert Theobald fit un jour cette remarque : « Les gens sont le principe d'organisation. »

Expérimentations en transformation sociale

Au premier coup d'œil, entreprendre une transformation sociale semble une ambition téméraire et même périlleuse. Il faut au groupe qui s'y aventure un enchaînement d'événements nécessaire et critique. D'abord, un profond changement chez les individus particulièrement soucieux de changement social, capables de rencontrer leurs alter ego, d'apprendre la psychologie du changement et de comprendre notre peur universelle devant l'inconnu. Puis il leur faut inventer des moyens pour favoriser des changements de paradigme chez les autres ; ils doivent perturber, éveiller, recruter. Cette minorité alignée, sachant qu'elle influencera les gens non pas par de simples arguments rationnels, mais par des changements de cœur, doit trouver des modes de relation à autrui au niveau humain le plus immédiat.

S'ils ne veulent pas tomber dans les vieux pièges (jeux de pouvoir, basses compromissions, intérêts personnels), ils doivent vivre selon leurs principes. Sachant que les moyens doivent être aussi honorables que les fins, ils entrent dans la bataille politique dépourvus des armes politiques habituelles. Il leur faut découvrir de nouvelles stratégies et de nouvelles sources de pouvoir.

En outre, cette minorité alignée, mue par des principes, aux idées avancées, engagée et créative, doit être aussi irrésistible. Il lui faut produire des remous — des fluctuations, dirait la théorie des structures dissipatives — suffisamment forts pour amener un réordonnancement de tout le système. Difficile ? Impossible ? Vu sous un autre angle, *le processus ne peut échouer, parce qu'il est aussi le but.*

C'est pourquoi le nouveau collectif *est* la nouvelle politique. Dès que nous commençons à travailler pour un monde différent, le monde change pour nous. Les réseaux de la Conspiration du Verseau, ces formes qui s'auto-organisent et permettent à la fois autonomie et relations humaines, sont en même temps les outils du changement social et les modèles d'une nouvelle société. Chaque lutte collective pour une transformation sociale devient une expérience en transformation sociale.

Le but s'éloigne ; que l'ensemble de la société change ou non, et même si ce processus doit prendre du temps, les individus trouvent dans leurs efforts mutuels joie, unité, sens. L'entreprise dans laquelle ils sont engagés devient une aventure. Ils savent que les cyniques doivent avoir leur monde sinistre, eux aussi. Comme l'a dit Thoreau, la minorité n'a pas à attendre de persuader la majorité. Nous le verrons, la nouvelle vision se propage d'elle-même.

L'effet transformatif des mouvements sociaux, à la fois chez les participants et dans la société, peut être perçu dans les protestations et la contre-culture des années soixante. Une contre-culture est une théorie qui vit et respire, une spéculation sur la prochaine phase de la société. Au pire, elle peut sembler sans lois, étrange, une expérience qui n'arrive pas à joindre l'ancien et le nouveau. Au mieux, elle est un guide de transformation permettant à la culture dominante d'approfondir sa conscience. Les premiers colons américains qui refusèrent la règle britannique furent une contre-culture ; de même les transcendantalistes.

Tel un jeu à l'intérieur d'un jeu, la transformation, au sein même de la contre-culture et des mouvements de protestation, est instructive ; c'est l'illustration d'un changement pendulaire devenu un changement de paradigme. Comme, avant eux, des générations d'activistes et de réformateurs, les partisans de la contre-culture ont essayé d'abord de changer les institutions politiques en employant la force et la persuasion, en écrivant, demontrant, argumentant, sermonnant, en faisant des pressions et du prosélytisme. Ce n'est que lorsqu'ils se mirent à se combattre entre eux, revenus bredouilles de la confrontation avec les institutions, qu'ils découvrirent l'avant-garde réelle de la révolution · le

« front » intérieur. Ils commencèrent à comprendre le vrai de cette injonction de Thoreau : *Vivez* vos croyances et vous pouvez retourner le monde. La vraie révolution réside dans l'orientation spirituelle.

Pouvoir et politique dans le nouveau paradigme

Il est certain que le paradigme émergent est riche d'hérésies. Il conteste que nos dirigeants soient les meilleurs d'entre nous, que l'argent puisse résoudre les nombreux problèmes, que faire plus et mieux fassent de même, que la loyauté prime sur l'autorité intérieure. Le nouveau paradigme évite les confrontations, les polarités politiques. Il réconcilie, innove, décentralise et n'affirme pas détenir les réponses. S'il nous fallait résumer l'ancien et le nouveau paradigme, nous trouverions les contrastes suivants :

ANCIEN PARADIGME : CONCEPTIONS DU POUVOIR ET DE LA POLITIQUE	NOUVEAU PARADIGME : CONCEPTIONS DU POUVOIR ET DE LA POLITIQUE
Accent mis sur les programmes, les tribunes, les manifestes, les buts, les résultats.	Eveil à une nouvelle perspective. Résistance aux plans et programmes rigides.
Changement imposé par l'autorité.	Changement émanant d'un consensus et/ou inspiré par des dirigeants.
Institutionnalise l'aide et les services.	Encourage l'aide individuelle, le volontariat, comme complément au rôle du gouvernement. Préconise l'aide par soi-même et les réseaux d'aide mutuelle.
Tendance à un gouvernement central fort.	Favorise un gouvernement décentralisé partout où c'est possible, une distribution horizontale du pouvoir. Un gouvernement central à faible concentration servirait de bureau central.
Le pouvoir *sur* les autres, ou contre eux. Alternative vaincre/perdre.	Le pouvoir *avec* les autres. Il n'y pas d'échec, il y a expérimentation, processus.

Le gouvernement comme institution monolithique.	Le gouvernement comme un consensus d'individus, sujet au changement.
Droits acquis, manipulation, courtiers du pouvoir.	Respect de l'autonomie des autres.
Modèle uniquement « masculin », rationnel, linéaire.	Principes à la fois rationnels et intuitifs. Apprécie les interactions non linéaires, le modèle de systèmes dynamiques.
Dirigeants agressifs et dirigés passifs.	Dirigeants et dirigés engagés dans une relation dynamique où ils s'influencent les uns les autres.
Orienté par des partis ou des résultats précis.	Orienté selon un paradigme. La politique est déterminée par une vision du monde, une perspective de la réalité.
Ou bien pragmatique ou bien visionnaire.	Pragmatique *et* visionnaire.
Accent mis sur la liberté par rapport à certains types de contraintes.	Accent mis sur la liberté : pour une action positive, créative, une expression et un savoir auto-acquis.
Un gouvernement qui maintient les gens dans la norme (rôle disciplinaire), ou que l'on présente comme un parent bienveillant.	Un gouvernement qui favorise le développement, la créativité, la coopération, la transformation, la synergie.
Gauche contre droite.	« Centre radical », une synthèse des traditions conservatrice et libérale. Dépassement des polarités et des querelles anciennes.
L'humanité comme conquérante de la nature et exploitant ses ressources.	L'humanité comme partenaire de la nature. Recyclage, énergies douces, équilibre écologique.

Réformes imposées de l'extérieur.	La transformation intérieure des individus comme réforme essentielle au succès.
Programmes à court terme ou aux réalisations repoussées dans un vague avenir.	Prévoyance des répercussions à long terme, éthique, flexibilité.
Agences, programmes, ministères figés.	Encouragement de l'expérimentation, des réévaluations fréquentes, des comités qualifiés, des programmes qui se terminent d'eux-mêmes.
Choix entre le meilleur intérêt de l'individu ou de la communauté.	Refus de faire ce choix. Réciprocité entre l'intérêt personnel et celui de la communauté.
Apprécie la conformité et l'adaptation.	Pluraliste. Aime l'innovation.
Compartimente les aspects de l'expérience humaine.	Favorise l'interdisciplinarité, la vision holiste, les relations, la fertilisation croisée entre les divers aspects du gouvernement.
A pour modèle une vision du monde mécaniste et parcellaire.	Conçoit « en flux » : l'équivalent en politique de la physique moderne.

Les réseaux — Un outil de transformation

Une révolution signifie bien sûr que le pouvoir change de mains, mais elle ne signifie pas nécessairement une lutte ouverte, un coup d'Etat avec vainqueurs et vaincus. Le pouvoir peut être dispersé dans tout le tissu social.

Alors que la plupart de nos institutions sont hésitantes, vient d'apparaître une version XXe siècle de l'ancienne tribu ou de la parenté : le réseau, un outil pour l'étape suivante de l'évolution humaine.

Amplifié par les communications électroniques, libéré des vieilles contraintes de la famille et de la culture, le réseau est l'antidote de l'aliénation. Il engendre suffisamment de pouvoir pour refaire la société.

Il offre à l'individu un soutien affectif, intellectuel, spirituel et économique. C'est un lieu d'accueil invisible, un moyen puissant de modifier le cours des institutions, en particulier le gouvernement.

Celui qui découvre la rapide prolifération des réseaux et comprend leur force peut y voir l'élan vers une transformation aux dimensions du monde. Le réseau est l'institution de notre temps : un système ouvert, une structure dissipative si richement cohérente qu'elle demeure en flux constant, car elle est maintenue en équilibre pour se réordonnancer, capable de transformations sans fin.

Ce mode organique d'organisation sociale s'adapte mieux biologiquement, est plus efficace et plus « conscient » que les structures hérarchiques que nous connaissons. Le réseau est flexible, malléable, chaque membre étant le centre du réseau.

Les réseaux ne sont pas compétitifs, mais ils coopèrent entre eux. Ils sont enracinés dans le peuple ; ils s'autogénèrent, s'autoorganisent et parfois même s'autodétruisent. Ils ont la nature d'un processus, d'un parcours, et non celle d'une structure figée.

A mesure que les individus ont pris conscience des bénéfices qu'offraient leurs liaisons et leurs coopérations, on a vu se former des réseaux pour toutes sortes de buts imaginables.

Certains sont centrés sur le développement personnel, la recherche spirituelle, d'autres s'occupent avant tout de problèmes sociaux, comme la réadaptation.

Quel que soit leur but officiel, la plupart des réseaux ont pour fonction le soutien mutuel et l'enrichissement, en offrant à l'individu une coopération et des possibilités pour qu'il effectue son changement. Nombre d'entre eux œuvrent pour un monde plus humain, plus hospitaiier.

Par la richesse de ses occasions d'aide et de soutien mutuels, le réseau évoque son ancêtre, le système parental. Mais dans ce cas, la « famille » est fondée sur l'adhésion profonde à des valeurs et des hypothèses partagées, qui sont des liens plus solides que le sang.

Le réseau est une matrice d'exploration personnelle et d'action de groupe, d'autonomie et de relation. Paradoxalement, *un réseau est à la fois intime et expansif.* Contrairement aux organisations verticales, il peut maintenir, tout en s'étendant, sa qualité personnelle et locale. On n'a pas à choisir un rôle dans une communauté ou une échelle plus globale ; on peut avoir les deux.

Les réseaux sont la stratégie par laquelle des petits groupes peuvent transformer une société tout entière. Gandhi a employé des coalitions pour mener l'Inde à l'indépendance. Il appelait cela des « unités en groupe » et y voyait la clef du succès. « Le cercle des unités, groupées dans le bon sens, va voir s'accroître sa circonférence jusqu'à se confondre enfin avec le monde entier. » Edward Carpenter prophétisait que l'intrication et le recouvrement des réseaux conduiraient à « la société achevée et libre ».

De façon informelle, ou bien avec des fichiers et des ordinateurs, les réseaux relient ceux qui ont des buts, des intérêts ou des savoir-faire complémentaires. Les réseaux favorisent la liaison de leurs membres avec d'autres gens, d'autres réseaux.

On peut comparer ce mouvement à la syntropie, la tendance de l'énergie vivante vers des associations, des communications, une coopération et une conscience toujours plus grandes. Le réseau ressemble à un psychisme collectif articulé au tissu social. Un réseau fonctionne de façon semblable à un cerveau. La structure d'un cerveau est plus proche de la coalition que de la hiérarchie. Comme nous l'avons vu, dans les états les plus profonds d'expansion et d'harmonie de la conscience, l'énergie est largement disponible et ordonnée. Le cerveau est *globalement éveillé*. De la même façon, le réseau est une forme alerte et déliée d'organisation sociale. L'information circule de façon non linéaire, simultanée et chargée de sens.

De même qu'une personne créative tisse de nouveaux liens, réalisant des juxtapositions improbables d'éléments pour inventer quelque chose de nouveau, de même les réseaux relient les gens et les sujets d'intérêt selon des modes surprenants. Ces combinaisons favorisent l'invention, la créativité. Ainsi, un réseau formé dans le but d'assurer aux bébés un environnement plus sain psychologiquement peut coopérer avec une organisation à but humanitaire pour les personnes âgées. Celles-ci se sentiront moins inutiles et solitaires en apportant aux bambins des crèches leur aide et leur affection.

La synergie, le bonus d'énergie qui résulte de la coopération dans les systèmes naturels, nous la retrouvons également ici. Nous commençons à la découvrir dans la relation avec les autres au sein de notre petit groupe, et les bénéfices potentiels pour la société deviennent évidents.

Une fois qu'on a vu le pouvoir inhérent de la coopération humaine, on ne peut plus penser l'avenir en termes anciens. L'explosion des réseaux ces cinq dernières années fut comme un incendie dans une usine de feux d'artifice. Cette relation spiralée des individus entre eux, des groupes entre eux, évoque un grand mouvement de résistance clandestin dans un pays occupé à l'aube de la libération.

Le pouvoir change de mains, passe des hiérarchies mourantes aux réseaux pleins de vie. Selon le gouverneur de Californie Jerry Brown, l'autodépendance et l'aide mutuelle dans le secteur privé sont la première idée nouvelle qui ait émergé en politique depuis vingt ans.

Les anthropologues Luther Gerlach et Virginia Hine, qui ont étudié les réseaux de protestation sociale depuis les années soixante, ont appelé ces réseaux contemporains des SPINs (réseaux segmentés polycentriques et intégrés). Un SPIN tire son énergie de coalitions, de la combinaison et de la recombinaison de talents, d'outils, de stratégie, de contacts. Ses segments sont les petits groupes maintenus assemblés par le seul fait qu'ils se ressemblent. Il arrive que le SPIN, de lui-même, engendre une fission. La multiplicité des groupes renforce le mouvement.

Alors qu'un organigramme habituel présenterait des cases soigneusement reliées, l'organigramme d'un SPIN ressemblerait plutôt à « un filet de pêche mal fabriqué, avec une multitude de nœuds de différentes tailles, chacun étant relié à tous les autres directement ou indirectement ». Ces nœuds, ou cellules du mouvement de protestation sociale, sont des groupes locaux qui vont d'une poignée à des centaines de membres. Beaucoup n'ont pour vocation qu'une seule tâche et peuvent être dissous demain.

Chaque segment d'un SPIN est autosuffisant. On ne peut pas détruire le réseau en détruisant un seul dirigeant ou un organe vital. Le centre, le cœur de l'ensemble du réseau est partout. Une bureaucratie, comme une chaîne, est aussi faible que son maillon le plus faible. Dans un réseau, de nombreuses personnes peuvent assumer les fonctions des autres. Cette caractéristique rappelle là encore le caractère malléable du cerveau, où existe un recouvrement des fonctions, de façon à ce que de nouvelles régions puissent remplacer les cellules endommagées.

Alors qu'une bureaucratie est moins que la somme de ses parties, le réseau est plusieurs fois plus grand que la somme de ses parties. C'est une source de pouvoir encore jamais exploitée dans l'histoire : de multiples mouvements sociaux autosuffisants reliés en vue d'un ensemble de buts et dont la réalisation devrait transformer tous les aspects de la vie contemporaine.

Selon Gerlach, ces réseaux produisent des mutations locales de valeur. Les nouvelles d'expériences réussies se répandent rapidement dans les mailles du mouvement, amenant la généralisation de ces nouveautés.

Lorsque les anthropologues observèrent les réseaux à leur début, ils les trouvèrent dépourvus de dirigeants. En réalité, dit Gerlach, « il n'y a pas une pénurie de dirigeants, mais plutôt une profusion ». La direction passe de personne en personne selon les besoins du moment.

Pour Hine, les SPINs sont à ce point qualitativement différents des bureaucraties quant à leur organisation et leur influence, que la plupart des gens ne les voient pas, *ou bien alors pensent que ce sont des conspirations*. Les réseaux adoptent souvent la même action sans se concerter, simplement parce qu'ils partagent les mêmes hypothèses. En fait, c'est ce fond commun qui *est* la collusion.

En effet, la Conspiration du Verseau est un SPIN de SPINs, un réseau de nombreux réseaux dont la vocation est la transformation sociale ; sa structure est relâchée, segmentée, redondante, en évolution. Son centre est partout. Bien que de nombreux mouvements sociaux et groupes d'aide mutuelle soient représentés au sein de son union, sa vie ne dépend d'aucun d'eux. Elle ne peut pas se tarir car elle est une manifestation du changement chez les gens.

Que cherche-t-on dans les réseaux ? Toutes sortes de choses, évidemment. Non seulement il n'existe pas deux réseaux identiques, mais un même réseau change avec le temps, car il reflète les besoins et les intérêts fluctuants de ses membres. Mais leur projet essentiel est la redistribution du pouvoir.

Par exemple, les groupes écologistes désirent que les hommes « vivent avec douceur sur la terre », en gérants de la nature plutôt qu'en exploiteurs ou en dominateurs. Les réseaux à vocation psychologique ou spirituelle recherchent le pouvoir qui naît d'une intégration intérieure, faisant en sorte que les parties réprimées du soi puissent s'affirmer. Les réseaux éducatifs tentent d'instiller quelque pouvoir chez le débutant en l'aidant à identifier ses ressources. Les réseaux dont le but est la santé désirent changer le vieil équilibre de pouvoir entre la médecine institutionnalisée et la responsabilité personnelle. D'autres groupes réorientent le pouvoir économique par des boycottages, des échanges, des achats en coopérative et des pratiques financières.

A partir des réseaux les plus simples (coopératives alimentaires, mise en commun d'une voiture, partage des gardes d'enfants), les gens ont tendance à s'orienter vers des partages plus éphémères ou plus abstraits, tels que ceux de la compétence et de l'information. Les réseaux d'assistance mutuelle ou d'auto-assistance sont plus intimes et ont donc une force transformative plus puissante. D'après le Bureau national d'auto-assistance, environ quinze millions d'Américains font partie aujourd'hui de réseaux où les gens s'aident mutuellement pour affronter des problèmes aussi divers que la retraite, le veuvage, l'obésité, le divorce, les enfants maltraités, les abus de drogue, le jeu, les désordres affectifs, certains handicaps, l'action politique, l'écologie, la mort d'un enfant, etc. De tels groupes se gardent bien de « tomber dans le professionnalisme » de peur qu'une hiérarchie d'autorité ne se développe en leur sein et ne vienne compromettre tout le projet. Car l'essentiel est l'aide mutuelle. C'est en aidant les autres que l'on est aidé.

Il existe aux Etats-Unis des bureaux fédéraux ou des offices d'Etat pour les réseaux d'auto-assistance, des associations de groupes d'auto-assistance, et récemment une foire d'auto-assistance s'est même tenue à Boston. Il existe des réseaux pour chômeurs au-dessus de la quarantaine, pour parents de prématurés, pour les femmes qui se remettent d'une ablation du sein, pour les familles et les amis de personnes disparues, pour ceux qui ont réchappé d'un suicide, pour la réinsertion sociale des drogués, etc.

Selon une estimation, les réseaux d'auto-assistance sont financés de l'intérieur plutôt que par des appels au public ; ils n'ont pas de dirigeants professionnels, ils n'excluent personne en ne contraignant pas les membres à suivre des lignes directrices rigides ; ils sont locaux, innovateurs, dépourvus d'idéologie et insistent sur une plus grande conscience de soi-même et une vie affective plus pleine et plus libre.

Le réseau de Robert Theobald, le Lien, est international, informatisé et fonctionne principalement par correspondance. Il a pour but d'aider les individus à effectuer la transformation nécessaire en cette période de déclin de l'ère industrielle. On y trouve des individus issus d'une variété de milieux sociaux : militaires, politiciens, infirmières, docteurs, historiens, pasteurs, éducateurs, physiciens nucléaires, ingénieurs. Parmi les sujets dont ces gens s'entretiennent, on peut citer : les changements de paradigme, la radicale transformation sociale, les expériences mystiques personnelles, la décentralisation, le pont entre l'Orient et l'Occident, les communautés d'intention, la simplicité volontaire, l'organisation de modèles bâtis sur la confiance et la communication, « des manières créatives de s'aider les uns les autres », « une technologie consciente », le pouvoir et la liberté dans les relations, le souci de « faire la différence ».

Pendant l'été 1979, le courrier du Lien s'accrut considérablement. Fait significatif, de nombreux membres réclamèrent des « sous-liens », c'est-à-dire le nom de personnes habitant dans leur voisinage et susceptibles de travailler avec eux à des projets précis. Ce besoin d'action par petits groupes est caractéristique de la Conspiration du Verseau.

Un autre réseau qui fonctionne principalement par le courrier est le Forum de correspondance et de contact, fondé en 1968 par des autorités comme Viktor Frankl, Arthur Koestler, Roberto Assagioli, Ludwig von Bertalanffy, Abraham Maslow, Gunnar Myrdal, E.F. Schumacher et Paolo Soleri.

Outre ces réseaux avec fichiers, ateliers et bulletins de liaison, il existe d'innombrables unions informelles qui s'enchevêtrent dans chaque institution ou organisation ; par exemple des infirmières et des médecins qui se sont groupés par affinités dans un hôpital, des professeurs et des étudiants dans une université. La collusion est souvent si discrète qu'elle passe inaperçue. D'ailleurs il n'y a habituellement pas de lutte importante, parmi les membres du réseau, pour des places ou des honneurs.

D'autres nouvelles sources de pouvoir

Certains spécialistes des sciences politiques ont spéculé sur la formation d'un parti « centriste » qui pourrait refléter à la fois les principes humanistes et la liberté économique. Mais comme les partis politiques sont précisément le type de structure sociale traditionnelle qui ne fonctionne pas bien, il paraît improbable qu'aucun n'émerge de la Conspiration du Verseau, ni, d'ailleurs, des mouvements sociaux en germe actuellement. L'énergie dépensée pour lancer un nouveau parti et des candidats opposés aux partis bien implantés serait autant d'énergie détournée d'entreprises plus rentables.

On peut imaginer des sources de pouvoir capables de favoriser la transformation sociale. Nous avons déjà abordé *le pouvoir de la personne*, inhérent au processus transformatif, la découverte que chacun d'entre nous fait « la différence dans le monde ». Nous avons évoqué *le pouvoir du réseau*, cette forme capable de catalyser et de mobiliser les gens dans le monde entier.

Le pouvoir de faire attention, de découvrir ce qui marche, d'affronter et de transformer les conflits, nous confère l'avantage d'être pleinement conscients, même en compagnie de ceux qui sont dépendants de ces cache-la-douleur sociaux que sont les distractions, le refus, le cynisme. La transformation délibérée du stress est un nouveau facteur dans l'histoire.

Il en est de même du *pouvoir de la connaissance de soi*. Jusqu'à ce que la technologie nous ait libérés de la lutte pour la vie, rares étaient ceux qui avaient le temps ou l'occasion de se livrer à l'introspection et d'explorer la psyché. La connaissance de soi conduit à un profond changement dans la définition du pouvoir chez un individu. A mesure que l'ego diminue, le besoin de dominer, de gagner, s'efface aussi. Il devient une sorte de pouvoir naturel de *ne pas* s'engager dans des jeux de pouvoir. L'énergie jusque-là investie dans une compétition anxieuse est libérée ; c'est le *pouvoir de laisser faire*.

Le pouvoir de flexibilité permet à l'adversaire potentiel de devenir une partie de la solution au problème, un peu comme l'adepte de l'aïkido récupère l'énergie de son adversaire. Cet aïkido politique canalise l'énergie dans une direction voulue, en partie en identifiant les besoins d'adversaires potentiels. Il aide ceux-ci à faire la transition, alors que les attaques de front durciraient leurs positions. La tâche principale d'une minorité éclairée n'est pas de combattre la majorité, mais, justement, de l'éclairer.

Toute minorité qui a compris le principe d'amplification d'une idée, comme un cristal-amorce placé dans une solution saturée qui s'accroît en ordonnant son environnement, peut voir son influence croître rapidement malgré son faible effectif. Il faut travailler *avec* la technologie et les formes sociales naturelles et non contre elles ; être flexible, être un catalyseur.

Le pouvoir de communication, qui s'accroît constamment, permet la transmission rapide de nouvelles idées, la contagion des visions, des bonnes questions, d'expériences, d'images. Là où il fallait une génération pour que s'accomplisse un changement dans une société non instruite, quelques jours suffisent dans une culture de communication de masse.

Le pouvoir de décentralisation émane de ce courant de nouvelles images, idées et énergies qui irrigue l'ensemble du corps politique. Les concentrations de pouvoir sont aussi antinaturelles et mortelles qu'un caillot de sang ou une ligne électrique non isolée.

Avec quelle lucidité Aldous Huxley écrivait-il que la transformation sociale vers un gouvernement décentralisé pouvait être obtenue le plus efficacement par une attaque simultanée sur tous les fronts : économique, politique, éducatif, psychologique. H. G. Wells préconisait aussi un changement dans tous les secteurs de la société, et non pas dans une institution seule.

Cette conception est analogue à la transformation dans les systèmes naturels, au changement inopiné de la structure dissipative. Le saut dans un nouvel ordre est soudain ; c'est tout ou rien. Même au niveau le plus simpliste, nous pouvons voir que tout aspect de transformation sociale présente un effet de remous. L'individu qui a appris à être responsable de sa propre santé a des chances de s'intéresser aux aspects politiques de la médecine, de l'environnement, du rôle de l'apprentissage dans la santé et la maladie, des aspects bénéfiques ou mortels des relations et du travail. C'est *le pouvoir d'un nouveau paradigme*, une perspective qui amène à la politique même ceux qui n'avaient jamais montré d'intérêt pour la politique habituelle.

Le pouvoir du processus reconnaît que le seul acte de réclamer notre autonomie nous transforme. Chaque pas que nous faisons sur la route de la liberté et de la responsabilité rend le pas suivant plus aisé. Les buts, les programmes et les emplois du temps sont moins importants que l'engagement lui-même. Comme le disait Gandhi, « le but recule toujours devant nous... Le salut réside dans l'effort et non dans l'atteinte. Le plein effort est une pleine victoire ».

Le pouvoir d'incertitude facilite l'innovation, l'expérimentation, le risque. Comme l'a dit Theobald, « il n'existe pas de route sans risque qui aille vers l'avenir ; nous devons choisir quel ensemble de risques nous désirons courir ».

Nous venons à être moins surpris lorsque des choses surprenantes se produisent. Après tout, dans un univers créatif, même un désastre apparent peut se révéler une découverte heureuse. Ce point de vue s'accorde avec l'ambiguïté. Il suppose que la plupart des résultats sont truqués et ne prétend pas résoudre une fois pour toutes ce qui est en flux perpétuel. Le politicien ou le citoyen qui veut reconnaître l'incertitude est libre d'apprendre, de se tromper, de s'adapter, d'inventer et de retourner à sa planche à dessin encore et toujours.

Le pouvoir de la totalité rassemble tout le pouvoir qui a été perdu par la fragmentation et l'ignorance. Il renforce nos options collectives en encourageant les talents et les idées de ceux qui ont pu ne pas être remarqués ou appréciés dans le passé. Une société qui récompense la diversité et les dons de tous ses citoyens récoltera une moisson plus riche qu'une société conformiste.

– *Le pouvoir de l'alternative* réside dans la reconnaissance du fait que nous avons plus de choix que nous l'avions pensé. En imaginant de nouvelles possibilités, nous pouvons refuser les options étouffantes et inacceptables que nous avons connues dans le passé. De même que le changement d'une personne provient de la prise de conscience de ses processus de pensée et lui montre les choix et les modes de réactions possibles dans une situation donnée, de même une société, une culture, peut devenir consciente d'elle-même, de son propre conditionnement, découvrant collectivement qu' « il ne faut pas que ça se passe comme ça ».

Trop souvent, il ne nous est même pas venu à l'esprit que nous avions le choix. A propos de ce qu'il appelle l' « alternativisme », Erich Fromm disait que les échecs de la plupart des gens proviennent de ce qu' « ils ne sont pas éveillés et ne voient pas quand ils se trouvent à un embranchement et qu'ils doivent décider ».

A mesure qu'un nombre croissant de gens parviennent à un sentiment d'autonomie, ils viennent à respecter les choix des autres. Même si l'on ne désire pas pour soi-même une philosophie ou un style de vie particuliers, on peut permettre aux autres d'avoir leurs options.

Tocqueville disait que nous sommes tous entourés par certaines formes de limites, « mais à l'intérieur de ce cercle nous sommes puissants et libres ».

Le pouvoir de l'intuition peut être étendu de l'individu au groupe. « Venez, allons boire à la source de l'intuition collective », invitait une brochure pour une conférence. Les groupes de la Conspiration du Verseau sont souvent à l'écoute d'une direction intérieure. Plutôt que de dresser la carte de leurs activités exclusivement par la logique, ils recherchent une forme d'accord général intuitif. Plus que de l'inventer, ils ont le sentiment de découvrir la direction de leur groupe. C'est comme si des équipes d'archéologues creusaient non pas pour connaître le passé, mais l'avenir.

Le pouvoir de la vocation est une forme de sentiment collectif de la destinée, non pas un mythe tout tracé, mais une recherche de sens, une compréhension tacite que les gens et les dirigeants croient en quelque chose qui dépasse le succès matériel, le nationalisme, la gratification immédiate.

A mesure que les valeurs spirituelles et humanistes viennent au premier plan, quelques politiciens s'efforcent de mettre en forme ce changement.

Le pouvoir de se retirer, aussi bien psychologiquement qu'économiquement, vient de la reconnaissance que nous pouvons reprendre le pouvoir que nous avons donné aux autres. Teilhard disait, « nous nous apercevons que, dans la grande partie engagée, nous sommes les joueurs, en même temps que les cartes et l'enjeu. Rien ne continuera plus, si nous quittons la table. Et rien non plus ne peut nous forcer à y rester assis ».

D'ingénieux boycottages économiques sont imaginés. Des groupes orientés vers la nutrition boycottent les produits de fabricants qui poussent l'audace jusqu'à vendre des mélanges pour biberons dans des pays en voie de développement où la mortalité infantile est aggravée par la nourriture artificielle. Ces groupes communautaires protestent contre le refus des prêteurs d'accorder des hypothèques dans certains secteurs — en retirant leurs économies des banques, des caisses d'épargne et des bureaux de prêt voisins, jusqu'à ce qu'ils acceptent d'investir une certaine quantité d'argent dans la communauté.

Tous nos grands prêtres — docteurs, scientifiques, bureaucrates, politiciens, hommes d'Eglise, éducateurs — sont en train de se faire défroquer ensemble. Fonçant là où les anges ont peur de poser le pied, nous défions les lois surannées pour en proposer de nouvelles, exerçant des pressions, boycottant, avisés que nous sommes désormais des pouvoirs cachés de la démocratie.

Le pouvoir des femmes

« Les femmes soutiennent la moitié du ciel », dit un proverbe chinois. Les femmes représentent la plus grande force de renouveau politique d'une civilisation profondément déséquilibrée. Tout comme les individus s'enrichissent en développant ensemble les aspects masculins et féminins du soi (indépendance et éducation des petits, intellect et intuition), de même la société ne peut que bénéficier d'un changement dans l'équilibre du pouvoir entre les sexes.

Le pouvoir des femmes est le baril de poudre de notre époque. A mesure que les femmes étendent leur influence en politique et au gouvernement, leur nature *yin* va repousser les limitations imposées par le vieux paradigme *yang*. Les femmes sont neurologiquement plus flexibles que les hommes et la culture les a autorisées à être plus intuitives, sensibles et sentimentales. Elles évoluent naturellement dans la complexité, le changement, les soins à la progéniture et l'éducation ; elles ont un sens du temps plus fluide.

On n'est plus à l'époque du féminisme militant, comme le montre la monographie de Patricia Mische, *Women and Power*. Au lieu de réclamer un morceau du gâteau que les hommes savourent depuis toujours, dit-elle, « nous devrions plutôt essayer de faire un autre gâteau à notre façon ». Les affaires humaines n'avanceront pas par la simple assimilation d'un effectif féminin croissant dans un monde de type bel et bien masculin. Hommes et femmes ensemble devraient plutôt façonner un nouvel avenir. Les femmes ont été déchirées entre la crainte de l'impuissance d'une part, et celle de leur capacité de détruire, d'autre part : « Nous avons tendance à refouler ces deux craintes, la première parce que l'impuissance est trop douloureuse à affronter, et l'autre parce que nous associons le pouvoir à des pulsions malveillantes. »

Lou Harris, des sondages d'opinion Harris, dit que les femmes l'emportent de loin sur les hommes dans leur souci des qualités humaines fondamentales ; elles se consacrent plus volontiers à la paix et s'opposent à la guerre, elles sont plus soucieuses des enfants maltraités, plus profondément émues par les manifestations de violence. « Par leur souci de préservation, les femmes représentent un ensemble neuf, puissant, sur la scène politique. »

Si nous redéfinissons le rôle du dirigeant, nous pouvons repenser celui des femmes en ce qui concerne la direction. James McGregor Burns a appelé « penchant du mâle » le fait de considérer la direction comme un simple contrôle ou commandement, alors qu'il s'agit de l'engagement et de la mobilisation des aspirations humaines. D'après lui, à mesure que nous sommes plus conscients de la vraie nature de la direction, « les femmes seront admises plus aisément au rôle de leader, et les hommes eux-mêmes changeront leur style de direction.

Selon la poétesse Adrienne Rich, le mode de pensée lui-même sera transformé. Les femmes peuvent apporter à la société les qualités vraiment nécessaires pour modifier la vie, pour une relation plus profonde avec l'univers. « La sexualité, la politique, l'intelligence, le pouvoir, la maternité, le travail, la communauté, l'intimité, vont développer de nouvelles significations. »

Partout où la Conspiration du Verseau est en marche et s'adonne à la santé holiste, à la science créative ou à la psychologie transpersonnelle, l'effectif féminin est bien plus grand que dans l'establishment. Par exemple, un tiers des membres fondateurs d'une nouvelle organisation médicale holiste étaient des femmes, comparé au 8,3 pour cent de femmes médecins aux Etats-Unis. Dans de telles organisations, non seulement les hommes apprécient les rôles féminins de direction, mais ils favorisent ouvertement ces qualités yin que sont l'intégration, l'empathie, la conciliation. Ils reconnaissent aux femmes une sensibilité plus grande au temps, aux saisons, à l'intuition dans les choix, une capacité à attendre. Gandhi a dit un jour que « si satyagraha doit être le mode de l'avenir, alors l'avenir appartient aux femmes ».

Le pouvoir du Centre radical

Le Centre radical paraît être la meilleure dénomination de la perspective politique de la Conspiration du Verseau. Cela ne veut pas dire neutre, ou au beau-milieu-de-la route, il s'agit d'une vision globale de la route.

De ce lieu privilégié, on découvre que les diverses écoles de pensée sur quelque sujet que ce soit, politique ou non, présentent des contributions intéressantes parmi des erreurs et des exagérations.

La plupart des mouvements historiques ont rédigé leur testament en même temps que leur manifeste. Ils ont été plus sûrs de ce à quoi ils s'opposaient que de ce qu'ils étaient. En prenant une position tranchée, ils ont déclenché une contre-offensive inévitable, désorientant dès le départ leur fragile identité. Alors se produit une rapide métamorphose faite d'autotrahison : les pacifistes se font violents, les défenseurs de la loi et de l'ordre bafouent la loi et l'ordre, les patriotes réduisent les libertés, les « révolutions du peuple » mettent en place de nouvelles élites, les nouveaux mouvements en art deviennent aussi figés que leurs prédécesseurs, les idéaux romantiques conduisent au génocide.

L'anthropologue Edward Hall se lamentait de notre incapacité culturelle à réconcilier ou à réunir les conceptions divergentes à l'intérieur d'un seul cadre de référence. Nous sommes tellement endoctrinés à séparer le vrai du faux, le gain de la perte, le tout du rien, que nous continuons à ranger toutes nos semi-vérités en deux piles : la vérité contre les mensonges, le marxisme contre le capitalisme, la science contre la religion, le romantisme contre le réalisme, et ainsi de suite. Selon Hall, nous agissons comme si de Freud ou de B. F. Skinner un seul avait vu juste dans le comportement humain, alors que les deux ont raison, selon l'optique que l'on adopte.

Les points de vue partiels nous contraignent à des choix artificiels, et notre vie est prise entre deux feux. Vite, choisissez ! Désirez-vous un homme politique compatissant ou lucide sur le budget ? Les médecins doivent-ils être humains ou efficaces ? Les écoles doivent-elles dorloter ou corriger les enfants ?

Les rares réformes qui ont eu du succès dans l'histoire, par exemple la constitution des Etats-Unis, font la synthèse des anciennes et des nouvelles valeurs. La tension dynamique, sous la forme du système de crises et d'équilibre, fut construite dans le paradigme de la démocratie. Quels que soient ses défauts, ce cadre s'est avéré étonnamment élastique.

Lorsque près de deux cents des Conspirateurs du Verseau les plus efficaces furent conviés, par le questionnaire, à se situer politiquement, beaucoup exprimèrent leur incapacité. Certains cochèrent toutes les cases : radical, libéral, centriste, conservateur, en s'excusant. D'autres rayèrent l'ensemble du spectre. D'autres encore écrivirent des notes en marge : « libéral, mais... », « radical pour certains aspects, conservateur pour d'autres » ; « ces catégories ne conviennent pas », « radical, mais pas dans le sens habituel », « ces choix sont trop linéaires, « les vieilles catégories n'ont plus d'intérêt ».

Les politiciens du Centre radical sont facilement mécompris et particulièrement vulnérables aux attaques, quelles que soient leurs réalisations, car ils n'ont pas de positions bien arrêtées. La haute tolérance qu'ils montrent envers l'ambiguïté et leur volonté de pouvoir toujours changer leurs propres façons de voir, les exposent aux accusations d'arbitraire, d'inconséquence, d'hésitation et même d'hypocrisie.

Traditionnellement, nous cherchons à identifier nos amis et nos ennemis. Les groupes de pression, les réalités politiques et les médias, jouant les deux côtés l'un contre l'autre, obligent habituellement les politiciens à adopter des positions tranchées. Mais, plus tôt qu'on ne le croit, le Centre radical aura une position viable. L'accroissement du nombre des nouveaux mouvements, par leurs pressions, leurs manifestations et en se combinant avec les groupes traditionnels d'intérêts particuliers, peut finalement contraindre les politiciens à chercher un juste chemin à travers ce champ de mines qu'est la politique. Les politiciens peuvent finalement ne plus avoir d'autre choix que de dépasser les dilemmes antinomiques.

Willis Harman a souligné que la conception d'un soi transcendant, ultimement responsable, est centrale dans toute la théorie du gouvernement démocratique. A ce niveau, les tendances peuvent être réconciliées. En retrouvant le sens traditionnel des termes « conservateur » et « libéral », nous pouvons tous travailler à sauvegarder ce qui présente de la valeur, et nous pouvons tous être libres d'innover et de changer.

Il est difficile et souvent impossible de réaliser un nouveau projet politique dans un vieux système où s'enchevêtrent les alliances, les dettes, les inimitiés et qu'agitent les intérêts de ceux qui préservent désespérément le *statu quo*. Les premiers politiciens qui iront à tâtons vers le Centre radical peuvent échouer ou n'avoir qu'un effet réduit, comme les scientifiques qui ont fait des « découvertes prématurées ». Mais ce n'est qu'un début.

L' « autodétermination »

Comme on pouvait s'y attendre, l'engagement des citoyens dans la « politique de transformation » est plus évident en Californie que partout ailleurs, et de nombreux législateurs participent aux réseaux et conférences ayant pour sujet l'augmentation de conscience. En 1976, une coalition de législateurs de l'Etat, de membres du Congrès, et de citoyens, a formé une organisation aux dimensions de l'Etat, « Autodétermination ». Les fondateurs de ce réseau « personnel/politique » affirment dans leur invitation à les joindre :

> Autodétermination propose une alternative pratique et efficace au cynisme : changer à la fois nous-mêmes et la société en transformant

les mythes les plus fondamentaux qui sont la base de notre vie, nos hypothèses sur notre nature et nos potentialités...

Une telle transformation se produit déjà en Amérique. Désormais, nombreux sont ceux qui vivent avec une conception positive de soi et de la société. Nous voulons maintenant qu'elle apparaisse au public dans toute sa vitalité. Nous développons des principes d'action sociale et de changement des institutions qui reposent sur une vision pleine de foi en qui nous sommes et qui nous pouvons être.

Le réseau n'exerce pas de pressions, ne se concentre pas sur un sujet particulier, mais vise à promouvoir l'interaction entre les personnes et les institutions afin que de ces relations naisse plus de pouvoir. Le psychologue Carl Rogers a souligné la signification d'Autodétermination, qu'il réussisse ou qu'il échoue. « Un type totalement nouveau de force politique est né. Même dans son processus il est centré sur la personne. Pas de responsable unique, pas de grand nom... Il ne s'agit pas d'un tremplin vers le pouvoir. »

Le nouveau pouvoir se manifeste par l'émergence d'un nouveau type de personne, « un type qu'on n'a pas rencontré auparavant, à l'exception peut-être de rares individus ». Selon Rogers, « c'est un nouveau phénomène. Nous avons eu, certes, quelques individus comme Thoreau, mais jamais des centaines de milliers, jeunes autant qu'âgés, prétendant obéir à certaines lois et désobéir à d'autres en se fondant sur leur propre jugement moral personnel ». Ces nouvelles personnes refusent d'exécuter un ordre pour l'amour de l'ordre. Ils se mettent à l'action tranquillement, sans fanfare, « ouvertement, mais sans défi ». Ils agissent en petits groupes non hiérarchisés pour humaniser les institutions de l'intérieur. Ils veulent ignorer les règles dépourvues de sens. Pour eux « tout est possible... Ce type nouveau d'individus n'a soif ni de pouvoir ni de réussite ; et s'ils recherchent un pouvoir, c'est pour autre chose que des motifs purement égoïstes ».

Rogers conclut : « Voici des tendances qui ne sont pas alarmantes, mais plutôt passionnantes. En dépit de l'obscurité du présent, notre culture est à la veille d'effectuer un grand saut évolutionnaire et révolutionnaire. »

La conspiration au gouvernement

Dans les bureaucraties, dans chaque coin du gouvernement, des êtres humains conspirent pour le changement. Un Conspirateur du Verseau au niveau ministériel du gouvernement des Etats-Unis a organisé des ateliers de développement humain pour aider à favoriser le changement dans son équipe ministérielle. Il a déclaré : « Si l'on veut changer les bureaucraties, on doit d'abord changer les bureaucrates. »

En avril 1979, des représentants des ministères américains du Commerce, de l'énergie et de l'intérieur ont rencontré des dirigeants de l'Association pour la psychologie humaniste afin de discuter des implications des changements de valeurs et des perspectives de changement social, une rencontre que le *Washington Post* a saluée comme un effort de la part des bureaucrates pour élargir leur vision.

Après tout, un gouvernement, ce n'est pas des « ils ». Dans une bureaucratie, on trouve de nombreux individus dont les attachés-cases sont remplis de programmes créatifs et de nouveaux paradigmes, et qui n'attendent qu'une administration plus ouverte ou le moment opportun. Un bureaucrate expérimenté de l'Institut national de la Santé mentale a révélé qu'il existe une coalition informelle de conspirateurs dans les agences et dans les équipes du Congrès. A l'intérieur du ministère de la Santé, de l'Education et du Bien-Etre, des innovateurs ont créé des groupes d'action informels afin de partager leurs stratégies d'inoculation des nouvelles idées dans un système résistant et de se soutenir moralement les uns les autres.

Des projets qui autrement apparaîtraient irréalisables peuvent, par le seul fait d'un programme de subventions fédérales, accéder à la reconnaissance officielle. L'appareil gouvernemental qui accorde les crédits détermine ce qui est à la mode dans les champs de recherche. Cette aura d'officialité, des conspirateurs-bureaucrates tâchent de l'obtenir pour tel ou tel projet.

Le gouvernement représente une source immense d'énergie : des gens, de l'argent, de l'autorité. L'aïkido politique, ce pouvoir qui provient du retournement à son avantage de l'énergie d'un adversaire potentiel, peut inclure l'utilisation de fonds gouvernementaux et même de subventions militaires au profit de recherches en psychologie humaniste et de projets pilotes, comme ce fut le cas pour la méditation, le biofeedback, les phénomènes psi et des approches médicales alternatives. Les conspirateurs vont chercher le pouvoir là où il est pour le redistribuer.

Notre pouvoir est là pour être saisi. Il est libre, inhérent à la nature. Il suffit de le réclamer. Dans la mesure où les règles et les antécédents ont muselé notre capacité à devenir tout ce que nous pouvons être, chacun de nous doit s'engager dans sa propre forme de désobéissance civile.

Platon a dit un jour que la race humaine ne se débarrasserait pas de ses maux tant que les philosophes ne deviendront pas des rois et les rois des philosophes. Il existe peut-être une autre solution ; à mesure qu'un nombre croissant de gens viennent à assumer la direction de leur propre vie, ils deviennent leur propre pouvoir central. Comme le dit un proverbe scandinave : « En chacun de nous il y a un roi. Parle-lui et il apparaîtra. »

C'est la nouvelle vision du monde qui donne naissance à la nouvelle politique. Nous changeons à mesure que nous découvrons ce qui est réel, ce qui est juste, ce qui est possible. C'est le « retournement de l'esprit » tant attendu.

« Commence ici, maintenant, avec toi-même », dit John Platt dans son livre *Un pas vers l'homme.* « Commence ici, en ce lieu du réseau humain. Tu n'as pas à être riche, influent ou brillant ; même les pêcheurs peuvent retourner le monde de fond en comble. S'ils le peuvent, tu le peux... Toutes les potentialités évolutives de l'avenir sont contenues dans le monde à cet instant. »

Les individus et les groupes traduisent en action leurs découvertes intérieures. Le prix Nobel de la Paix 1977 a été décerné aux « hommes et aux femmes ordinaires », aux pacifistes d'Irlande du Nord et à Amnesty International. Selon Mairead Corrigan, « Notre monde court au désastre, mais il n'est pas trop tard pour démontrer le pouvoir de l'amour... »

« S'il y a une nouvelle politique, a dit un Conspirateur du Verseau, elle transcende complètement toutes les anciennes étiquettes. C'est une perspective spirituelle bio-psycho-sociale riche d'implications. »

Une politique de l'esprit, du corps, de la psyché, de la société... La nouvelle conscience politique n'a plus grand-chose à voir avec les partis ou les idéologies. Un vieux slogan se concrétise, non pas par la révolution ou la protestation, mais, contre toute attente, par l'autonomie : *le pouvoir au peuple.* L'un après l'autre après l'autre...

CHAPITRE VIII

GUÉRIR PAR SOI-MÊME

La parfaite santé et le plein éveil sont en réalité la même chose.

Tarthang TULKU

Quelque chose que nous dissimulions nous a rendus faibles
Jusqu'à ce que nous découvrions que c'était nous-mêmes.

Robert FROST

L'ESPOIR d'une transformation sociale réelle n'a pas besoin de s'attacher à des preuves tangibles. Un domaine majeur, la santé, connaît déjà des changements drastiques. La transformation naissante de la médecine est une vitrine de la transformation de toutes nos institutions.

C'est là que nous pouvons voir ce qui se produit lorsque les consommateurs se mettent à retirer sa légitimité à une institution autoritaire. Nous assistons dans ce domaine à la montée de nouvelles tendances : l'affirmation de l'individu autonome, gérant de sa propre santé, la transformation d'une profession par ses dirigeants, l'influence des nouveaux modèles venus de la science, et la façon dont les réseaux décentralisés peuvent répercuter les changements sur une grande échelle.

Nous pouvons apprécier le pouvoir d'une minorité quand il s'agit d'accélérer un changement de paradigme, le pouvoir des médias et des communications informelles pour modifier nos attentes et nos conceptions de la santé, l'avantage de la « politique aïkido » sur la confrontation ou la rhétorique, l'utilisation des sources nouvellement accessibles, les potentialités qu'offrent les psychotechniques et l'intérêt porté récemment à l'intuition, aux rapports humains et à l'écoute intérieure.

L'autonomie, si évidente dans les mouvements sociaux, frappe les vieilles conceptions de la médecine sclérosée. La quête du soi devient une quête de la santé, de la totalité, ce lieu caché tout de sagesse et de bien-être mental qui jusqu'ici semblait hors d'atteinte de la conscience. Si nous répondons à ce message qu'est la douleur ou la maladie, à cette exigence d'adaptation, nous pouvons effectuer une percée vers un nouvel état de bien-être.

Malgré son conservatisme bien connu, la médecine occidentale subit une revitalisation étonnante. Les patients comme les professionnels commencent à se préoccuper, par-delà les symptômes, du contexte de la maladie : le stress, la société, la famille, le régime alimentaire, les cycles biologiques, les émotions, etc. Tout comme l'attitude déterminée d'un nouveau groupe de citoyens peut conduire à une nouvelle politique, l'affirmation par les patients de leurs besoins peut changer la pratique médicale. Les hôpitaux, longtemps les bastions d'une efficacité rigide, s'activent à assurer un environnement plus humain lors de la naissance ou de la mort, à rendre le règlement plus flexible. Les écoles de médecine, dont la fonction était d'écumer la froide académie, s'efforcent d'attirer des étudiants plus créatifs, plus ouverts aux relations humaines. Portés par une vague de données nouvelles en psychologie de la maladie, les médecins qui séparaient le corps et l'esprit essayent désormais de les rassembler.

Personne n'avait réalisé combien l'ancien modèle médical était vulnérable. En l'espace de quelques années et sans heurts, le concept de *santé holiste* a été reconnu par des programmes de recherche officiels, appuyé par des hommes politiques, recommandé et garanti par des compagnies d'assurances, adopté par des étudiants en médecine et pratiqué — au moins pour la terminologie — par de nombreux médecins. Les consommateurs viennent à réclamer une « santé holiste », toute une nouvelle génération d' « entrepreneurs » la promet et des groupes médicaux sont à la recherche de commentateurs pour l'expliquer.

Prenant son propre pouls, la médecine américaine a affirmé son besoin de réformes, de se soucier des valeurs, de l'éthique et des relations humaines. Par exemple, la plupart des médecins n'ont reçu qu'une formation très réduite sur la confrontation avec la mort non seulement pour conseiller les patients et leurs proches, mais aussi pour faire face à leurs propres sentiments de défaite et de peur.

On trouve de plus en plus d'articles dans la presse médicale traitant du contexte humain. Un ancien rédacteur du *Journal of the American Medical Association* a évoqué l'importance qu'il donnait au toucher — une tape dans le dos, une poignée de main chaleureuse. D'après lui, les médecins modernes « écoutent » peut-être mieux les organes que les bons cliniciens, mais ceux-ci étaient plus à l'écoute des *gens*. « Il me semble qu'une certaine atrophie de notre capacité de diagnostic s'est produite lorsque l'observation subjective a été remplacée par des données objectives en laboratoire. » Un éditorial d'une autre publication médicale exprime sa préoccupation envers les « talents insaisissables » — le besoin pour les nouveaux médecins de reconnaître les aspects psychologiques, sociaux et spirituels de la maladie.

La médecine toi-moi

Il semble que nous ayons traversé une période de « science » médicale, et que nous soyons en train de réhabiliter le cœur. Les médecins eux-mêmes évoquent cette dimension de la guérison qui a été délaissée. On a pu lire dans *American Medical News* : « Les médecins doivent reconnaître que la médecine n'est pas leur chasse gardée, mais une profession dans laquelle l'enjeu est vital pour tous... Cela va demander au corps médical beaucoup de diplomatie pour corriger cette faillite majeure qu'est le sentiment éprouvé par les patients d'un amour non partagé. »

Un article publié dans un journal pour les dentistes, citant Teilhard, affirmait que l'amour est l'agent de la synthèse universelle.

Dans *Modern Medicine*, un médecin constate amèrement que « les barmen parviennent à remettre les gens en forme, alors qu'habituellement les médecins font l'inverse ». On a abandonné la chaleur et la douceur à d'autres thérapeutes, dont beaucoup n'appartiennent pas au corps médical. « Les médecins se retrouvent avec leurs ordonnances et leurs feuilles de maladies, à pratiquer leur « art » toujours plus automatisé, clinquant, scientifique et impersonnel. »

Un chirurgien raconte, dans un essai poignant, la visite du médecin du Dalaï Lama dans un hôpital américain. Il décrit la façon dont ce médecin tibétain effectua un diagnostic en prenant le pouls d'une malade :

> Il resta ainsi une demi-heure, suspendu au-dessus de la patiente comme un oiseau d'or exotique aux ailes repliées, tâtant sous ses doigts le pouls de cette femme, tenant délicatement sa main dans la sienne. Tout le pouvoir de cet homme semble s'être rassemblé à cette seule fin... Et je sais que moi, qui ai pourtant palpé des centaines de milliers de pouls, n'en ai pas vraiment senti un seul.

Il ajoute que le Tibétain a pu faire ainsi un diagnostic exact d'un type précis de désordre cardiaque congénital, en se fondant seulement sur l'étude du pouls.

William Steiger, chef du service de médecine générale d'un hôpital de Virginie, définit devant un groupe de médecins l'empathie comme ce que

Martin Buber a nommé *Toi-Moi,* et les examens et les tests objectifs et nécessaires comme le *Ça-Moi.* Steiger cita cette formule de Buber « la connaissance est une autopsie effectuée sur le cadavre de la réalité vivante ». Et il ajoute : « Le Ça-Moi est un monologue, le *Toi-Moi* est un dialogue, ils sont complémentaires. » Lorsqu'un problème médical persiste, le médecin entreprend habituellement de nouveaux tests de laboratoire, c'est-à-dire un accroissement de *Ça-Moi,* alors que ce qui s'impose en cette occasion, c'est une compréhension humaine plus profonde — un accroissement de *Toi-Moi.*

« L'attitude thérapeutique véritable devrait être de se demander : comment puis-je aider ? Nous devrions offrir notre soutien et notre chaleur *avant* d'ordonner le moindre examen. »

La crise de la santé

Un changement aussi rapide n'aurait pu être déclenché ni par une approche délicate, ni par la conspiration, si la médecine n'avait pas été encerclée par la crise. Crise économique, crise de ses performances, et crise de sa crédibilité.

Comme un emballage qui cache un cadeau décevant, la brillante technologie a traité de manière éblouissante certains problèmes aigus, comme les inoculations et les interventions chirurgicales de haute technicité, mais ses échecs dans les maladies chroniques et dégénératives, comme le cancer et les maladies cardiaques, ont conduit les thérapeutes et le public à regarder dans de nouvelles directions.

La médecine s'est aliéné notre sympathie par ses coûts qui ont grimpé au-delà de nos moyens, si ce n'est pour les gens aisés ou bien portants, par sa spécialisation et sa froideur, cette approche quantifiante qui balaye les rapports humains traditionnels, et par le désespoir croissant de ceux qui n'arrêtent pas de dépenser sans recouvrer pour autant la santé.

Les soins de santé, y compris l'assurance maladie, sont maintenant la troisième industrie des Etats-Unis ; les coûts médicaux représentent en gros 9 % du produit national brut. On trouve des hôpitaux voisins avec des équipements coûteux qui font double emploi, certains docteurs ordonnent des examens de laboratoire qui ne sont pas nécessaires, afin de se protéger des procès pour mauvaise pratique (« médecine défensive »). Même une simple visite de médecine générale représente désormais une dépense importante pour un revenu moyen. L'envolée des coûts, notamment des dépenses hospitalières, a rendu impossible d'arrêter un quelconque plan national sur la santé.

Même ceux pour qui les coûts ne sont pas un problème peuvent n'acheter que des échecs technologiques. Par exemple, une étude britannique portant sur trois cent cinquante patients souffrant de désordres coronariens pris au hasard, a montré que le taux de mortalité chez ceux qui se trouvaient dans des unités de soins intensifs était plus élevé que chez ceux qui se soignaient à la maison. Un porte-parole fédéral a comparé récemment ce qu'on appelle la guerre contre le cancer à un « Vietnam médical ». Les milliards dépensés, les assauts de la technologie n'ont pas rapporté grand-chose. Le taux de mortalité pour la plupart des cancers majeurs n'a pas changé significativement en vingt-cinq ans, malgré un progrès dans l'éducation du public, de nouveaux médicaments, de meilleures techniques d'irradiation et de chirurgie. On a estimé que pas moins d'un million d'admissions à l'hôpital chaque année sont dues à quelque forme de réaction aux médicaments et que les maladies causées par les effets secondaires des traitements ajoutent peut-être huit milliards de dollars aux cinquante milliards que représente la facture médicale totale annuelle.

Des opérations brillantes voient le jour un peu comme des modes intellectuelles. Des milliers de patients subirent des opérations coronariennes avant que des études tardives n'aient révélé que la plupart tiraient autant de bénéfice des drogues que de cette chirurgie dangereuse et coûteuse. Mais le rêve technologique prend toute sa dimension pathétique dans la recherche stérile, étalée sur un siècle, d'un calmant de la douleur puissant et qui n'entraîne pas de dépendance.

L'un des principaux problèmes médicaux de notre époque est la maladie *iatrogénique.* Cela veut dire littéralement « causée par le docteur ». La maladie iatrogénique résulte de complications chirurgicales, d'erreurs de médication, d'effets secondaires de drogues et d'autres traitements et de l'influence débilitante de l'hospitalisation.

Il n'y a pas si longtemps, lorsque les médecins représentaient le summum du statut social et du service humanitaire, des mères toutes fières parlaient de « mon fils le docteur ». De nos jours, le pauvre docteur fait pitié ; il a de trente à cent fois plus de risque que la population générale d'être dépendant de médicaments. Il a plus de risque de souffrir de maladies coronariennes ; plus de risque d'être un alcoolique, d'être poursuivi en justice et de faire une tentative de suicide.

Un sondage Gallup récent a révélé que 44 % du public ne croient *pas* que les médecins aient une éthique et une honnêteté élevées » ; quel soufflet pour cette profession si longtemps vénérée...

Un sous-comité du Sénat pour la santé rappelle que la médecine est à la charnière de la technologie et des relations humaines ; mais ces dernières « ont été à ce point ignorées dans les dernières décennies, que la médecine risque de perdre une grande partie de son utilité ». Rétrospectivement, et à la lumière des récentes découvertes scientifiques, il nous est possible de considérer certaines des options tragiquement erronées de la médecine du XXe siècle, et il n'est pas surprenant d'y rencontrer les mêmes erreurs que dans nos autres institutions sociales. Nous avons surestimé les bénéfices de la technologie et des manipulations externes, nous avons sous-estimé l'importance des relations humaines et la complexité de la nature. Le biologiste René Dubos écrit dans *Chercher :* « Ce qu'il faut, c'est apprendre à reconnaître les potentialités de la nature humaine... »

L'émergence du paradigme de la santé

Le nouveau paradigme de la santé et de la médecine élargit le cadre de l'ancien en incorporant de brillants progrès technologiques tout en réhabilitant de vieilles intuitions humanistes. Il rend compte de nombreux phénomènes jusque-là inexplicables. Ses pouvoirs de cohérence et de prévision l'emportent sur ceux de l'ancien modèle. A la prose de la science courante, il ajoute le feu et la poésie de la science inspirée.

« Holiste » : lorsque cet adjectif est appliqué convenablement aux soins de santé il renvoie à une approche qualitativement différente, qui respecte l'interaction de la psyché, du corps et de l'environnement. Par-delà l'approche allopathique du traitement des symptômes de la maladie, elle cherche à résoudre le manque d'harmonie sous-jacent qui est la cause du problème. Une approche holiste peut inclure une variété d'outils de diagnostic et de traitements, certains orthodoxes, d'autres non. Une comparaison très simplifiée des deux paradigmes montrerait les points principaux suivants :

CONCEPTIONS DE L'ANCIEN PARADIGME DE LA MÉDECINE	CONCEPTIONS DU NOUVEAU PARADIGME DE LA SANTÉ
Traitement des symptômes.	Recherche des structures et des causes, plus traitement des symptômes.
Spécialisé.	Intégral. Soucieux de l'ensemble du patient.
Accent mis sur l'efficacité.	Accent mis sur les valeurs humaines.
Le professionnel devrait être affectivement neutre.	Les attentions du professionnel sont une composante de la guérison.
La douleur et la maladie sont totalement négatives.	La douleur et la maladie sont une information émanant du conflit, du manque d'harmonie.

Intervention principale par la chirurgie ou les médicaments.	Intervention minimale avec la « technologie appropriée », de concert avec toute une panoplie de techniques non envahissantes (psychothérapie, régime alimentaire, exercice).
Le corps vu comme une machine en bon ou mauvais état.	Le corps vu comme un système dynamique, un champ d'énergie à l'intérieur d'autres champs, à l'intérieur d'un contexte.
La maladie ou l'incapacité vues comme une chose, une entité.	La maladie ou l'incapacité vues comme un processus.
Volonté d'éliminer les symptômes, la maladie.	Volonté d'atteindre un bien-être optimal, une « méta-santé ».
Le patient est dépendant.	Le patient est (ou devrait être) autonome.
Le professionnel est une autorité.	Le professionnel est un partenaire thérapeutique.
Le corps et la psyché sont séparés ; une maladie psychosomatique est mentale et peut être confiée à un psychiatre.	Continuum corps-psyché ; une maladie psychosomatique relève de tous les professionnels des soins de santé.
La psyché est un facteur secondaire dans une maladie organique.	La psyché est le facteur principal ou équivalent dans *toutes* les maladies.
L'effet placebo montre le pouvoir de la suggestion.	L'effet placebo montre le rôle de la psyché dans la maladie et la guérison.
Confiance essentiellement dans l'information quantitative (diagrammes, tests, données).	Confiance essentiellement dans l'information qualitative, incluant les rapports subjectifs du patient et l'intuition du professionnel ; les données quantitatives sont auxiliaires.

La « prévention » est largement environnementale : vitamines, repos, exercice, vaccinations, usage du tabac déconseillé.	La « prévention » englobe la totalité des aspects de la vie : travail, relations humaines, motivations, corps-psyché-esprit.

On peut noter le parallèle entre les conceptions du nouveau paradigme et les découvertes scientifiques discutées au chapitre VI : les systèmes dynamiques ; la transformation du stress ; le continuum corps-psyché ; une nouvelle appréciation, non pas seulement des quantités, mais des qualités.

La matrice de la santé

Edward Carpenter condamnait les théoriciens en médecine de son époque, car ils étaient uniquement préoccupés par la maladie. Ils devraient plutôt essayer de comprendre la santé, disait-il. La santé est une harmonie qui gouverne, tout comme la lune gouverne les marées. Nous ne pouvons pas plus manipuler le corps pour l'amener à la santé par des soins extérieurs que nous ne pouvons contrôler le flux et le reflux des marées par « un système organisé de balais-éponges ». Le plus grand effort extérieur ne peut produire « ce que le pouvoir central effectue aisément et avec une grâce providentielle et infaillible ».

Selon Gérard Briche, (auteur de *Funiculum Vitae. Pour un nouveau malade*, édité par l'auteur), « la santé n'intéresse pas la médecine. Sans doute est-elle une affaire trop sérieuse pour cela. La médecine a pour objet la maladie. Et de préférence la maladie sans les malades, c'est-à-dire la seule pathologie « universitaire », sans toutes les composantes compliquées qui amènent ou même « appellent » la maladie chez un individu donné ». Il signale que le discours médical est allé jusqu'à définir la santé par la maladie (« la santé comme absence de maladie ») et même jusqu'à nier la (bonne) santé (Knock, ou le triomphe de la médecine : « Un bien portant est un malade qui s'ignore »).

Au contraire, l'Organisation mondiale de la Santé (O.M.S.) définit ainsi la santé : « Un bien-être physique, mental et social. » On ne peut pas faire une injection intraveineuse de bien-être ou rédiger une ordonnance pour en prendre plusieurs cuillérées par jour. Le bien-être provient d'une matrice : le *continuum* corps-psyché. Il reflète l'harmonie somatique et psychologique. Comme l'a dit un anatomiste, « le guérisseur en nous est l'entité intégrée la plus sage et la plus complexe de l'univers ». Nous savons maintenant qu'en quelque sorte il y a toujours un docteur à la maison.

Un praticien a reconnu qu' « on ne peut pas délivrer une santé holiste ». Elle naît d'une attitude : une acceptation des incertitudes de la vie, une volonté d'accepter la responsabilité comme une habitude, un mode de perception et de traitement du stress, des relations humaines plus satisfaisantes, et le sentiment d'avoir un but dans la vie.

Il y a deux cents ans, l'Académie des sciences française expulsa Mesmer en déclarant que l'hypnose était une fraude, « rien que de l'imagination ». « S'il en est ainsi, répliqua un contestataire, quelle chose merveilleuse que l'imagination. »

Dans son ouvrage *L'Hypnose entre la Psychanalyse et la Biologie,* le Dr L. Chertok dresse le bilan expérimental et théorique de son domaine en soulignant le rôle de plus en plus évident de la psyché sur les appareils physiologiques (systèmes végétatif, endocrinien, immunologique). Il conclut pourtant avec humilité au « non-savoir des psy » : « Nous sommes dans une ignorance quasi totale des mécanismes de l'hypnose et de la suggestion... Pour sortir de cette impasse, il semble qu'une véritable révolution épistémologique soit nécessaire. » Il ajoute, « seul, à notre avis, un progrès dans la connaissance de l'affect, instance psychobiologique, pourrait sortir la théorie de l'impasse dans laquelle elle erre aujourd'hui ».

Bien qu'elle ne sache pas *comment* les croyances et les attentes peuvent affecter la santé, la science médicale sait donc bien désormais qu'elles en sont capables et que leur influence est même cruciale. « L'effet placebo » renvoie désormais à quelque chose d'autre que les substances inactives (pilules de sucre, injections d'eau salée) données à des patients difficiles. La réputation du docteur, l'ambiance de l'équipe de l'hôpital, le renom du centre médical, l'aspect ésotérique d'un traitement particulier — tous ces facteurs peuvent contribuer à guérir en « colorant » positivement les attentes des patients. Il existe aussi un « effet nocebo », l'opposé du placebo. Lorsqu'on a donné une substance inactive à des sujets dans une expérience, en leur disant que cela leur provoquerait un mal de tête, les deux tiers ont ressenti un mal de tête.

Le placebo active une capacité de l'esprit présente en permanence. Comme nous l'avons vu précédemment, la recherche a montré que la disparition de la douleur par placebo est due, apparemment, à la libération par le cerveau d'un analgésique naturel. Pourtant, la plupart des docteurs et des infirmières continuent à traiter le placebo comme un truc qui marche chez les gens dont le mal n'est pas « réel », malentendu qui provient d'une idée naïve de la réalité, et de l'ignorance du rôle de l'esprit dans l'expérience créative.

La croyance du thérapeute est également capable de modifier l'efficacité du traitement. Dans une série d'expériences décrites par Jerome Frank, une autorité en matière de placebo, on avait donné à des patients un calmant doux ou bien un placebo, ou encore de la morphine. Quand les *docteurs* pensaient qu'ils avaient administré de la morphine, le placebo était deux fois plus efficace que lorsqu'ils pensaient qu'ils avaient donné un analgésique doux ! Dans une étude similaire, on distribua à des patients psychotiques un tranquillisant léger, ou bien un tranquillisant puissant, ou encore un placebo. Les effets du placebo furent bien plus grands lorsque les docteurs pensaient qu'ils avaient donné le médicament puissant plutôt que le léger.

Pour le Dr Rick Ingrasci, cofondateur du réseau Interface, l'effet placebo offre une preuve spectaculaire que *toute* guérison est essentiellement une autoguérison. Ses expériences avec des patients l'ont conduit à cette conviction que, une fois libérées les tendances négatives, la guérison s'installe automatiquement. « C'est comme s'il existait une force vitale ou un principe d'ordre capable de rétablir notre état naturel — de totalité et de santé — si nous pouvons simplement abattre ces barrières que sont les attentes négatives... le cynisme, la méfiance, la peur... Les effets à long terme peuvent s'avérer une réelle transformation pour nous-mêmes et la société. »

L'attention peut changer la matrice de la maladie

Il est plus important d'enseigner aux gens comment changer la matrice de leur maladie — le stress, les conflits, les soucis, qui concourent à la provoquer — que de les tromper avec des placebos.

Le rôle de la conscience modifiée en guérison peut être la découverte la plus importante de la science médicale moderne. Par exemple, considérons l'extraordinaire variété de maladies traitées par le biofeedback : l'hypertension, les attaques, les ulcères, l'impuissance, l'incontinence, le bourdonnement d'oreilles, la paralysie après une attaque, les maux de tête, l'arthrite, l'arythmie cardiaque, les hémorroïdes, le diabète, la maladie de Parkinson, le grincement de dents.

La clef est dans l'attention. Il y a plusieurs années, des chercheurs de la Fondation Menninger ont rapporté que des patients étaient capables de stopper leurs migraines en augmentant la température de leurs mains. Ils pensèrent que le fait de retirer du sang de la tête pour accroître la température des mains pouvait soulager les vaisseaux sanguins congestionnés qui causaient le mal de tête. Le contrôle de la température par le biofeedback devint une méthode populaire et pleine de succès pour traiter la migraine. Mais d'autres chercheurs sur le biofeedback découvrirent que certains patients pouvaient arrêter leur migraine en *diminuant* la température de leurs mains, ou encore en la diminuant parfois ou en l'augmentant d'autres fois.

On voit combien la clef de la santé ne dépend pas d'un simple changement physique, mais plutôt de l'état d'esprit, qu'on l'ait nommé « repos vigilant », « volition passive », ou « laisser-faire délibéré ». Comme la glace qui se libère lors de la fonte printanière, les causes de stress paraissent s'évanouir sous l'effet de cette attention paradoxale, en rétablissant le courant naturel dans ce tourbillon qu'est le *continuum* psychosomatique.

Le stress ne peut pas être esquivé. Une nouvelle information, le bruit, la tension, les embouteillages, les conflits personnels, la compétition s'ajoutent au stress des maladies qui nous affligent en ce XXe siècle

Ou bien, est-ce que le stress *est* le coupable ? Peut-être que ce dont nous souffrons réellement, c'est de maladies qui nous permettent d'éviter le changement. Notre vulnérabilité au stress semble être due plus à notre interprétation des événements qu'à leur malignité propre. La célèbre remarque de Roosevelt, « la seule chose que nous avons à craindre est la crainte elle-même », s'applique tout autant au *continuum* psychosomatique.

Kenneth Pelletier, psychologue à l'Ecole de médecine de l'université de Californie à San Francisco et qui a consacré presque toute la décennie passée à enseigner aux gens à affronter le stress, fait remarquer que le corps ne sait pas distinguer entre une menace réelle et une menace imaginaire. Nos soucis et nos attentes négatives se traduisent en maladie physique, car le corps se comporte comme s'il était en danger, même si la menace n'a pas de fondement.

Nous pouvons composer naturellement avec un stress à court terme grâce à la réaction parasympathique de repos et de renouvellement du corps. Mais le stress à long terme, « une tuile après l'autre », typique de la vie moderne, nous fait payer un lourd tribut par suite du manque d'occasions de rétablissement entre les causes de stress. Lorsque Pelletier a étudié des méditants en laboratoire, il découvrit non seulement des réponses psychophysiologiques hautement intégrées, mais la capacité de déclencher une phase parasympathique dans le corps. « Les yogis ont appris à s'évader de ces niveaux excessifs d'activité neurophysiologique autostressante et à se calmer simplement d'eux-mêmes. »

La plupart d'entre nous souffrons de ce qu'il a nommé le « cycle de destruction cumulative. Le remède consiste à être attentif, à laisser l'attention investir son existence ». Etre attentif au stress dans un état relaxé le transforme. La méditation, le biofeedback, les techniques de relaxation, le training autogène, la course, l'écoute de la musique — chacune de ces pratiques peut aider à amener la phase de récupération corporelle.

Le refus de reconnaître le stress se traduit par un doublement du prix ; non seulement l'alarme demeure, mais elle s'inscrit dans le corps. Une récente expérience en laboratoire le montre bien. La menace imminente d'un choc électrique douloureux a causé des changements corporels étonnamment différents chez les individus *selon qu'ils décidaient de les affronter ou d'éviter d'y penser*. Ceux qui choisissaient la confrontation et essayaient de comprendre la situation concentraient activement leur attention sur le choc qui venait et cherchaient à le surmonter. Ils pensaient à ce qui se passait dans le laboratoire ou dirigeaient leur attention sur leur corps. Au contraire, ceux qui choisissaient d'éviter la confrontation employaient une série de stratégies pour se distraire. Ils tentaient de penser à des sujets non stressants extérieurs au laboratoire, ou bien fantasmaient. Alors que les premiers sentaient qu'ils pouvaient faire quelque chose dans leur situation de stress — au moins s'y préparer — les autres avaient tendance à se sentir désemparés et essayaient d'échapper par le refus.

Chez les premiers, on décela une augmentation de l'activité musculaire, ce qui est une réponse physiologique appropriée. Les autres avaient un rythme cardiaque significativement plus élevé, ce qui suggère que leur stress était refoulé à un niveau plus pathologique.

Le refus peut nous conduire au tombeau. Non seulement l'esprit peut élaborer des stratégies pour murer les conflits psychologiques, mais il peut aussi nier les maladies qui résultent de cette première phase de refus. L'effet pathologique de cette réticence à affronter des faits est évident dans l'étude suivante, effectuée à l'université du Texas sur des patients cancéreux. Ceux qui, répondant aux questions sur leur maladie, esquivaient le plus le problème, étaient ceux qui risquaient le plus de recevoir un pronostic pessimiste lorsqu'on les examinait deux mois plus tard.

Les conflits qui ne sont pas affrontés par la conscience peuvent engendrer des dommages physiques sous autant d'aspects qu'il y a d'individus. Une des Conspiratrices du Verseau, qui a travaillé dans un milieu médical, pense que très souvent les malades ne désirent pas reprendre leur mode de vie antérieur :

> Ma bru, qui souffrit récemment d'une attaque, a reconnu n'avoir pas affronté cette évidence qu'elle désirait changer de vie. Alors, c'est l'attaque qui a changé sa vie.
>
> J'ai entendu parler d'un homme qui, en association avec un frère paresseux, était vendeur de voitures. Il faisait tout le travail sans rien dire. Lorsqu'il eut une attaque, son frère dut prendre la relève. Il reconnut plus tard qu'il était *heureux* d'avoir eu son attaque.

Si nous apprenons à être attentifs à de tels conflits intérieurs, nous pouvons les résoudre de façon moins brutale pour notre santé.

L'esprit du corps

A mesure que la recherche sur le cerveau progresse, la relation entre la psyché et la maladie devient plus compréhensible. Le cerveau dirige ou influence indirectement chaque fonction du corps : la pression sanguine le rythme cardiaque, la réponse immunitaire, les hormones, tout. Ses mécanismes sont reliés par un réseau d'alarme et il dispose d'une sorte de génie obscur capable d'organiser des désordres correspondant à nos représentations les plus névrotiques.

Le vieil adage « donne un nom à ton poison » s'applique aux aspects sémantiques et symboliques de la maladie. Si nous ressentons que « quelqu'un est toujours sur notre dos », ou qu'il nous « pompe l'air » nous pourrions bien voir ces métaphores se concrétiser par des douleurs dorsales ou des désordres respiratoires. On connaît bien l'expression « un cœur brisé », résultat d'une relation décevante ; la recherche a montré maintenant une relation entre la solitude et les maladies cardiaques. En recherche animale, des désordres cardiaques ont été causés par la stimulation prolongée d'une région cérébrale associée avec une émotion forte. La même région est reliée au système immunitaire. Ainsi, le « cœur brisé » peut devenir une maladie coronarienne ; le besoin de se développer peut se traduire par une tumeur, les conflits par un « mal de tête déchirant », la personnalité rigide par l'arthrite. Chaque métaphore peut être prise à la lettre par le corps.

Toute maladie, que ce soit un cancer, la schizophrénie ou un rhume, trouve son origine dans le *continuum* psychosomatique. Sur son lit de mort, Louis Pasteur a reconnu qu'un de ses adversaires médicaux avait raison d'insister sur le fait que la cause de la maladie est moins dans le germe que dans l'importance de la résistance de l'individu envahi par le germe. Il admit : « Ce qui compte, c'est le terrain. »

La capacité du corps à donner sens à une nouvelle information, à la transformer : c'est la santé. Si nous sommes flexibles, capables de nous adapter à un environnement changeant, que ce soit un virus, une atmosphère humide, une fatigue ou le pollen printanier, nous pouvons supporter un haut niveau de stress.

Un concept récent et radical du système immunitaire peut nous aider à comprendre comment le « médecin intérieur » est capable de maintenir la santé, et comment il lui arrive d'échouer. Le corps, par le système immunitaire, semble avoir son propre mode de « connaissance », analogue à celui du cerveau. Le système immunitaire est relié au cerveau. La « psyché » du système immunitaire a une image dynamique du soi et une tendance à transformer le « bruit » environnant, virus et allergènes inclus, en signification. S'il rejette certaines substances ou réagit à elles violemment, ce n'est pas parce qu'elles sont étrangères, comme nous le pensions dans l'ancien paradigme, mais parce qu'elles sont ***dépourvues de sens***. Elles ne peuvent pas cadrer avec le système ordonné.

Ce système immunitaire est certes puissant et flexible dans sa capacité à dégager un sens de son environnement, mais comme il se trouve lié au cerveau, il est vulnérable à un stress psychologique. La recherche a montré que des états mentaux stressants, comme le chagrin et l'anxiété, peuvent altérer la capacité du système immunitaire. La raison pour laquelle il nous arrive « un virus ou d'avoir une « réaction allergique », c'est qu'alors le système immunitaire ne fonctionne pas normalement.

Ce système possède une mémoire dont la subtilité a été démontrée dans la recherche animale. Si une drogue inoffensive est injectée en même temps qu'un immunosuppresseur — une substance qui inhibe la réponse immunitaire — le corps apprend à bloquer sa réponse immunitaire lorsqu'il n'est en présence *que de la drogue inoffensive,* même des mois plus tard. C'est de cette façon que, si des périodes stressantes de notre vie sont contemporaines de signaux inoffensifs de l'environnement (par exemple, des allergènes ou des événements qui nous rappellent d'autres événements) leur conjonction pourra causer une maladie chronique, bien après que la source originelle de stress aura disparu. Le corps « se souvient » d'avoir été malade en présence de ces signaux.

Il est certain que le cancer représente un échec du système immunitaire. A différents moments de notre vie, la plupart d'entre nous possédons des cellules malignes, qui ne deviennent pas des cancers cliniques car le système immunitaire s'en débarrasse efficacement. Le facteur psychologique le plus manifestement impliqué dans le cancer est le refoulement des émotions.

On a suivi des sujets pendant des décennies pour étudier leurs traits de caractère, sans savoir s'ils développeraient ou non un cancer. Il s'est avéré que ceux qui en ont été atteints présentaient, statistiquement, les caractéristiques suivantes : ils ont plus de difficulté à se souvenir de leurs rêves, ont connu moins de changements conjugaux (séparations, divorces), présentent moins de symptômes de maladies connues pour refléter des conflits psychologiques (ulcères, migraine, asthme), ils ont tendance à garder leurs sentiments pour eux et n'ont pas eu de relations étroites avec leurs parents, ils ont du mal à exprimer leur colère, ils sont conformistes et se contrôlent, ils sont moins autonomes et spontanés.

Une spécialiste du cancer a dit de ses patients, « il est typique qu'il existe une faille dans leur vie — une déception, des attentes qui n'ont pas abouti. C'est comme si leur besoin de croissance se traduisait par une métaphore physique ».

Un chagrin rentré peut déclencher une maladie en déprimant le système immunitaire. Une étude a montré que la mort d'un époux se traduit par une baisse de la fonction immunitaire durant les semaines suivantes. Une autre a révélé que, parmi les femmes ayant perdu un bébé et qui sont de nouveau enceintes juste après, 60 pour cent faisaient des fausses couches. Le rapport recommande à ces femmes affligées d'attendre que leur corps ne soit plus « sous le coup du chagrin ».

Le corps comme structure et processus

Avec les années, notre corps devient une autobiographie ambulante, racontant aux amis autant qu'aux étrangers, les épreuves mineures et majeures de notre vie. Les altérations de fonctions à la suite d'accidents, comme la mobilité limitée d'un bras blessé, deviennent un aspect permanent de notre structure corporelle. Notre musculature témoigne non seulement de vieilles blessures, mais aussi de vieilles anxiétés. Des attitudes de timidité, de dépression, de bravade ou de stoïcisme adoptées précocement sont inscrites dans notre corps comme des structures de notre système sensorimoteur.

Dans le cercle vicieux de la pathologie psychosomatique, la rigidité de nos structures corporelles contribue au blocage de nos processus mentaux. Nous ne pouvons pas séparer le mental du physique, le fait du fantasme, le passé du présent. Tout comme le corps peut ressentir le chagrin de la psyché, de même celle-ci se voit contractée par l'enregistrement corporel tenace de ce que l'on a *l'habitude de sentir*, et ainsi de suite.

Ce cercle peut être interrompu par un « travail sur le corps » au moyen de thérapies qui, en profondeur (et souvent douloureusement), massent, manipulent, relâchent, autrement dit changent le système neuromusculaire du corps, sa réponse à la pesanteur, sa symétrie. Les changements apportés au corps de cette façon peuvent affecter l'ensemble de la boucle psychosomatique. Ida Rolf, dont la méthode d'intégration structurale (Rolfing) est une des approches les mieux connues, cite Norber Wiener, le fondateur de la cybernétique : « Nous ne sommes pas un tissu qui dure, mais des structures qui se perpétuent. »

Tout comme certaines psychotechniques accroissent la circulation d'énergie à travers le cerveau, permettant à de nouvelles structures ou à des sauts de paradigmes de se produire, le travail sur le corps modifie le courant énergétique à travers le corps, le libérant de ses vieilles « idées » ou structures et augmentant la gamme de ses mouvements. L'intégration structurale, la méthode d'Alexander, de Feldenkrais, la kinésiologie appliquée, la neurokinesthésie, la bioénergie, la thérapie reichienne et des centaines d'autres systèmes instaurent des transformations corporelles.

Le célèbre vers de John Donne « Nul n'est une île » s'applique aussi bien à notre corps qu'à notre interdépendance sociale. Tardivement, un demi-siècle après que nous aurions dû comprendre les données de la physique, la médecine occidentale commence à concevoir le corps comme un processus — un tourbillon bioélectrique, sensible aux ions, aux rayons cosmiques, à l'électricité statique, aux oligoéléments.

Brosser un tableau du corps à son niveau dynamique nous aide à comprendre certains phénomènes inexplicables autrement. Par exemple, la psychiatrie orthomoléculaire, qui traite les désordres mentaux avec de très fortes doses de vitamines et des minéraux à l'état de traces, a pour fondement l'effet de ces substances sur l'activité électrique du cerveau. La stimulation bioélectrique accélère la guérison habituellement lente de certains os, peut-être en créant une circulation d'énergie suffisamment importante pour permettre la régénération. On a pu détecter des courants continus aux points d'acupuncture.

Le succès extraordinaire de l'ouvrage du Dr Roger Dalet, *Supprimez vous-même vos douleurs par simple pression d'un doigt,* a permis de répandre en France, dans le très grand public, les principes de l'acupuncture et de l'acupressure. La disparition de douleurs spécifiques par la stimulation de points particuliers sur des méridiens localisés avec précision montre comment des parties éloignées du corps peuvent se trouver pourtant en relation. Plus se précisent les effets de l'acupuncture et mieux nous pouvons comprendre pourquoi le fait de traiter uniquement les symptômes permet rarement la disparition de la maladie.

Nous sommes des champs oscillants à l'intérieur de champs plus vastes. Notre cerveau répond aux rythmes des sons, des pulsations lumineuses, des couleurs spécifiques, des légers changements de température. Notre corps est soumis à des rythmes biologiques complexes. Alain Reinberg écrit, dans son ouvrage *Des rythmes biologiques à la chronobiologie,* « vouloir appliquer au vivant des systèmes d'interprétation linéaire, c'est seulement rechercher l'impasse, le cul-de-sac. Du point de vue de la chronobiologie, les systèmes non linéaires de Katchalsky, comme ceux de Prigogine (thermodynamique généralisée), représentent un indiscutable progrès ». Le rythme de nos proches peut même nous entraîner biologiquement. Par exemple, on a montré que ceux qui vivent en couple présentent un cycle de température mensuelle commun. Lorsque nous engageons une conversation, nous entrons dans une « danse » subtile avec l'autre personne par des mouvements synchronisés, si ténus qu'ils ne peuvent être détectés que par l'examen image par image d'un film.

La stimulation par l'environnement affecte la croissance et la structure (poids, nombre de cellules, etc.) du cerveau humain malléable, des premiers jours critiques, aux derniers. Même lorsque l'individu est âgé, on ne peut mesurer de diminution de cellules si son cerveau demeure en interaction avec un environnement stimulant.

Si le *continuum* psychosomatique est un processus, alors la maladie est aussi un processus... Et il en est de même de la guérison, de l'action sur la totalité. A chaque seconde, sept millions de nos globules rouges disparaissent et sont remplacés par sept autres millions. Nos os eux-mêmes sont renouvelés en totalité sur une période de sept ans. Tout comme dans la danse du dieu Shiva, nous sommes une intrication continuelle de création et de destruction.

Wallace Ellerbroek, chirurgien et psychiatre, a traité avec succès nombre de maladies en enseignant au patient à *affronter* et à *accepter* le processus, à lui être attentif. Dans une expérience bien connue, il invita des patients souffrant d'acné chronique à réagir devant toute éruption nouvelle de boutons avec une attention libre de jugement. En effet, ils pouvaient regarder dans le miroir et dire : « Alors, mes boutons ; vous êtes là, c'est bien, juste à votre place et au bon moment. » On leur recommandait d'accepter l'acné plutôt que de lui résister par des émotions négatives.

Tous les participants souffraient d'acné depuis quinze ans ou plus sans interruption. Les résultats de l'expérience furent étonnants. Plusieurs patients furent complètement débarrassés de leur problème en quelques semaines. C'est le processus actif de la peur, du ressentiment et du refus qui *maintenait* l'apparition de l'acné.

La santé et la maladie ne font pas que se produire en nous. Ce sont des processus actifs, émanant de l'harmonie ou du manque d'harmonie intérieure, particulièrement sensibles à nos états de conscience, à notre capacité ou incapacité de laisser libre cours à l'expérience consciente. Cette reconnaissance est grosse de responsabilités et d'occasions implicites. Si nous participons au processus de la maladie, même inconsciemment, alors pourquoi ne pas opter pour la santé ?

Santé et transformation

La maladie comme l'ont dit Pelletier et beaucoup d'autres, est potentiellement transformative, car elle peut causer un changement soudain de valeurs, un éveil. Si nous nous sommes caché des secrets à nous-mêmes, si nous avons des conflits non résolus, des aspirations refoulées, la maladie peut les pousser dans le champ de la conscience.

Pour de nombreux Conspirateurs du Verseau, leur implication dans des soins de santé fut un stimulus majeur dans leur transformation. Si la recherche de soi devient une recherche de la santé, réciproquement, la poursuite de la santé conduit à une plus grande conscience de soi. La totalité est une. La prolifération des centres et des réseaux de santé holiste a conduit nombre d'individus à s'engager dans la quête d'un élargissement de conscience. Une infirmière a dit : « Si la guérison devient pour vous une réalité, alors c'est un style de vie ; c'est une aventure ponctuée d'états non ordinaires de conscience et de liens télépathiques croissants. »

Une femme s'était lancée dans la pratique du biofeedback pour tenter d'abaisser sa pression intraoculaire et guérir ainsi son glaucome. Elle y parvint ; mais, plus important, elle découvrit par là que ses états de conscience affectaient non seulement sa vision, mais sa vie entière. Un médecin, inquiet des doses abusives de Valium qu'il prenait pour ses migraines, se mit au biofeedback... puis à la concentration intérieure... puis à la méditation, à des changements de vie déchirants, dont une carrière en médecine bien différente de celle qu'il avait prévue. Un important avoué en est venu à penser que sa perte progressive de la vue avait une grande utilité : « Je me sentis appelé, non pas pour lutter contre la soudaine détérioration de ma vision externe, mais pour coopérer avec elle, la considérant comme un moyen d'améliorer ce processus qu'est ma propre vie. »

Un conspirateur-bureaucrate a reconnu qu'il avait découvert la santé comme un sous-produit de la méditation. Après plusieurs années de pratique de la méditation transcendantale, il découvrit qu'il pouvait facilement mettre un terme à son besoin de boire et, quelque temps après, à sa boulimie. « A un âge où je devrais descendre la pente, j'ai plus de santé qu'il y a cinq ans et je me porte de mieux en mieux. » Un homme d'Eglise qui a répondu au questionnaire sur la Conspiration du Verseau a ouvert un centre de méditation et de santé holiste après avoir trouvé par la méditation un soulagement à une douleur chronique.

Un ancien activiste politique, qui donne aujourd'hui des cours de psychosomatique dans une école de médecine, explique : « Cette révolution affirme que nous sommes tous fondamentalement en bonne santé et que le retour à la santé est naturel. C'est anti-élitiste. Le professionnalisme, le diplôme accroché au mur, tout cela tombe en désuétude comme un symbole d'autorité. L'amour est le pouvoir le plus irrésistible de l'univers. »

Conspiration du Verseau et médecine

Ce nouveau mode de penser la maladie et la santé, avec son message d'espoir et sa charge de responsabilité individuelle, la Conspiration du Verseau le répand largement. Par exemple, en 1978, s'est tenue à Washington une conférence, « La Santé holiste : Une politique publique », financée par des organisations privées (fondations, compagnies d'assurances, etc.) et plusieurs agences gouvernementales émanant des ministères de la Santé, de l'Education et du Bien-Etre, et même des représentants de l'équipe de la Maison-Blanche. Elle réunissait des politiciens, des médecins, des psychologues, des responsables de la santé, des guérisseurs traditionnels, des maîtres spirituels, des chercheurs, des futurologues et des sociologues.

Les thèmes portèrent sur la politique de la santé publique, la création de centres de santé holiste, les pratiques de guérisons transculturelles, la théorie des systèmes, la théorie holographique du cerveau et de l'univers, le yoga, la musique et la conscience, l'acupuncture et l'acupressure, les techniques de méditation bouddhiste, l'électromédecine, les approches alternatives de la naissance, le travail sur le corps, le biofeedback, l'imagerie dirigée, l'homéopathie, la nutrition et « la modification de l'image de l'homme ».

Ce programme très complet est caractéristique du nouveau paradigme, qui conçoit de nombreux systèmes de guérison non classiques comme complémentaires de la médecine occidentale. Que nous sachions ou non leur mode de fonctionnement, ils peuvent être mis à notre service, exactement comme la médecine habituelle emploie l'aspirine, la digitaline et les électrochocs sans trop savoir pourquoi ils sont efficaces.

Les conspirateurs ont parcouru le pays, prêchant non pas un dogme mais une perspective, lançant ici un programme éducatif, là un projet pilote, encourageant et faisant connaître le travail des autres membres du réseau, tissant de nouveaux liens. Certains se sont employés à changer les organisations professionnelles locales ou d'état, dont ils font partie. D'autres ont sensibilisé les fondations et la presse aux possibilités d'un paradigme plus élargi.

Les stratégies les plus réussies ont été la persuasion douce et l'expérience de première main. Elles se sont concrétisées dans l'ensemble du pays en symposiums, conférences, ateliers, séminaires, retraites, foires, festivals, expositions géantes, organisations, créations d'innombrables centres et cliniques de santé holiste.

Si la conspiration reconnaît que le nombre et l'union font la force, elle s'oppose à toute tentative de centralisation. Malgré ses puissantes alliances et coalitions nationales, le mouvement est déterminé à rester populaire et décentralisé. De même, malgré les dangers d'attirer, sous le concept de « santé holiste », fraudeurs et marchands de bonheur de tous poils, on a choisi de ne pas contrôler son usage. La santé holiste est une perspective et non une spécialité ou une discipline. On ne donne pas de licence à un concept. Les consommateurs qui ne désirent pas s'exposer à des risques inutiles sont invités à n'employer des procédures non orthodoxes que comme compléments aux traitements classiques qui ont fait leur preuve.

Les réseaux de santé holiste sont des SPINs, des exemples classiques des groupes autonomes et à centres multiples décrits au chapitre VII. Des comités ont été formés à l'intérieur d'organisations professionnelles plus anciennes et, à chaque convention nationale, des tribunes et des ateliers sont consacrés à des thèmes en relation avec la médecine alternative : états non ordinaires de conscience, acupuncture, hypnose, méditation, biofeedback. Le slogan corps-psyché-esprit, qui revient dans toutes ces sessions, peut prendre sa place comme motif révolutionnaire à côté de liberté-égalité-fraternité. Nombre de centres de santé holiste, de conférences et d'ateliers ont été organisés par des églises ou des fondations confessionnelles.

« La guerre est finie », s'est écrié en 1978 Norman Cousins, éditeur du

Saturday Review. »Nous avons des alliés à l'extérieur, de nombreux médecins qui partagent notre perspective, mais ont besoin d'encouragement. » Cousins avait ses raisons de connaître les « alliés à l'extérieur ». En effet, il avait raconté dans le *New England Journal of Medicine* comment, employant une approche non orthodoxe, il avait pu se rétablir spectaculairement d'une maladie critique et devant laquelle la médecine était impuissante. Il prescrivit lui-même son propre traitement : un marathon de films des Marx Brothers et de vieux sketchs du type « caméra invisible », accompagné d'injections intraveineuses massives de vitamine C. Ce qui avait semblé être une maladie cellulaire fatale se résorba.

La réponse à son article fut phénoménale. Dix-sept journaux médicaux demandèrent à le réimprimer, trente-quatre écoles de médecine l'inclurent dans leur matériel de cours, et Cousins fut invité à faire des conférences dans les facultés de médecine partout dans le pays. Plus de trois mille docteurs de plusieurs pays lui envoyèrent des lettres élogieuses et enthousiastes. Cousins, qui n'est pourtant pas médecin, enseigne actuellement à la faculté de médecine de Los Angeles.

La transformation d'une profession

Cousins participa également à la convention de l'Association américaine des étudiants en médecine qui eut lieu à Atlanta en 1977. Le thème de la convention, « d'autres rôles pour la santé — une nouvelle définition de la médecine », montre bien que le changement de paradigme est en cours au sein même des écoles de médecine. Dans tout le pays, étudiants et enseignants, mus par la même perspective, ont lancé des groupes informels de discussion sur la conscience et les approches holistes de la médecine. Les étudiants en médecine désirent être des partenaires pour leurs patients et non plus faire figure d'autorité.

Parmi ceux qui ont rempli le questionnaire de la Conspiration du Verseau, beaucoup sont des enseignants d'écoles de médecine ; non seulement ils offrent à leurs étudiants un paradigme plus complet, mais ils organisent aussi des programmes d'éducation médicale permanente destinés aux médecins en exercice.

Avant même l'intervention consciente de la Conspiration du Verseau, l'échec de la « médecine rationnelle » rendait le changement inévitable.

La vie n'est pas drôle pour la plupart des médecins pris au beau milieu du changement de paradigme. Ils sont coincés entre deux générations, pas assez jeunes pour évoluer à l'aise dans les nouvelles conceptions et pas assez vieux pour être enterrés avec le rêve technologique et l'aura du docteur.

Dans son livre *The Will to live* (1950), le médecin Arnold Hutschnecker défend vigoureusement la médecine psychosomatique. D'après lui, la préoccupation du médecin pour la maladie et celle du psychanalyste pour la psyché viendraient à se synthétiser, car la vérité n'est le monopole d'aucune branche de la médecine. « Elles vont se rencontrer et fusionner, et c'est au niveau du généraliste que leur fusion sera ressentie le plus profondément. »

Ce que Hutschnecker ne pouvait prévoir, c'était la rapide disparition du généraliste. En 1950, aux Etats-Unis, près de 90 % des jeunes diplômés en médecine choisissaient cette profession, alors que vers 1970 ce chiffre est tombé à *moins de 10 %.* Non seulement l'esprit et le corps ont été traités par des camps séparés, mais chaque partie du corps est devenue les plates-bandes d'un spécialiste.

Cette spécialisation fut le résultat compréhensible, et peut-être même inévitable, de la confiance croissante, des écoles de médecine dans le Test d'admission au collège médical (M.C.A.T.). D'après Harrison Gough, psychologue de l'université de Californie à Berkeley, qui étudie depuis 1951 le mode de recrutement des étudiants de médecine, ce test a formé toute une génération de médecins en sélectionnant les étudiants d'un type particulier. A mesure que l'on exigeait des notes élevées à l'admission, le test éliminait nombre de « personnes dynamiques et de bons travailleurs », à l'avantage de ceux qui étaient pourvus d'un solide bagage académique. Ces individus à la tournure d'esprit scolaire se sont orientés plutôt vers la recherche ou vers des spécialités comme la radiologie ou l'anesthésiologie. « La confiance en ce test a produit une génération de docteurs peu enclins à discuter avec un patient de ses maux d'estomac. »

Avec les années, Gough découvrit que les étudiants en médecine les plus créatifs étaient ceux qui avaient le plus de risques d'abandonner. « Non pas parce qu'ils n'étaient pas aptes à être docteurs. Mais ils ne pouvaient tout simplement pas tolérer cette chaîne de forçats qu'est le programme linéaire, fermé et hautement détaillé des écoles de médecine. »

Au cours des dernières années, tout spécialement, nombre des meilleurs médecins potentiels n'ont même pas attendu de pouvoir s'offrir la possibilité d'abandonner. La compétition de plus en plus intense pour un nombre de places plus réduit se traduisit par l'exigence de moyennes étonnamment élevées nécessaires à leur admission. La chaleur humaine, l'intuition et l'imagination, sont précisément les qualités qui ont bien des risques d'être éliminées si l'on se polarise sur les rangs scolaires et les résultats des examens. C'est ainsi que le cerveau droit se vit refuser son admission à l'Ecole de médecine. On n'avait pas prévu de quota pour la créativité.

En avril 1977, près de trente mille candidats eurent droit à un M.C.A.T. spectaculairement différent pour leur entrée en médecine. Par sa nature même, le nouveau test a émoussé l'âpre compétition qui jusque-là favorisait les grosses têtes scientifiques. Il a permis à des « grosses têtes non scientifiques » d'être admises. De plus, il permet de tenir compte de nouvelles caractéristiques : l'habileté à faire des synthèses, à dégager des *structures,* à extrapoler, à ignorer des données hors de propos.

Mais les étudiants en médecine vont encore plus loin en commençant à exiger, et même à organiser, des cours en nutrition, en médecine psychosomatique, sur le biofeedback, l'acupuncture et d'autres approches non classiques.

Un étudiant en médecine de Yale, Tom Ferguson, a lancé une publication qui connaît un grand succès, *Medical Self-Care* (Comment se soigner seul). Elle offre des articles sur la nutrition, les plantes, les médicaments, et autres approches nouvelles. Ferguson a aussi organisé un programme d'éducation pour adultes. « Le programme des écoles de médecine est organisé actuellement de telle façon que ceux qui sont attirés par les rapports humains qu'offre la médecine doivent attendre deux, trois, ou même quatre ans avant de voir leur premier patient. » Certains étudiants, frustrés de contacts humains, ont même ouvert une clinique libre.

Les jeunes docteurs admettent d'être des partenaires d'autres thérapeutes non médecins, comme le montre cette lettre à un rédacteur du journal *American Medical News,* protestant contre un article qui avait traité les chiropracteurs de cultistes. L'étudiant écrivait, « Laissez-nous travailler *avec* les chiropracteurs. » Les vieilles conceptions du pouvoir, à savoir qui est expert, qui détient le plus d'autorité, s'effacent. Les psychologues sont aussi influents que les médecins dans nombre de programmes médicaux innovateurs. En Californie, on a créé à titre expérimental un doctorat en santé mentale — un mélange de cours de psychiatrie, de psychologie et de travail social. Les anciennes distinctions hiérarchiques s'écroulent : les psychiatres demandent conseils aux psychologues, les orthopédistes aux chiropracteurs, les ophtalmologistes aux optométristes. Les infirmières-praticiennes, les sages-femmes, les assistantes sociales, les conseillers divers, les hommes d'Eglise, les guérisseurs, les thérapeutes du corps, les physiciens, tout le monde a sa place dans la médecine holiste. Comme le dit un anatomiste d'une école de médecine californienne : « Nous détenons tous un élément de la vérité, mais personne ne l'a tout entière. »

Des façons de vivre, de mourir, de guérir

Toute chose d'importance est déjà connue, a dit un sage ; il ne reste qu'à la redécouvrir. La plus grande partie de l'agitation autour de la guérison est une forme d'anamnèse collective, un retour au temps des bons vieux docteurs et des remèdes de bonnes femmes. Nous aurions dû tenir compte de l'insistance d'Hippocrate sur l'importance de l'esprit et du milieu pour éviter les conséquences de l'éclatement de la médecine en spécialités.

Les découvertes scientifiques sur la richesse et la complexité de la nature révèlent la pauvreté de nos approches habituelles de la santé et, spécialement, de nos efforts pour traiter de l'extérieur, par la force et l'invasion, des systèmes dont l'équilibre délicat ne peut être corrigé que si le médecin intérieur y participe. Tout comme les réformes par l'extérieur ont des effets limités sur le corps politique, de même les traitements externes sont insuffisants pour guérir le corps si l'esprit est en conflit

En maintes occasions, les modes traditionnels ont été réadoptés, non par nostalgie du passé, mais parce que nous reconnaissons que nos approches « modernes » ont été une aberration, une tentative d'imposer une sorte d'ordre maladroit à une nature bien plus ordonnée qu'on ne peut l'imaginer. Par exemple, le XXe siècle nous a donné les biberons toutes les quatre heures, les césariennes et l'accouchement provoqué artificiellement dans l'intérêt des hôpitaux et des docteurs, la naissance et la mort confinées dans des environnements stériles et vides de tout soutien humain.

Dans une maternité moderne type, des bébés drogués sont extraits de mères droguées, stressés par des lumières crues et des bruits agressifs, ligotés, emballés et placés dans des contenants en plastique. Leur père peut les voir à travers une vitre, mais pas leurs frères et sœurs. Pourtant, nous savons maintenant que chez la mère et l'enfant, un lien étroit se tisse physiquement et affectivement, si on leur laisse un temps suffisant pour être ensemble juste après la naissance : l'échange des regards, des sourires, le toucher, le fait de nourrir le bébé au sein, semblent avoir un effet à long terme sur leur relation et sur le développement postérieur de l'enfant. Des pratiques venant d'autres cultures et nos propres coutumes retrouvées nous montrent les bénéfices surprenants du comportement *naturel* envers les nouveau-nés ; une mère qui câline, un père qui joue, un lait humain riche en substances cruciales pour le développement, une voix humaine qui suscite des micromouvements chez l'enfant...

L'importance du lien a pu être quantifiée par des études transculturelles qui ont montré de fortes corrélations entre ce lien et la sensibilité future de la mère, le Q.I. à long terme de l'enfant et une réduction des cas de maltraitement ou de négligence. En outre, il semble qu'il existe tout autant un lien paternel. Les pères suédois qu'on a autorisés à tenir dans leurs bras leur bébé à l'hôpital, leur témoignaient trois mois plus tard un intérêt bien plus grand que dans l'échantillon de référence. Des études ont montré une adaptation sociale plus grande chez les enfants dont les pères s'étaient occupés précocement.

L'intérêt du lien fut au départ rejeté par la profession médicale. Mais sa capitulation, lorsqu'elle vint, fut aussi soudaine qu'inattendue. En 1978, l'Association médicale américaine annonça qu'elle appuyait les approches d'obstétrique soucieuses de l'importance du lien mère-enfant.

Manifestement, les hôpitaux modernes n'étaient pas prévus pour les naissances en famille ; c'est pourquoi on assista ces dernières années à une énorme vague de naissances à la maison. Au début, le corps médical s'alarma de cette tendance, mais la première étude importante à évaluer la sécurité de cette pratique fit l'effet d'une bombe : environ mille deux cents cas d'accouchements à domicile furent étudiés ; l'administration californienne les trouva plus sûrs que la moyenne de l'Etat (qui, certes, comprend les mères considérées « à haut risque » et traitées obligatoirement en hôpital). On a en effet dénombré deux fois plus de morts de nouveau-nés lors d'accouchements en hôpital, et les sages-femmes dépassaient en compétence les médecins dans les cas de complications ! Par exemple, les techniques des sages-femmes ne provoquaient de déchirures que dans environ 5 % des accouchements, alors que les médecins atteignaient 40 %.

Devant la révolte des consommateurs, un nombre croissant d'hôpitaux cherchent à s'adapter. La salle d'obstétrique devient « un chez soi loin de chez soi », un environnement humain qui, de plus, a accès à toutes les facilités en cas de danger.

De nombreux hôpitaux ont adopté la méthode d'accouchement de l'obstétricien français Frédéric Leboyer. Le bébé est mis au monde dans une ambiance de lumières douces et de silence, accueilli délicatement, massé et placé dans un bain chaud. S'inspirant du « phénomène Leboyer », Michel Odent préconise, dans *Genèse de l'homme écologique :* « une éco-obstétrique » pratiquée dans des « maternités conviviales ». Il met en cause l'accouchement sur le dos que notre société est seule à connaître et recommande aux parturientes de se mettre à l'écoute de leur corps afin de trouver spontanément des alternatives à cette position dorsale.

Leboyer a décrit sa découverte progressive de la conscience et de l'intelligence du nouveau-né, un aspect auquel sa formation médicale ne l'avait pas sensibilisé. « Un être est là, pleinement conscient et digne de respect. » En France, on a étudié le développement de cent vingt bébés nés selon la méthode Leboyer. Les mères appartenaient toutes à la classe ouvrière et ignoraient tout de la méthode à leur arrivée à l'hôpital. Par rapport à des bébés témoins, leurs bébés présentaient une valeur plus élevée sur l'échelle de psychomotricité, une meilleure digestion, faisaient leurs premiers pas plus tôt et on découvrit avec surprise qu'ils avaient plus de chances d'être ambidextres !

Leboyer participa à la conférence qui eut lieu à Los Angeles en 1978, dans le but d'organiser « Our Ultimate Investment », fondation vouée à la « naissance consciente » et financée par Laura Huxley, la veuve d'Aldous Huxley. L'ardeur des convictions concernant les aspects psychologiques et spirituels de la naissance, des soins aux enfants et du lien a conduit à la formation d'une association nationale de parents et de professionnels chargée de promouvoir des techniques d'accouchement alternatives et sûres. L'intérêt pour ce sujet s'est étendu dans tout le pays et a suscité des conférences, des séminaires, des livres et des réseaux informels de soutien mutuel. Il a permis un accroissement important du soutien aux approches naturelles de la naissance déjà reconnues, comme la méthode Lamaze et la Ligue La Leche, un réseau de soutien mutuel pour les femmes désirant allaiter leurs bébés au sein.

Une femme ayant rempli le questionnaire de la Conspiration du Verseau a décrit la naissance de son enfant à la maison comme « un point culminant, une expérience psychédélique sans drogue, paroxystique ». Son mari, qui a participé à la délivrance, considère aussi cette naissance comme un grand moment de sa vie, où lui-même est « né père ». Cette mère témoignait de sa gratitude envers toutes les femmes qui l'avaient précédée « en mettant au monde leurs enfants comme elles le désiraient. Elle jugeait la naissance hors du ressort de la médecine et l'avait restituée aux parents et aux enfants, auxquels elle appartient ».

De même qu'un nombre croissant de parents jouent les pionniers en exigeant un accouchement à la maison ou dans un cadre familial, nombre d'agonisants reviennent chez eux pour y mourir ou recherchent les rares hospices existants où l'on s'occupe avec humanité des malades terminaux. Les défenseurs de ce mouvement des hospices l'ont décrit comme « un concept plutôt qu'un lieu spécifique », tout comme la méthode Leboyer est considérée comme un concept plutôt qu'une technique.

« En fait, c'est le concept de *vie* et non le concept de mort qui est l'essence même du droit de mourir », fait remarquer Hans Jonas, professeur de philosophie à la Nouvelle Ecole pour la recherche sociale. « Le devoir de la médecine est la totalité de la vie. Sa responsabilité est de protéger la flamme qui brûle et non pas le rougeoiement de ses braises. Elle ne doit surtout pas être un facteur de souffrance et d'indignité. » La technologie de la mort lente par les tubes et la respiration artificielle peuvent désormais être rejetées dans de nombreux Etats de l'union au nom du « droit de mourir ».

Comme l'ont écrit Léon Schwartzenberg et Pierre Viansson-Ponté, « Vive la vie, à bas la mort — seulement voilà : c'est important la mort, ne croyez-vous pas ? Mieux vaut savoir que subir, savoir avant de subir Qu'ils sont nombreux à proposer, à promettre de changer la vie ! Pourquoi personne ne propose-t-il, ne promet-il de *changer la mort ?* ».

Dans son ouvrage *Anthropologie de la mort,* Louis-Vincent Thomas oppose les sociétés négro-africaines qui semblent avoir résolu le problème de l'angoisse de la mort, et les sociétés occidentales qui y échouent. Il ne voit là aucun déterminant biologique ou racial, mais plutôt une différence socio-économique. Il écrit, « la désocialisation (passage de la communauté à la famille pour aboutir à l'isolement individuel, dans la désacralité : « chacun pour soi et Dieu pour personne »), interdit désormais la prise en charge de l'angoisse par le groupe dans son intégralité. Il y a loin du lignage qui materne, sécurise le malade, le délivre de ses obsessions, à la bureaucratie schizoïdique de l'hôpital californien ». Il ajoute, « le déni de la mort, son inavouabilité mutilante, empêchent la libre manifestation d'une angoisse qui, pour être refoulée, n'en est pas moins réelle... ce déni collectif se trouve récupéré par une société réductrice, homogénéisante donc mortifère ».

« Appauvrissement du langage propre à la mort, restriction du champ symbolique, refus des rites, escamotage du deuil, incertitude des croyances apaisantes », tel est pour cet anthropologue « le signe (ou l'effet) du désarroi que l'homme occidental éprouve aujourd'hui ».

« La fiancée de la mort, c'est la vie », dit un proverbe malaisien plein de justesse et de profondeur. Pour vaincre l'angoisse, le tabou de la mort, Thomas préconise une éducation de la mort, présentée comme un fait naturel et nécessaire, une socialisation des rites (funérailles et deuil) aperçus dans leur fonction thérapeutique, une revalorisation du corps comme instrument privilégié de la vie et du trépas. En outre, il invite à une juste appréciation de la notion de pouvoir (des parents, du médecin, des hommes politiques, etc.) car, selon lui, tout pouvoir s'appuie sur la crainte de la mort.

Dans une optique voisine, le projet Shanti de Berkeley emploie des conseillers professionnels et amateurs pour assister avec amour les mourants et leurs familles. A Tiburon, en Californie, le psychiatre Gerald Jampolsky supervise un groupe d'enfants atteints d'une maladie qui menace leur vie : la leucémie. Ils se rencontrent chez l'un ou chez l'autre une fois par semaine pour partager leurs peurs, méditer ensemble et adresser des souhaits de guérison à ceux d'entre eux qui traversent une crise. Une subvention de Bell Pacific a permis au centre de financer un réseau de soutien par téléphone, de façon que les enfants dans tout le pays puissent se faire part mutuellement de leurs expériences concernant cette dangereuse maladie.

De l'ensemble des prophéties toutes faites de notre culture, la conception que prendre de l'âge signifie déclin et santé précaire est probablement la plus dangereuse. Bien que la recherche ait démontré qu'il existe de nombreux modes de vieillissement, nous nous préparons à la sénilité ou à la mort. Nous retirons aux personnes âgées les tâches qui présentent un intérêt. On attire les riches dans des ghettos ensoleillés et sans enfants, et les pauvres sont laissés à eux-mêmes dans un environnement abandonné par leur famille. Même les malades capables de marcher sont souvent enfermés dans des hospices.

Mais la révolution est sur nous. Les idées de Maggie Kuhn, des

Panthères grises, sont caractéristiques des nouvelles conceptions du Centre radical envers les personnes âgées :

> Il ne faut pas que nous nous opposions aux jeunes. Nous ne voulons pas être des adversaires. Mais ensemble, avec vous les jeunes, nous voulons conspirer. Nous avons besoin d'un changement social radical, d'un nouveau programme. Un tel programme inclurait le logement avec intégration des divers groupes d'âges, la fin de l'isolement obligatoire.
>
> Ensemble, nous pouvons inventer des centres de santé holiste, opérer des mises en question, des réformes et montrer la voie d'un grand changement dans les institutions.
>
> Nous expérimentons une nouvelle forme d'humanité et notre pouvoir en commun de changer la société.
>
> Cela me désole quand je vois mes égales n'avoir d'autres buts que d'obtenir des services, comme des réductions d'impôts. Les services sont de la novocaïne. Ils atténuent la douleur, mais ne résolvent pas le problème.
>
> Nous pouvons être une coalition de bâtisseurs. Et nous pouvons expérimenter. Ceux d'entre nous qui sont âgés peuvent se permettre de vivre dangereusement. Nous avons moins à perdre.

Maggie Kuhn invite ses sœurs à suivre des cours dans des collèges, à s'impliquer dans des activités d'actualisation de soi, à lancer des initiatives. Par exemple, un groupe de Panthères grises d'une ville a acheté en commun plusieurs vieilles maisons pour les rénover, les habiter et les louer.

Le programme national S.A.G.E., destiné aux personnes âgées, combine des thérapies spirituelles et corporelles : acupuncture, méditation, Tai Chi, musique. L'Association nationale de gérontologie humaniste, nouvellement fondée, comprend des professionnels qui cherchent à favoriser des approches alternatives du vieillissement par des activités et un soutien mutuel, dans le but de faire de la seconde moitié de la vie une aventure créative et spirituelle.

Comme on pouvait le prévoir, il existe également de nouvelles approches pour traiter les désordres psychiatriques. La science médicale est moins sûre, ces temps-ci, de l'efficacité de ses méthodes classiques, tel l'usage de tranquillisants puissants. Ces nouveaux médicaments ont certes permis à un nombre croissant de patients hospitalisés de reprendre une vie active dans le monde, sans pourtant agir beaucoup sur les dissonances intérieures qui ont aidé à déclencher la psychose.

La psychiatrie occidentale commence à respecter les conceptions de ces sociétés qui considèrent la folie comme une tentative de faire surgir une nouvelle vision. Une psychose aiguë pourrait être une stratégie fiévreuse visant à transcender un conflit, donc un processus naturel parfois valable, plutôt qu'un symptôme qu'il faut éliminer rapidement. La compréhension et l'isolement sont souvent plus efficaces que les ajustements chimiques, puissants mais temporaires, que l'on administre habituellement aux individus psychotiques. Une étude effectuée en Californie montre que de jeunes schizophrènes traités sans médicaments se sont certes rétablis environ deux semaines après ceux ayant reçu un traitement à la Thorazine ; mais on a enregistré beaucoup moins de réadmissions parmi eux au cours de l'année suivante.

Au sens littéral, psychiatrie signifie « le soin de l'âme ». Il est peu probable que de fortes doses de tranquillisants puissent guérir une âme fracturée ; elles viennent plutôt interrompre la structure de détresse et de conflit en altérant la chimie du cerveau, déjà perturbée. Si l'on se souvient que le cerveau peut, soit nier, soit transformer un conflit, on comprend Karl Menninger quand il dit que nombre de ceux qui ont émergé de la folie se sentent « mieux que bien ». Ils ont atteint un nouveau degré d'intégration et constituent un nouvel exemple d'une évolution individuelle engendrée par le stress.

Certaines communautés ont organisé des retraites de façon que les personnes stressées puissent trouver repos et soutien, avant que leur conflit ne les dépasse.

Tout au long de l'histoire, la peur du comportement créatif et des états mystiques, c'est-à-dire de la face intuitive de l'expérience humaine, a conduit à des chasses aux sorcières trop nombreuses pour en dresser la liste. Le psychiatre R. D. Laing en rejette la responsabilité sur l'ambivalence de la société envers les besoins intérieurs, le consensus qui s'est fait autour du refus des aspirations spirituelles, écueil auquel se sont heurtés tout au long de l'histoire les artistes et les mystiques. Actuellement, un nombre croissant d'anciens malades mentaux se sont groupés pour s'opposer à ce qu'ils considèrent comme un traitement insensible de la maladie mentale, à coup de drogues et d'électrochocs, et pour promouvoir une confiance plus grande dans des thérapies moins envahissantes, comme le biofeedback, la méditation, le régime alimentaire et l'isolement. De nombreux psychiatres s'orientent vers ces thérapies alternatives.

On rencontre aussi un intérêt croissant pour les systèmes de guérison traditionnels et populaires. Des médecins, des infirmières, des psychologues et des anthropologues se penchent sur les pratiques chamaniques (guérison naturelle) — de nombreuses cultures : chinoise, amérindienne, tibétaine, africaine, japonaise. Certaines compagnies d'assurances se mettent à rembourser les visites des Esquimaux de l'Alaska à leurs chamanes et des Navajos de l'Arizona à leurs « guérisseurs ». Pour les guérir, les chamanes aident les malades à chercher la signification de leurs troubles en les considérant dans le contexte de leurs familles ou de leurs communautés. Les systèmes de guérison traditionnelle voient dans la maladie une perturbation de l'harmonie d'un individu avec les autres et avec la nature.

La médecine populaire du Brésil, parfois appelée *cura*, peut être un avant-goût de la synthèse qui s'opère en certaines parties du monde. En effet, la cura réalise la fusion de la médecine occidentale, de la guérison spirituelle, du traitement par les herbes, de l'homéopathie et des traditions des guérisseurs amérindiens et africains. On estime que soixante millions de Brésiliens s'adonnent à la cura et que leur nombre augmente rapidement parmi les classes aisées et moyennes. La cura traite tout à la fois le corps, l'affectivité et l'âme. L' « ascendant moral » du guérisseur joue un grand rôle, tout autant que le savoir d'expert des médecins officiels. La cura met l'accent sur ce qui va bien chez le patient et lui procure le soutien d'un groupe.

La guérison psi

« Je suis convaincu qu'il existe quelque chose comme un pouvoir de guérison », a dit Jerome Franck, lors de la réunion sur les approches alternatives de la médecine à New York. Mais il doutait que ce pouvoir fût, dans un proche avenir, mis en évidence avec suffisamment de clarté pour être pleinement accepté par les scientifiques occidentaux.

En fait, il existe déjà quelque chose comme une grille scientifique au moyen de laquelle il est possible de comprendre comment peut s'établir une résonance de guérison entre des individus. Le théorème de Bell, les théories holographiques de Bohm-Pribram et autres hypothèses radicales, offrent un modèle pour comprendre la relation qui existe entre les personnes. L'image du corps comme un champ d'énergie qui réagit, prédominante dans les philosophies orientales, trouve sa confirmation avec la mise en évidence des méridiens d'acupuncture et des présomptions d'existence des chakras de la tradition bouddhiste. Dolores Krieger, professeur à l'école d'infirmières de l'université de New York, a démontré élégamment des changements dans les caractéristiques de l'hémoglobine chez des patients traités avec une sorte de « scanning guérisseur », dans lequel les praticiens ne touchent même pas le corps mais tentent de ressentir les changements d'énergie — comme des sensations de chaleur, de froid, de picotement — quand leurs mains passent au-dessus de telle ou telle partie du corps.

Il existe une autre preuve de la guérison psi : l'aspect inhabituel des structures des ondes cérébrales chez les personnes qui tentent de guérir et des changements enzymatiques ou de l'E.E.G. chez le « guéri », des rémissions de tumeurs inexplicables et d'autres cures rapides. Le corps médical est très intéressé. Par exemple, la méthode de Krieger a été enseignée lors de journées d'ateliers sur l'effleurement thérapeutique à des milliers de personnes dans tout le pays, principalement des infirmières, et Dolores Krieger elle-même a été invitée par plusieurs hôpitaux new-yorkais pour enseigner sa méthode à leur personnel infirmier. Des méthodes semblables sont utilisées maintenant par un grand nombre de médecins.

Des guérisseurs non orthodoxes comme Rolling Thunder, Olga Worrall, Paul Solomon et Jack Schwarz, ont fait des conférences dans des écoles de médecine et dirigé des ateliers pour les docteurs et les étudiants en médecine.

Si la guérison psi peut s'avérer un auxiliaire utile pour la médecine de l'avenir, il est improbable qu'elle devienne un mode fondamental de traitement, ceci pour une simple raison : un « guérisseur » donne ses soins d'une façon somme toute très proche de celle d'un médecin, puisqu'il fait quelque chose *pour* le patient. Les guérisseurs chamaniques, les *curanderos* d'Amérique du Sud par exemple, disent à ceux qu'ils traitent que s'ils peuvent affecter les symptômes, ils n'ont pas de pouvoir sur le processus intérieur qui produit la maladie. Le symptôme peut disparaître un temps, mais, trop souvent, la matrice plus profonde de la maladie n'a pas été changée. Seul l'individu peut produire une guérison qui vient de l'intérieur.

Cependant, un état d'esprit favorable à la guérison présente des bénéfices spécifiques pour le guérisseur et pour le rapport entre le thérapeute et celui qui souffre. Un scientifique britannique a observé une configuration particulière des rythmes cérébraux chez la plupart des guérisseurs spirituels qu'il a testés (l'Angleterre possède des milliers de guérisseurs licenciés qu'on autorise à travailler en hôpital). Un médecin anxieux à qui l'on faisait un E.E.G. ne montra pas cette structure. Avec bienveillance, le chercheur lui dit finalement, « imaginez que vous vous apprêtez à traiter un patient. Vous n'avez ni médicaments, ni équipement. *Vous n'avez rien à donner que votre compassion* ». L'activité électrique du cerveau du médecin changea soudain et fit place à la structure de l' « état de guérison ».

Robert Swearingen, orthopédiste du Colorado, raconte qu'il s'est trouvé un jour dans la salle des urgences avec un patient souffrant intensément d'une épaule disloquée. Le reste de l'équipe clinique était occupé avec un cas plus critique, de telle sorte qu'il ne pouvait demander à une infirmière de l'anesthésier ou de lui donner des tranquillisants : « A ce moment je me sentis envahi par un sentiment d'impuissance, de dépendance envers la technologie. Autant pour rassurer le patient que pour me calmer, je l'incitai à se relaxer. Soudain, je sentis l'épaule se relâcher et je sus qu'avec la coopération du patient je pouvais la remettre en place sans douleur et sans analgésiques. »

Cette expérience a changé toute sa carrière, non seulement parce qu'il fut alors capable d'enseigner cette procédure sans douleur à pratiquement n'importe qui, mais aussi parce qu'il découvrit l'importance cruciale de l'aspect humain en médecine. Il s'aperçut aussi qu'il pouvait parvenir à un rapport non verbal, une sorte d' « écoute » permettant un diagnostic intuitif bien plus sûr que tout ce que la technologie lui offrait.

Un psychologue célèbre a une fois remarqué en privé que le biofeedback est le placebo ultime, une étape intermédiaire pour les cliniciens et les patients que la science « dure » rassure et qui n'ont pas encore remarqué qu'en y regardant de plus près, tout se passe dans une cervelle « molle » et s'évanouit en un tourbillon de particules. « Tout est dans l'imagination », a-t-il dit. Ce que nous désirons, nous pouvons l'obtenir par l'imagination et par la volonté.

Au XVIe siècle, Paracelse observait que les médecins de son époque « ne connaissent qu'une infime partie du pouvoir de la volonté ». Et pourtant, nous savons bien par ailleurs qu'on peut mourir d'un cœur brisé, que la détresse prolongée d'une femme peut perturber le développement du fœtus qu'elle porte en elle, et que l'âge n'est pas synonyme de sénilité si l'on maintient un intérêt dans la vie.

Les historiens s'étonneront certainement de l'hérésie dans laquelle nous sommes tombés ces dernières décennies en ignorant l'esprit dans nos efforts pour guérir le corps. Dorénavant, trouver la santé, c'est se trouver.

CHAPITRE IX

APPRENDRE A APPRENDRE

J'aimerais voler si tout le monde le faisait, mais autrement ce serait vouloir se faire remarquer

Une fillette de douze ans,
citée par David RIESMAN
dans *La Foule solitaire*

C'est vous, c'est vos visages étrangers
Qui passez à côté de la multiple splendeur.

Francis THOMPSON

NOUS sommes sur le point de comprendre notre place dans l'univers et l'ampleur de nos pouvoirs latents, toute la flexibilité et la transcendance dont nous sommes capables. La science de pointe lance un défi : s'il est vrai que notre mémoire est aussi vaste que le montre la recherche, notre conscience aussi étendue, notre cerveau et notre corps aussi sensibles, s'il est vrai que nous pouvons modifier à volonté la physiologie d'une seule de nos cellules, que nous sommes les héritiers d'une telle virtuosité évolutionnaire, alors comment se fait-il que nos performances et notre apprentissage soient si médiocres ? Riches de telles capacités, pourquoi sommes-nous si peu intelligents ?

Ce chapitre traite de l'apprentissage dans son sens le plus large. Il traite de nos possibilités surprenantes et de leur maîtrise, des nouvelles sources de savoir, de la créativité. Il est question de l'étudiant intérieur qui, en nous, attend de se libérer.

Il traite aussi des raisons pour lesquelles l'étudiant en est venu à n'être pas libre, de la grande incapacité de notre culture, un système éducatif qui met l'accent sur le fait d'être « correct » et non sur le fait d'être ouvert. Nous commençons à voir dans le malaise ou les maladies de notre vie adulte, des structures élaborées, résultats d'un système qui nous a enseigné, étant jeunes, à être tranquilles, à regarder vers le passé, à compter sur l'autorité, à construire des certitudes. La peur d'apprendre et de la transformation qui peut en découler, est le produit inévitable d'un tel système.

Voici le paradoxe poignant de l'homme : un cerveau malléable capable d'une autotranscendance sans fin, mais également susceptible d'être entraîné à un comportement d'autolimitation. C'est évident, même chez les nouveau-nés ; les techniques de recherche moderne ont montré leur incroyable sensibilité, leur capacité à dégager des structures, à réagir aux émotions subtiles de la voix humaine, à être attirés par les visages, à discriminer les couleurs. Mais la science a aussi montré combien il est aisé de programmer les nouveau-nés ; ils peuvent être conditionnés à répondre à une lumière ou à une sonnerie de la même façon que salivaient des chiens dans les célèbres expériences de Pavlov. Teilhard et Skinner ont tous deux raison et nous sommes capables de sauts évolutionnaires *et* de conditionnements en boîtes.

Les visionnaires ont toujours affirmé qu'on ne peut construire une nouvelle société si l'on ne change pas l'éducation de la génération plus jeune. Pourtant, la nouvelle société elle-même *est* la force nécessaire pour effectuer ce changement. C'est comme ce vieux dilemme : on ne peut pas avoir de travail sans expérience, mais on ne peut pas avoir de l'expérience puisque personne ne veut nous donner un travail.

Les écoles sont des bureaucraties retranchées dont les membres n'ont affaire à aucune concurrence commerciale, n'ont pas besoin d'être réélus, ou d'attirer des patients, des consommateurs ou autres clients. Les éducateurs qui aimeraient innover ont relativement peu d'autorité en la matière.

Le consommateur n'est pas en mesure de boycotter tout bonnement cette institution. Les écoles privées dépassent les possibilités financières de la plupart des familles et il n'est pas sûr qu'elles se révèlent meilleures que les écoles publiques. Pourtant, certains parents affirment maintenant que le retrait délibéré de leurs enfants de l'école obligatoire — qui est un acte illégal dans la plupart des Etats — n'est pas différent de la révolte du contingent dans une guerre immorale.

Parmi les Conspirateurs du Verseau sollicités, il s'en trouvait plus dont la profession touchait à l'éducation qu'à toute autre catégorie de travail. Ils étaient enseignants, administrateurs, responsables, psychologues scolaires. Ils étaient tous d'accord sur le fait que l'éducation est une des institutions les *moins* dynamiques, bien en arrière de la médecine, de la psychologie, de la politique, des médias et d'autres aspects de notre société

Comme l'un d'eux l'a exprimé, ils sont « en lutte pacifique » à l'intérieur du système. Il existe des héros dans l'éducation comme il y a toujours eu des héros, tentant de transcender les limites de la vieille structure ; mais leurs efforts sont trop souvent contrecarrés par leurs pairs, les administrateurs et les parents.

Pourtant il existe des raisons d'être optimiste. Notre erreur a été de croire que nous devions commencer par les écoles. Les écoles sont un effet de notre mode de pensée, et nous pouvons changer notre mode de pensée.

Selon John Williamson, ancien directeur du plan et du développement pour l'Institut national de l'éducation, « l'illusion... de la grande majorité des efforts pour réformer l'éducation provient de la faillite de la conception fondée sur le bon sens ». D'après lui, nous avons négligé ces variables critiques que sont les limites des croyances personnelles de nos étudiants, la conscience de nos éducateurs et l'intention de nos groupements.

Croyances. Conscience. Intention. Nous pouvons voir pourquoi les réformes par étapes achoppent ; c'est parce que les problèmes sont intriqués et qu'ils s'embourbent dans nos vieilles notions sur la nature humaine. De cette perception erronée, aggravée par une mauvaise administration, provient l'échec de l'éducation traditionnelle à enseigner les capacités de base et à favoriser l'éclosion de l'estime de soi.

Il n'y a qu'une nouvelle perspective qui puisse établir un nouveau programme de nouveaux niveaux d'ajustement. Tout comme les partis politiques sont en marge du changement dans la distribution du pouvoir, les écoles ne sont pas la scène principale où s'effectue le changement dans l'apprentissage.

Des forces subtiles sont à l'œuvre, des facteurs que l'on a peu de chances de voir dans les manchettes des journaux. Par exemple, des dizaines de milliers de professeurs, de psychologues, de conseillers éducatifs, d'administrateurs, de chercheurs et de membres du corps enseignant dans les collèges, font partie des millions d'individus engagés dans la *transformation personnelle*. Ce n'est que tout récemment qu'ils ont commencé à se rassembler sur le plan régional et national, à partager des stratégies, à conspirer pour l'enseignement de tout ce à quoi ils tiennent : de grandes espérances, le développement de la liberté, de la conscience, de la créativité à travers de nouvelles relations et structures. Ils sont avides de partager leurs découvertes avec les collègues qui sont disposés à les écouter.

Et il y en a beaucoup qui *sont* prêts, des membres de mouvements plus anciens, qui avaient partiellement réussi à humaniser les écoles et ont beaucoup appris De même que l'activisme social s'est déplacé ces dernières années de la confrontation à la coopération et des traitements extérieurs à la guérison par l'intérieur, de même les réformateurs éducatifs changent leurs stratégies. Professeurs, administrateurs et membres compréhensifs des conseils de parents d'élèves choisissent de travailler ensemble plutôt que de perdre leur énergie à s'affronter.

Ces réseaux trouvent un allié dans la *recherche scientifique*. Nous commençons à réaliser avec clarté et consternation combien nombre de nos méthodes d'éducation sont artificielles ; ce qui explique leurs si faibles performances, si même elles en ont. La recherche sur les fonctions du cerveau et sur la conscience démontre que si nous voulons développer nos potentialités, il nous faut changer notre façon d'enseigner.

Un autre facteur de changement important est la *crise*. Tous les échecs de l'éducation, comme une fièvre, signalent l'existence d'une lutte profonde pour recouvrer la santé. La vocation de la Conspiration du Verseau est de dresser un diagnostic sans passion de cette maladie pour montrer l'évidence d'un besoin de synthèse, d'un changement de paradigme plutôt que d'un changement pendulaire.

Si l'on élargit le canal de l'éducation, alors peut intervenir ce facteur transformatif puissant qu'est la *compétition*. L'apprentissage est partout, sous des formes multiples : dans l'émission « Sesame Street », dans le zen de ceci ou cela, les groupements d'enseignement et d'éducation, le dialogue avec des ordinateurs, l'écoute de la radio F.M. et de cassettes, la lecture d'ouvrages d'auto-assistance, les magazines, les documentaires télévisés.

Cependant, le facteur de changement le plus important réside dans la reconnaissance croissante, chez des millions d'adultes, qu'ils doivent une grande part de leurs maigres espérances et de leurs frustrations à leur éducation scolaire.

La maladie pédogénique

Nous ne sommes éveillés et vivants que dans la mesure où nous nous trouvons dans un processus d'apprentissage et d'enseignement. L'apprentissage est non seulement similaire à la santé, c'*est* la santé.

Comme elles sont l'influence sociale la plus importante des années de formation, les écoles ont été les instruments qui ont causé nos principales blessures : le refus, l'inconscience, le conformisme et les relations brisées. Tout comme la médecine allopathique traite les symptômes sans se soucier de l'ensemble du système, les écoles morcellent l'expérience et le savoir humains en « matières », réduisant implacablement le tout en parties, les fleurs en pétales, l'histoire en événements, sans jamais restaurer de continuité.

Mais le pire, c'est que la psyche n'est pas seule à être brisée. Trop souvent, aussi, l'esprit est touché. L'enseignement allopathique produit l'équivalent de la maladie *iatrogénique* causée par le médecin ; il s'agit là des problèmes d'apprentissage dont l'enseignant est la cause. Nous les appellerons des maladies *pédogéniques*. Un enfant arrivé à l'école intact, avec son courage tout neuf, son désir naissant de se risquer et d'explorer, se heurte à un stress qui suffit à restreindre en permanence son esprit d'aventure.

Or, même les médecins qui, à l'apogée de leur gloire, représentaient de véritables modèles divins, n'ont jamais eu l'autorité dont dispose un seul professeur. Un enseignant est un distributeur de prix, d'échecs, d'amour, d'humiliation auprès de nombreux jeunes, relativement faibles et vulnérables.

Le mal-aise, le fait de ne pas se sentir bien dans sa peau, commence probablement, pour beaucoup d'entre nous, dans la salle de classe. Les études sur le biofeedback ont montré une corrélation entre la remémoration d'un événement stressant et l'excitation du corps ; on a demandé à un sujet sous biofeedback d'évoquer des souvenirs scolaires : l'appareil a détecté une alarme immédiate. Dans un atelier P.T.A., chaque adulte à qui l'on demande de retrouver un épisode scolaire a décrit un événement négatif ou traumatisant. Nombreux sont les adultes dont les cauchemars les font se retrouver à l'école : ils arrivent en retard ou ont oublié de faire un devoir.

La plupart d'entre nous semblent loin d'en avoir fini avec l'école. Ce reliquat d'anxiété est susceptible de nous inhiber encore en quelque coin de notre conscience ; il peut nous réfréner à jamais de nous lancer des défis ou d'acquérir de nouvelles connaissances.

Au chapitre VIII, nous avons évoqué les impressionnantes recherches qui montrent combien les maladies sont associées à des types de caractère : par exemple les cancéreux, qui ont des difficultés à exprimer le chagrin ou l'anxiété, les cardiaques, obsédés par les horaires ou la réussite. Se pourrait-il que nos écoles autoritaires qui poussent à la réussite, induisent de la crainte, et nous font garder l'œil sur notre montre, nous aient aidés à nous installer dans la maladie de notre choix ? Ne nous a-t-on pas découragés d'exprimer notre colère, notre chagrin ou notre frustration alors qu'ils étaient justifiés ? Ne nous a-t-on pas incités à entrer en concurrence, à lutter, à craindre tout retard dans nos engagements ?

Noël McInnis, éducateur soucieux de l'environnement physique, a analysé le processus : pendant douze ans on confine le corps de l'enfant à un territoire limité, son énergie a une activité limitée, ses sens à une stimulation limitée, sa sociabilité à un nombre limité de semblables, son attention à une expérience limitée du monde autour de lui. « Que va-t-il apprendre ? demande McInnis. A *ne pas* faire ce qui lui plaît. »

Alors que les jeunes ont besoin d'une sorte d'initiation dans un monde incertain, nous leur offrons des ossements provenant des cimetières de la culture. Alors qu'ils veulent réaliser, nous les occupons à des travaux abstraits, à remplir des espaces laissés en blanc avec les « bonnes » réponses, ou, dans les questions à choix multiples, à trouver ces mêmes « bonnes » réponses. Là où ils ont besoin de trouver un sens, les écoles poussent à la mémorisation ; la discipline est séparée de l'intuition, les structures des parties.

Si la totalité est la santé, la violence faite à la fois à la signification et à l'image de soi pour la plupart de nos institutions éducatives est une source majeure de maladie dans notre culture, une contrainte capable de fragmenter même un enfant issu d'un milieu sécurisant et aimant. Le traumatisme commence avec le premier refus affectif, les premières questions réprimées, la douleur muette qui naît de l'ennui. Aucun foyer ne peut réparer pleinement ces dégâts, les effets de ce que Jonathan Kozol, décrivant ses expériences d'enseignement à des enfants issus de ghettos, a appelé *La Mort à un âge précoce*.

Buckminster Fuller a remarqué un jour que ni lui ni aucun autre à sa connaissance n'était un génie : « Certains d'entre nous sont seulement moins endommagés que d'autres. » Comme Margaret Mead, Fuller a été pour l'essentiel éduqué à la maison. Des études ont montré qu'une proportion impressionnante de grands réalisateurs originaux ont été éduqués à domicile, stimulés par leurs parents ou d'autres proches dès l'enfance, et portés par de grandes espérances.

Apprendre en vue d'un nouveau monde

Pourquoi nos écoles ont-elles pour routine de punir et d'inhiber les jeunes esprits ? Peut-être est-ce parce que les écoles, telles que nous les connaissons, ont été conçues bien avant que nous ayons une quelconque compréhension du cerveau humain, et pour une société qui a disparu depuis longtemps. De plus, elles ont été conçues pour transmettre un corps de connaissances très spécifique, datant d'une époque où le savoir semblait stable et certain.

Il suffisait de posséder à fond le contenu de certains livres et cours, d'apprendre les trucs du métier, et l'on avait fini. L'étudiant apprenait ce dont il avait besoin dans son « champ ». L'ouvrier connaissait son travail. Tout était compartimenté, le savoir et les gens, dans leur domaine. Au cours de la très courte histoire de l'éducation de masse — à peine plus d'un siècle — les écoles allèrent de l'enseignement de l'instruction fondamentale et des bases de la piété, à la formation en arts et en sciences sociales. L'éducation « s'éleva » de plus en plus en termes d'élaboration et de complexité.

Mais les écoles étaient toujours supposées remplir le mandat de la société, ou au moins s'y efforcer. Elles enseignaient l'obéissance, ou la productivité, ou quelque aspect qui semblait convenir aux besoins de l'époque.

Si, désormais, comme l'affirment les sondages d'opinion et quelques éducateurs, la société place au-dessus de tout le reste l'*actualisation de soi*... quelle va être alors la façon d'enseigner ?

Des millions de parents sont désenchantés devant l'éducation classique, certains parce que leurs enfants n'acquièrent même pas l'instruction de base, d'autres parce que les écoles déshumanisent.

Une révision du code de l'éducation californien, autorisant toutes les régions administratives à prévoir des écoles alternatives, reconnaissait l'importance de développer chez les élèves « la confiance en soi, l'initiative, l'amabilité, la spontanéité, la ressource, le courage, la créativité, la responsabilité et la joie » — voilà qui est beaucoup demander. Une étude émanant de l'Association nationale de l'éducation, « Le Changement de programme pour le XXIe siècle », remarquait que nous entrons dans une période de grande discontinuité, de changement et d'interdépendance des gens et des événements.

A cause de leur structure même qui tend à les paralyser, les systèmes scolaires ont répondu lentement, s'ils l'ont jamais fait, aux nouvelles découvertes scientifiques concernant la psyché et aux changements de valeurs de la société. En général, l'information pénètre très lentement dans les écoles ; les manuels et les programmes ont souvent des années sinon des décennies de retard sur le savoir d'un domaine particulier. Au niveau universitaire excepté, l'éducation n'est pas concernée par les sources personnelles, la spéculation, les percées conceptuelles, le front d'avancement de la recherche.

Une société qui est secouée par une explosion du savoir, par une révolution dans la culture et les communications, ne peut pas se permettre d'attendre que la bureaucratie grinçante de l'éducation la cautionne dans sa recherche de signification. Ce que nous savons désormais de la nature fait tomber les barrières artificielles entre les disciplines ; l'accélération du changement technologique est telle que les carrières traditionnelles s'évanouissent et que de nouvelles occasions apparaissent soudainement. Le cours précipité des nouvelles données amène un raccordement des diverses disciplines.

Cette institution qu'est l'éducation est incroyablement plus lente que toute autre à répondre à nos besoins de changement. Pour un coût toujours plus élevé (près de 8 pour cent du produit national brut, contre 3,4 pour cent en 1951), les anciennes structures ne fonctionnent plus. Un nouveau matériel ou des programmes remis à neuf ne sont pas suffisants.

Apprendre : l'émergence du paradigme

L'éducation a connu toute une intrication d'innovations qui ont fusé comme un feu d'artifice dans le ciel, et la plupart se sont éteintes rapidement, ne laissant planer que l'odeur du désenchantement. Trop souvent, elles ne s'adressaient qu'à des aspects partiels de la nature humaine, ce qui déclenchait des échauffourées : apprentissage cognitif contre apprentissage affectif, cadre libre contre cadre structuré. Max Lerner a fait remarquer que les théoriciens situés aux deux extrémités du spectre ont longtemps considéré les écoles américaines avec une ferveur quasi théologique, l'autre camp étant toujours accusé d'avoir détruit la cité céleste.

En fait, nous n'avons jamais eu de cité céleste. Nos écoles publiques ont été conçues, et ce n'est pas si mal, pour produire des individus modestement instruits, et non pour délivrer une éducation de qualité ou pour façonner de grands esprits.

Le Centre radical de la philosophie éducative — dans la perspective typique de la Conspiration du Verseau — est une constellation de techniques et de concepts appelée parfois l'*éducation transpersonnelle*. Ce nom provient d'une branche de la psychologie qui est fondée sur les capacités transcendantes des êtres humains. Dans l'éducation transpersonnelle, on encourage l'étudiant à être éveillé et autonome, à questionner, à explorer tous les coins et recoins de l'expérience consciente, à chercher du sens, à tester les limites externes, à contrôler les frontières et les profondeurs du soi.

Dans le passé, la plupart des alternatives en éducation n'ont offert qu'un changement pendulaire, poussant en avant la discipline (comme dans les écoles classiques) ou les valeurs affectives (comme dans la plupart des écoles libres).

Contrairement à l'éducation classique qui vise à ajuster l'individu à la société telle qu'elle existe, les éducateurs « humanistes » des années soixante soutenaient que la société devrait accepter ses membres comme uniques et autonomes. L'expérience transpersonnelle aspire à un nouveau type d'étudiant et à un nouveau type de société. Au-delà de l'auto-acceptation, elle encourage l'autotranscendance.

Se contenter d'humaniser l'environnement éducatif était encore quelque chose comme une concession au *statu quo*. Trop souvent, les réformateurs ont craint de mettre en question l'étudiant, de peur de le pousser trop durement.

L'éducation transpersonnelle est plus humaine que l'éducation traditionnelle et plus rigoureuse intellectuellement que de nombreuses alternatives du passé. Elle ne vise pas à fournir de simples techniques pour se débrouiller dans la vie, mais à orienter l'individu vers la transcendance. Elle est l'équivalent, en éducation, de la médecine holiste : l'éducation de toute la personne.

Selon un des Conspirateurs du Verseau, « l'éducation transpersonnelle est le processus par lequel l'individu est exposé au mystère qui est en lui, mais il faut vite se garer ensuite pour ne pas se faire écraser ». Cependant, il met en garde contre la surenchère envers les éducateurs dont le scepticisme est bien compréhensible : « Les écoles ont tellement connu de « révolutions » depuis ces dernières années. Le champ de bataille panse ses plaies. Ne promettez pas de miracles, même si vous en attendez. »

Phi Delta Kappa, l'influent journal des administrateurs d'école, remarque que l'éducation transpersonnelle détient les potentialités pour résoudre les graves crises sociales, de la criminalité chez les jeunes à l'augmentation de la durée des études. Le journal ajoute : « Bien que ce mouvement soit mal défini, il est peut-être la tendance dominante sur la scène de l'éducation d'aujourd'hui et laisse présager une révolution capitale. »

Comme la santé holiste, l'éducation transpersonnelle peut se donner et se recevoir n'importe où. Elle n'a pas besoin d'écoles, mais ses adeptes pensent que les écoles ont besoin d'elle. A cause de ses capacités de guérison sociale et d'éveil, ils conspirent pour faire entrer cette philosophie dans la salle de classe, à tous les niveaux d'études, dans les collèges et les universités, pour la formation professionnelle et l'éducation des adultes.

A la différence des réformes éducatives du passé, cette éducation est *profondément enracinée dans la science :* la théorie des systèmes, une compréhension de l'intégration de l'esprit et du corps, la connaissance des deux principaux modes de conscience et de leur manière d'interagir, le potentiel de modification et d'expansion de la conscience. Elle met l'accent sur le *continuum* du savoir plutôt que sur les « matières », et sur le fond commun de l'expérience humaine qui transcende les différences ethniques et nationales. Elle assiste l'étudiant dans sa recherche de sens, son besoin de discerner formes et structures, sa soif d'harmonie. Elle approfondit la conscience du mécanisme de changement de paradigme, du rôle de la frustration et de la lutte dans le déclenchement des prises de conscience.

L'éducation transpersonnelle préconise pour les tâches difficiles un environnement amical. Elle célèbre à la fois l'individu et la société, la liberté et la responsabilité, l'unicité de la personne et son interdépendance, le mystère et la clarté, la tradition et l'innovation. Elle tient son dynamisme de ses aspects complémentaires et paradoxaux. C'est la « voie juste » en éducation.

Ce paradigme élargi s'intéresse plus à la nature de l'apprentissage qu'aux méthodes d'instruction. Après tout, apprendre, ce n'est pas des écoles, des professeurs, l'instruction, les maths, les échelons, la réussite ; c'est le processus par lequel nous avons posé chaque pas sur le chemin depuis notre premier souffle ; c'est la transformation qui se produit dans le cerveau lors de l'intégration d'une nouvelle information, ou de la maîtrise d'une nouvelle habileté. L'apprentissage est amorcé dans l'esprit de l'individu ; tout le reste n'est qu'instruction.

Le nouveau paradigme reflète à la fois les découvertes de la science moderne et les découvertes de la transformation personnelle.

CONCEPTIONS DE L'ANCIEN PARADIGME DE L'ÉDUCATION	CONCEPTIONS DU NOUVEAU PARADIGME DE L'ÉDUCATION
Accent mis sur le *contenu,* l'acquisition d'un ensemble de connaissances « correctes », une fois pour toutes.	Accent mis sur le fait d'apprendre à apprendre, à poser les bonnes questions, à être attentif aux choses pertinentes, à trouver l'information, à être ouvert aux nouveaux concepts et à les évaluer. Ce qui est « connu » maintenant peut changer. Importance du *contexte.*
Apprendre est vu comme un *produit,* une destination.	Apprendre est vu comme un *processus,* un voyage.
Structure hiérarchique et autoritaire. Récompense le conformisme, décourage les divergences d'opinions.	Egalitaire. Autorise la franchise et les divergences d'opinions. Etudiants et enseignants se conçoivent comme des personnes, et non des rôles. Encourage l'autonomie.
Structure relativement rigide, programme prescrit.	Structure relativement flexible. Croyance qu'il existe de nombreuses façons d'enseigner un sujet donné.
Progression par échelons. Ages « appropriés » pour certaines activités. Séparation des âges. Compartimentation.	Flexibilité et intégration de groupes d'âges. L'individu n'est pas automatiquement limité par son âge à certaines matières.
Priorité à la performance.	Priorité à l'image de soi comme génératrice de la performance.
Orientation vers le monde extérieur. L'expérience intérieure sou-	Expérience intérieure considérée comme le contexte pour l'appren-

vent considérée comme inopportune dans le cadre scolaire.	tissage. Sont encouragés : l'imagerie, l'imagination, la tenue de son journal de rêves, les exercices de « centration » et l'exploration des sentiments.
On décourage l'émission d'hypothèses ou de pensées divergentes.	Hypothèses et pensées divergentes sont encouragées comme faisant partie du processus créatif.
Mode de pensée analytique, linéaire, par le cerveau gauche.	Effort pour une éducation de tout le cerveau. Augmentation de la rationalité du cerveau gauche au moyen de stratégies holistes, non linéaires et intuitives. Confluence et fusion des deux processus.
L'étiquetage (retardé, doué, etc.) contribue à l'autoréalisation de ce jugement.	L'étiquetage utilisé seulement pour des prescriptions mineures et non comme des évaluations fixes qui suivent l'individu dans toute sa carrière éducative.
Souci des normes.	Souci de la performance et des potentialités de l'individu. L'intérêt réside dans la mise à l'épreuve des limites extérieures, la transcendance des limitations perçues.
Confiance primordiale dans le « savoir livresque » théorique et abstrait.	Savoir théorique et abstrait fortement complété par l'expérience et l'expérimentation, à la fois à l'intérieur et hors de la salle de classe. Excursions à la campagne, apprentissages, démonstrations, visites aux spécialistes.
Salles de classe conçues pour l'efficacité, la commodité dans la réalisation du programme.	Souci du cadre d'enseignement : éclairage, couleurs, aération, confort physique, besoin d'intimité et d'interaction, d'activités tranquilles et exubérantes.
Déterminé bureaucratiquement ; forte résistance aux influences communautaires.	Encourage l'influence communautaire, et même son contrôle.

L'éducation vue comme une nécessité sociale pendant une certaine période de temps, pour inculquer un minimum de connaissances et former à un rôle précis.	L'éducation vue comme un processus qui dure toute la vie et n'est relié que tangentiellement aux écoles.
Confiance croissante dans la technologie (équipement audiovisuel, ordinateurs, bandes magnétiques, textes), déshumanisation.	Technologie appropriée, importance primordiale des relations humaines entre enseignants et élèves.
L'enseignant transmet le savoir ; sens unique.	L'enseignant est aussi élève, apprenant des étudiants.

Si les anciennes conceptions font naître des questions sur les moyens de suivre les normes, d'obtenir l'obéissance et des réponses correctes, les nouvelles conceptions conduisent à des questions sur la façon de motiver quelqu'un pour son apprentissage de toute une vie, de renforcer l'autodiscipline, d'éveiller la curiosité, et d'encourager le risque créatif chez les individus de tout âge.

Apprendre, c'est se transformer

On peut considérer l'élève comme un système ouvert — une structure dissipative — en interaction avec l'environnement, y puisant de l'information, l'intégrant et l'utilisant. L'élève transforme les données, ordonnant et réordonnant, créant une cohérence. Sa vision du monde s'élargit en permanence pour incorporer du neuf. De temps en temps il arrive que ça casse et se reforme, comme lors de l'acquisition de techniques et de concepts importants et nouveaux : apprendre à marcher, à parler, à lire, à nager ou à écrire ; apprendre une deuxième langue ou la géométrie. Chaque acquisition est une forme de changement de paradigme.

Un changement dans l'apprentissage est précédé par une période de stress dont l'intensité s'étend selon un *continuum :* malaise, excitation, tension créative, confusion, anxiété, douleur ou peur. Carlos Castaneda a décrit dans *L'Herbe du diable et la petite fumée* la surprise et la peur dans le processus de l'apprentissage :

> Il commence lentement à apprendre — petit à petit au début, puis par pans entiers. Ses pensées entrent bientôt en contradiction. Ce qu'il

apprend n'est jamais ce qu'il s'était représenté ou imaginé, et il commence à avoir peur. Apprendre n'est jamais ce que l'on attend. Chaque pas dans l'apprentissage est une nouvelle tâche et la peur dont l'homme fait l'expérience commence à monter implacablement, inflexiblement. Ce qui l'a motivé est devenu un champ de bataille...

Il ne doit pas s'enfuir. Il doit défier sa peur, au contraire, il doit faire le pas suivant dans l'apprentissage, puis le suivant, puis l'autre encore. Il doit être complètement effrayé, et pourtant il ne doit pas s'arrêter. C'est la règle ! Viendra un moment où son premier ennemi battra en retraite. Alors, apprendre ne sera plus une tâche terrifiante.

L'enseignant qui transforme sent chez le « disciple » ou l'étudiant s'il est prêt à changer, et il l'aide à répondre à des besoins plus complexes, transcendant les anciens niveaux encore et toujours. Le vrai enseignant apprend également et est transformé par la relation. Tout comme Burns a montré qu'un dictateur n'est pas un vrai leader car il n'est pas ouvert à la réaction de ceux qui le suivent, un enseignant qui se ferme, qui ne fait qu'exercer le pouvoir, n'est pas un vrai maître.

L'enseignant fermé peut gaver l'étudiant d'informations, mais l'élève retire sa participation. Les étudiants, comme les citoyens sous une dictature, ne peuvent faire connaître en retour, à celui qui est supposé faciliter leur croissance, leurs besoins, leur maturité pour un changement. C'est la différence entre un haut-parleur et un interphone.

L'enseignant ouvert, comme un bon thérapeute, est capable d'établir une relation, une résonance, de ressentir les besoins, les conflits, les peurs et les espoirs inexprimés. Respectant l'autonomie de l'élève, l'éducateur passe plus de temps à aider à articuler les *questions* urgentes qu'à exiger des réponses correctes.

Nous le verrons, le sens du moment opportun et de la communication non verbale est un aspect critique. L'élève sent si l'enseignant le considère comme prêt, s'il est confiant ou sceptique ; il « lit » ses attentes. Le vrai éducateur a l'intuition du niveau d'aptitude, puis il explore, questionne et guide ; il permet un temps d'assimilation et même de retraite, lorsque la progression devient trop pénible.

Tout comme on ne peut « délivrer » une santé holiste, car elle commence avec l'intention du patient, le véritable éducateur sait qu'il n'est pas possible d'imposer l'apprentissage. Galilée l'a dit : on peut aider l'individu à le découvrir de l'intérieur. L'enseignant ouvert aide l'élève à découvrir des structures et des relations, il favorise l'éveil à des possibilités nouvelles et étranges ; il est un accoucheur d'idées, un homme de barre, un catalyseur, un aide, un agent dans le processus d'assimilation, mais il n'est pas la cause première.

La confiance s'approfondit avec le temps. L'enseignant se trouve mieux en harmonie et un apprentissage plus rapide et plus puissant peut s'établir

Il est sûr qu'un enseignant suffisamment limpide pour une telle harmonisation doit posséder un robuste niveau d'estime de soi, peu de besoins égoïstes et ne pas être trop porté à la défensive. Il doit être prêt à laisser aller, à reconnaître ses torts, à autoriser l'élève à vivre une autre réalité. Encourager l'élève à écouter l'autorité intérieure, c'est admettre tacitement qu'il peut être d'un autre avis. La soumission à l'autorité externe est toujours temporaire. Comme le recommande la sagesse orientale : « Si tu vois le Bouddha sur la route, tue-le. »

Tel le maître spirituel qui élargit et guérit l'image de soi du disciple, l'éveillant à son propre potentiel, l'éducateur libère le soi, dessille les yeux, rend l'élève conscient du choix qui s'offre à lui. Nous ne faisons qu'apprendre ce que nous avons toujours su.

Nous apprenons à cheminer à travers les peurs qui nous retiennent. Dans la relation transformative avec l'éducateur, nous frôlons le précipice, notre paix est perturbée et nous sommes défiés par ce que le psychologue Frederick Perls a appelé « un danger sécure ».

L'environnement optimum en matière d'apprentissage doit offrir une sécurité suffisante pour encourager l'exploration et l'effort, et doit être assez passionnant pour nous pousser en avant. Bien qu'un environnement humaniste ne soit pas une condition suffisante à la transformation/éducation, il engendre cependant la confiance nécessaire. C'est dans les enseignants qui, lorsque c'est nécessaire, savent nous imposer stress, douleur et travaux pénibles que nous avons confiance. En revanche, nous éprouvons du ressentiment à l'égard de ceux qui nous poussent afin de satisfaire leur propre ego, nous stressent avec des doubles contraintes ou nous font plonger en eaux profondes lorsque nous craignons de n'avoir plus pied.

Or, un stress opportun est essentiel. Les éducateurs peuvent échouer dans leur tentative de transformation s'ils ont peur d'indisposer l'élève. Un maître spirituel a dit que « la véritable compassion est sans pitié ». Ceux qui nous aiment peuvent bien nous pousser lorsque nous sommes prêts à voler.

L'enseignant trop mou renforce la volonté naturelle de l'élève à battre en retraite et à se tenir en lieu sûr, à ne s'aventurer jamais pour quérir un nouveau savoir, à ne risquer jamais. L'enseignant doit savoir quand il lui faut laisser l'élève lutter, réalisant que l' « aide » ou le réconfort, même lorsqu'ils sont demandés, peuvent interrompre une transformation. C'est le même bon sens qui sait que le nageur doit se laisser porter, que le cycliste doit réaliser un nouvel équilibre interne. Même au nom de l'amour et de la sympathie, on ne doit pas nous épargner d'apprendre.

Le risque apporte ses propres récompenses : l'allégresse d'avoir percé une limite, d'être allé de l'autre côté, le soulagement de la guérison d'un conflit, la clarté lorsqu'un paradoxe se dissout. Quiconque nous enseigne cela est l'agent de notre libération. Finalement, nous apprenons profondément que de l'autre côté de chaque peur nous attend une liberté, que nous devons nous charger du voyage, nous pousser au-delà de notre répugnance, de nos appréhensions et de notre confusion vers cette liberté neuve.

Une fois que cela arrive, quel que soit le nombre des échecs et des détours, notre vie suit un cours différent. Quelque part réside cette claire mémoire du processus de transformation : de la nuit à la lumière, de la perte à la découverte, de la multiplicité à l'unité, du chaos à la clarté, de la peur à la transcendance.

Pour comprendre combien la peur et la maîtrise, le risque et la confiance sont des attitudes qui s'apprennent, il nous faut remonter, avant la période scolaire, à nos premiers éducateurs. Les parents sont nos modèles d'exploration. Nous avons appris d'eux à battre en retraite ou à avancer. Nous nous sommes imprégnés de leurs attentes. Trop souvent, nous avons hérité en deuxième génération des peurs et des anxiétés que nous ressentions en eux. Et — si nous ne sommes pas conscients de ce cycle — il est plus que probable que nous transmettrons leurs peurs et les nôtres à nos enfants. C'est l'héritage du malaise légué de génération en génération : peur de perdre, ou de tomber, d'être distancé, d'être délaissé, de ne pas être assez bien.

Des études récentes sur la « peur de réussir », un syndrome très commun, ont révélé que sa cause la plus probable est la communication par le parent de la peur que l'enfant ne soit pas capable de mener à bien la tâche qu'il entreprend. L'enfant réalise simultanément que la tâche est considérée comme importante par le parent, et que le parent doute qu'il puisse la réussir sans aide. Cet individu va établir, pour toute sa vie, une structure de comportement qui va saboter ses propres succès, même s'il est sur le point da maîtriser réellement sa tâche.

Il semble que la plupart des parents ne se soucient pas si leurs enfants sont meilleurs qu'eux dans certains domaines : le travail à l'école, l'athlétisme, la popularité. Il existe une satisfaction par délégation lorsque l'enfant dépasse nos propres ambitions. Mais la plupart des parents ne veulent pas que leurs enfants soient ***différents.*** Nous voulons être capables de les comprendre, et nous tenons à ce qu'ils partagent nos valeurs.

Si, en tant que parents, nous avons peur du risque et de l'étrangeté, nous prévenons nos enfants contre toute tentative d'attaquer le système. Nous ne reconnaissons pas leur droit à un monde différent. Au nom de l'adaptation, nous pouvons essayer de leur épargner cette rébellion qui a un sens pour eux. Au nom de l'équilibre. nous tâchons de les préserver de l'intensité, des obsessions, des excès, c'est-à-dire du déséquilibre qui permet à la transformation de se produire.

Un parent qui témoigne de la confiance envers la capacité de l'enfant à apprendre, qui encourage son indépendance, qui s'oppose à sa peur avec humour et honnêteté, peut briser l'ancienne chaîne des traumatismes hérités.

Un nombre croissant d'adultes ont entrepris leur propre processus de transformation durant la décennie qui vient de s'achever. Ils ont pris conscience de ce legs tragique, et ils représentent une puissante force de changement, un facteur historique neuf.

Apprendre de tout son cerveau

Il existe un autre développement sans précédent. Une fois que l'esprit a pris conscience de l'évolution, a dit Teilhard de Chardin, l'humanité est entrée dans une nouvelle phase. Ce n'était qu'une question de temps avant que nous ne percevions l'évidence d'une expansion mondiale de la conscience.

L'utilisation délibérée des techniques d'expansion de conscience en éducation, qui n'est en voie d'exécution que depuis peu, est une nouveauté dans la scolarité de masse. Aucune culture n'avait jamais, précédemment, entrepris de favoriser le savoir par la totalité du cerveau dans l'ensemble de la population. L'état de transcendance, qui permet à l'intellect et aux sentiments de fusionner, et aux fonctions corticales supérieures, telles que le jugement, de faire la paix avec les intuitions du vieux cerveau limbique, était l'apanage de quelques-uns : le philosophe d'Athènes, le maître zen, le génie de la Renaissance, le physicien créatif. Une telle brochette de héros n'avait rien de commun avec les gens « normaux ». Et cela ne relevait certainement pas de la vocation des écoles !

Mais il n'existe plus de raison de limiter à une élite le savoir par tout le cerveau. La science et les expériences transformatives personnelles d'un grand nombre de personnes démontrent qu'il s'agit d'une capacité innée chez l'homme, et non d'un simple don qu'on rencontre chez les artistes, les yogis et les prodiges scientifiques. Le cerveau de chacun de nous est capable de réordonner l'information à l'infini. Les conflits et les paradoxes constituent l'aliment du processus transformatif du cerveau.

Nous n'avons qu'à être attentifs. En créant ce que le psychologue Leslie Fehmi a appelé « la concentration ouverte » les psychotechniques amplifient la conscience. Elles activent la mémoire, accélèrent la vitesse d'apprentissage, aident à intégrer les fonctions des deux hémisphères cérébraux et favorisent la cohérence entre les anciennes et les nouvelles régions du cerveau. Elles permettent aussi un meilleur accès aux angoisses inconscientes qui peuvent se trouver sur notre chemin.

Elles aident l'élève, jeune ou vieux, à se centrer, à créer, relier, unifier, transcender.

Il devient vite évident que notre sous-estimation de la capacité du cerveau et notre ignorance de son fonctionnement nous ont amenés à concevoir nos systèmes éducatifs à l'envers et à rebours. Leslie Hart, consultant en éducation, décrit les écoles comme des « antagonistes du cerveau » :

> Nous sommes obsédés par la « logique » dans son sens habituel... un effort tendu, pas à pas, ordonné, séquentiel (linéaire)... Mais le cerveau humain fait peu d'usage d'une logique de cette sorte. C'est un ordinateur au pouvoir et à la subtilité incroyables, mais bien plus analogique que digital. Son fonctionnement ne nécessite pas de précision car il est probabiliste, et effectue un grand nombre d'approximations, souvent grossières et même vagues.

Les calculs du cerveau ne requièrent pas d'effort conscient, mais seulement notre attention et notre ouverture afin que circule l'information. Bien que le cerveau absorbe des quantités astronomiques d'informations, très peu sont admises à la conscience « normale », principalement à cause de nos habitudes et de nos conceptions erronées sur notre façon de savoir ce que nous savons.

Hélas, les découvertes sur la nature de l'esprit ont connu le même sort que les nouvelles d'un armistice, longues à se propager ; beaucoup sont morts sans raison sur le champ de bataille, bien après que la guerre fut terminée. De jeunes esprits sont inhibés et étouffés chaque jour en si grand nombre qu'il est insupportable d'y penser, contraints de passer dans un système qui bloque la capacité de croissance de toute une vie. Comme l'a dit quelqu'un, les êtres humains, au contraire des insectes, commencent papillons et finissent cocons.

La science du cerveau a été longtemps absente des cours dans la plupart des collèges d'éducation. Les découvertes sur la spécialisation des hémisphères droit et gauche, même très simplifiées, ont offert à l'éducation une métaphore nouvelle et provocante concernant l'apprentissage.

La validation scientifique de l' « intuition », le mot qui désigne un savoir dont on ne peut retracer l'origine, a secoué la science et commence tout juste à avoir un résultat en éducation.

Selon le sens commun, nous essayons de suivre le cours des idées de point en point, comme pour le télégraphe ou un « train de pensée ». A conduit à B puis à C. Mais les processus non linéaires de la nature, comme la cristallisation et certains événements cérébraux, relient A et Z d'un seul coup. Le cerveau n'est pas limité aux conceptions de notre sens commun, ou alors il ne fonctionnerait pas du tout.

Le dictionnaire définit l'intuition comme « une perception rapide de la vérité sans attention ou raisonnement conscients », « un savoir venant de l'intérieur », « un savoir ou un sentiment instinctif associé à une vision claire et concentrée ». Le mot dérive opportunément du latin *intuere*, « regarder attentivement ».

Si cette perception instantanée est ignorée par l'esprit linéaire, on ne doit pas être surpris. Après tout, ses processus dépassent l'investigation linéaire et sont donc suspects. En outre, ils relèvent de la moitié muette du cortex. Le cerveau droit ne peut pas verbaliser ce qu'il sait ; ses images, métaphores ou symboles ont besoin d'être reconnus et reformulés par le cerveau gauche avant que l'information soit totalement connue.

Jusqu'à ce que nous ayons la preuve en laboratoire de l'existence d'un tel savoir, et quelque vague idée du processus non linéaire, il était difficile à notre soi linéaire d'accepter ce savoir, encore moins de lui faire confiance. Nous savons maintenant qu'il provient d'un système dont la mémoire, les réseaux et la vitesse défient l'approche des meilleurs investigateurs.

On a tendance à penser que l'intuition est séparée de l'intellect. Plus justement, on pourrait dire que l'intuition englobe l'intellect. Tout ce que nous avons saisi est aussi enregistré et accesssible. Ce domaine plus large sait tout ce que nous savons dans notre conscience normale — et bien plus encore. Comme l'a dit le psychologue Eugene Gendlin, la dimension que nous avions l'habitude d'appeler l'inconscient n'est pas infantile, régressive ou onirique, mais bien plus *intelligente* que « nous » ne le sommes. Si ses messages peuvent être confus, c'est de la faute du destinataire, non de l'expéditeur.

Le « savoir tacite » a toujours eu ses défenseurs, dont nombre de nos scientifiques et artistes les plus éminents et les plus créatifs. Il a été le partenaire essentiel de tous nos progrès. Le cerveau gauche peut organiser une nouvelle information dans l'ensemble des structures existantes, mais *il ne peut pas engendrer de nouvelles idées.* Alors que *le cerveau droit voit le contexte et, donc, la signification.* Sans intuition, nous en serions encore aux cavernes. Chaque percée conceptuelle, chaque saut en avant dans l'histoire, a dépendu des prises de conscience du cerveau droit, à la faculté du cerveau holiste à détecter les anomalies, à traiter la nouveauté, à percevoir les relations.

Faut-il s'étonner que notre approche éducative, où priment les processus linéaires du cerveau gauche, soit si déphasée par rapport à son époque ?

Jerome Bruner, l'un des principaux scientifiques intéressés par le domaine de l'apprentissage, remarque que le jeune enfant approchant un nouveau sujet ou un problème non familier, comme le scientifique opérant à la pointe de sa discipline, seraient paralysés sans l'intuition. Par exemple, nous ne comprenons pas comment nous tenons en équilibre. Nous ressentons bien plus souvent que nous ne comprenons. L'ordinateur A-Z affine ses perceptions et ses extrapolations, et permet le mouvement.

Selon Bruner, si nous désirons utiliser nos capacités pleinement et avec confiance, nous devons reconnaître le pouvoir de l'intuition. Toute notre technologie a produit tellement d'options, que seule l'intuition peut nous aider à choisir. Et maintenant que cette technologie peut s'occuper des tâches routinières et analytiques, nous voici libres d'affiner notre attention afin d'avoir accès au savoir holiste.

Nous réalisons aujourd'hui que le cerveau droit saisit les relations, reconnaît les visages, est médiateur d'information nouvelle, entend les tonalités, apprécie les harmonies et les symétries. *La plus grande de toutes les incapacités à apprendre pourrait être la non-perception des structures,* des relations ou des significations. Mais aucune école ne possède de programme pour remédier à ce handicap des plus fondamentaux. Comme nous le verrons, notre système éducatif l'aggrave ou peut même l'engendrer.

La recherche vient confirmer ce que les parents et les enseignants un peu observateurs ont toujours su, à savoir que chacun possède sa façon d'apprendre. Parmi nos cerveaux en tous genres, certains sont à dominance gauche, d'autres à dominance droite, d'autres encore sans dominance. Parmi nous, il y en a qui apprennent mieux en écoutant, d'autres en voyant ou en touchant. Certains visualisent aisément, d'autres pas du tout. Il y en a qui ont la mémoire des chiffres, des dates, d'autres se rappellent les couleurs et les impressions. Si certains apprennent mieux en groupe, d'autres préfèrent la solitude. Il y en a qui sont du matin, les autres du soir.

Il n'existe pas de méthode éducative qui puisse tirer le meilleur de ces cerveaux divers. Les découvertes concernant les particularités des deux hémisphères et la tendance des individus à adopter tel ou tel style nous aident aussi à comprendre pourquoi nous différons tant dans nos modes de voir et de penser.

La recherche sur le cerveau révolutionne également notre compréhension des modes de perception qui diffèrent chez les hommes et les femmes. Certains aspects de la spécialisation cérébrale varient en effet de façon marquante selon les sexes. Les hémisphères droit et gauche du cerveau de l'homme se spécialisent à un âge plus précoce que chez la femme, ce qui leur confère certains avantages et inconvénients. Ainsi, le cerveau des hommes est supérieur dans certains types de perception spatiale, mais il est moins flexible et plus vulnérable que le cerveau des femmes lors de destructions consécutives à des accidents. Il y a bien plus d'hommes que de femmes souffrant de dyslexie (lecture difficile).

La dyslexie, qui afflige au moins 10 pour cent de la population semble être associée à la dominance de l'hémisphère cérébral droit dans le processus de lecture. Ceux qui ont une forte perception holiste sont souvent handicapés par notre système éducatif où prime la symbolique mathématique et le langage symbolique. Ils souffrent d'une difficulté initiale à traiter ces symboles. Mais cette minorité neurologique peut aussi être exceptionnellement douée. Elle excelle particulièrement dans les arts et dans la pensée créative. Il est dommage que sa contribution potentielle à la société soit fréquemment inhibée parce que le système mine l'estime de soi chez de tels individus dès les premières années scolaires.

Les écoles ont formé et « calibré » tout un kaléidoscope de cerveaux selon un programme unique, un jeu unique de critères. Elles ont favorisé certaines aptitudes par conditionnement et récompense, à l'exclusion des autres, faisant des « ratés » de ceux dont les dons ne figurent pas sur la liste des talents les plus recherchés par la culture du moment et les persuadant ainsi pour la vie de leur incapacité.

En tant qu'individus et que corps social, nous sommes pris par des besoins urgents auxquels nous ne pouvons subvenir qu'en changeant notre manière de penser l'apprentissage.

Le besoin d'innovation

L'aptitude à synthétiser et à saisir des structures a valeur de survie pour le XXIe siècle. A mesure que la culture devient plus complexe, que la science englobe plus de domaines, que les choix sont plus divers, nous avons besoin plus que jamais d'une compréhension par tout le cerveau : le cerveau droit pour innover, sentir, imaginer et prévoir ; le gauche pour tester, analyser, vérifier, construire et soutenir le nouvel ordre. Ensemble, ils inventent l'avenir.

Des expériences suggèrent qu'en plus de saisir des relations et d'exceller dans les perceptions profondes, l'hémisphère droit semble mieux appréhender les structures lorsqu'il y a pénombre et imprécision. Cela rejoint avec un brin de poésie sa faculté de scruter l'inconnu et son penchant pour la mystique.

Ce savoir flottant et libre du cerveau droit est comme un livre emprunté, quelques mesures d'une mélodie, une vague mémoire. Si à ce motif qui vient d'être perçu on ne peut donner un nom, une définition, si on ne peut en faire une esquisse, cet étranger retourne à l'inconscience. Il part en morceaux et en fumée comme les bribes d'un rêve. Il n'est pas réalisé. Sans la capacité du cerveau gauche à reconnaître, à nommer et à intégrer, toute l'imagination qui pourrait rajeunir notre vie resterait dans l'oubli.

Les psychotechniques aident à l'émergence de cet étranger. Dans un état d'attention diffuse, des sentiments et des impressions complexes viennent à la surface et peuvent être reconnus par le cerveau gauche analytique. Le vrai mystère réside dans cette intégration soudaine, lorsque l'incohérence devient sens. C'est alors l'ensemble du cerveau qui travaille... et, dans la bulle de B.D., l'ampoule s'allume au-dessus du bonhomme qui s'écrie « eureka ! »

Nous vivons à une époque d'adaptation constante et quotidienne, et de révision radicale des anciennes données de la science. Les niveaux multiples de réalité, les nouvelles notions sur le monde physique, les états d'expansion de conscience, les progrès stupéfiants de la technologie, tout cela n'est ni de la science-fiction ni un rêve curieux. Cela ne va pas disparaître.

La plupart des écoles ont été dans le passé particulièrement hostiles aux individus créatifs et innovateurs. Ceux-ci avancent par à-coups, ils perturbent la somnolence du *statu quo*. Ils proposent une vision de la réalité dissidente par rapport à celle, confortable, qui fait le consensus. Et ils ne craignent pas de s'écrier, comme dans le conte, « le roi est nu ».

Le biologiste Henri Laborit écrit dans *La Nouvelle Grille :* « Il n'y a que le " découvreur " qui rend plus que ce qui lui fut donné, qui fournit plus d'information qu'il ne lui en a été confié par l'apprentissage. On est bien obligé de constater que jusqu'ici et quels que soient les régimes, c'est l'information non restructurée par l'imaginaire, c'est-à-dire essentiellement les *automatismes* qui sont rétribués, et (non)... l'imagination créatrice... (qui) constitue un danger pour les structures hiérarchiques, socio-économiques et de dominance existante. Elle ne peut donc être envisagée par celles-ci, dont la finalité fondamentale est de se conserver telles quelles. »

Hermann Hesse a évoqué cette « lutte entre la règle et l'esprit » qui se répète d'année en année, d'école en école :

> Les autorités déploient des efforts infinis pour étouffer dans l'œuf les rares intellects profonds ou de valeur. Et d'âge en âge, on observe toujours que ce sont ceux qui sont détestés et fréquemment punis par leurs maîtres, les fugueurs et les exclus qui, après coup, ajoutent au trésor de l'humanité. Mais certains — et qui sait combien ? — dépérissent avec une tranquille obstination et finissent par succomber.

Par mégarde, nous pouvons pousser des gens aux extrêmes de leurs tendances innées à cause des défauts de nos écoles. L'innovateur rebelle diverge de plus en plus, pour devenir, peut-être, antisocial ou névrosé. L'enfant timide qui veut plaire est contraint par la structure autoritaire d'adopter une attitude encore plus conforme. Dans leur étude, où ils comparent les etablissements d'enseignement supérieur à des prisons,

Craig Haney et Philip Zimbardo pensent que le vrai drame, ce ne sont pas les fauteurs de troubles ou même ceux qui s'évadent de la société, mais « la procession sans fin d'étudiants éteints qui défilent à l'intérieur du système scolaire, tranquillement, discrètement, sans poser de questions et sans qu'on les remarque ».

La peur peut nous empêcher d'innover, de risquer, de créer. Mais elle nous installe dans une illusion de sécurité. Nous ne faisons que prolonger notre inconfort et troubler notre sommeil, car, à un certain niveau, nous savons que nous sommes en danger si nous évitons de changer dans un monde qui, lui, change. Les seules stratégies suffisamment imaginatives susceptibles de nous sauver ne peuvent venir que de l'écoute de notre « autre » conscience. Il nous faut constamment ouvrir et réouvrir les dossiers et les problèmes, détruire et reconstruire les structures.

Alvin Toffler a suggéré, dans *Le Choc du futur* (1970), que nous avions besoin d' « une multiplicité de visions, de rêves et de prophéties — images de lendemains potentiels ». Car demain va probablement nous apporter des surprises saisissantes ou même cataclysmiques. Un système éducatif qui pousse aux réponses « correctes » est malsain scientifiquement et psychologiquement. En exigeant le conformisme, que ce soit dans les croyances ou dans les comportements, il inhibe l'innovation et se condamne à être rejeté en cette époque d'autonomie croissante.

Il ne suffit pas de visualiser les problèmes, il faut les reformuler, en élargir le cadre. Par exemple, des psychologues ont demandé à des sujets de concevoir une horloge sans aiguilles, ni chiffres, ni éléments qu'on puisse voir changer pendant qu'elle fonctionne. En essayant trop de *visualiser* cette horloge, la plupart des gens se sont limités à chercher une solution dans le cadre visuel, alors qu'en élargissant le cadre sensoriel, une solution apparaît tout de suite : une horloge *sonore*.

La curiosité, les sauts d'imagination, la synthèse, la spontanéité, le « flash » de la prise de conscience — tout cela doit-il rester l'apanage d'une minorité favorisée ? « Etre révolutionnaire, écrit Laborit, n'est plus l'affaire de quelques leaders inspirés, d'une élite éclairant la masse, mais celle de tous. C'est sans doute la finalité de l'espèce humaine, car il s'agit d'une révolution permanente et culturelle. »

Le besoin de relations

Le sens émerge du contexte, du rapport entre les choses. Sans contexte rien n'a de sens. Que deviennent des pions sans damier, une langue sans grammaire, des jeux sans règle ? Le cerveau droit, avec son don pour saisir les structures et les totalités, est essentiel pour comprendre le contexte, pour détecter du sens. « Apprendre à apprendre », c'est apprendre à voir les relations entre les choses. « Malheureusement nos écoles ne nous sont d'aucun secours », a dit l'anthropologue Edward Hall, « parce qu'elles nous enseignent immanquablement à ***ne pas*** imaginer de liaisons... Il devrait exister au moins quelques personnes ayant pour tâche d'élaborer des synthèses, de rassembler les choses. Ceci est impossible sans un sens profond du contexte. »

Contexte... au sens littéral : « tissé avec ». Nous sommes amenés désormais à considérer l'écologie de toutes choses, réalisant que les unes n'ont de sens qu'en relation avec les autres. Tout comme la médecine a commencé à se préoccuper du contexte de la maladie, du milieu et non des seuls symptômes, l'éducation commence à reconnaître que l'interrelation de ce que nous savons, la toile de fond, est plus importante que le simple contenu. Celui-ci est relativement aisé à maîtriser une fois qu'on lui a donné un cadre.

Avec le programme « Titre 1 », conçu pour aider les enfants déshérités culturellement, des conseillers en éducation de la firme américaine Synectics, ont enseigné à des milliers d'enfants de l'école élémentaire comment imaginer des relations, comment penser par métaphores. Initialement, la plupart des enfants ne peuvent pas faire de relations porteuses de sens. Si le maître demande par exemple « en quoi la croissance d'une graine et la croissance d'un œuf sont-elles pareilles ? », des réponses typiques d'enfants en classe depuis trois ans seront du genre, avant entraînement : « la fleur, c'est mieux », « le poussin peut marcher », « l'oisillon est plus petit », « il n'y a pas de plumes aux fleurs ».

Après plusieurs heures d'exercices de groupe à imaginer des relations, on interroge de nouveau les enfants sur la graine et l'œuf. Tous peuvent maintenant généraliser un certain aspect des similitudes : la croissance, le changement de forme, etc. Leurs métaphores sont souvent étonnantes : « Il n'y a que l'œuf et la graine qui savent ce qu'ils seront une fois grands... Quelque chose à l'intérieur doit le leur dire. C'est comme quelqu'un qui raconte une histoire et qui est le seul à savoir comment ça se termine. » Selon un enfant, la graine et l'œuf commencent tous deux petits et ils deviennent gros tout à coup, comme quand son père se met en colère. Un autre a comparé l'éclosion de la graine et de l'œuf à la rupture d'une canalisation d'eau gelée.

Lorsque les enfants furent testés, un an après le début de cet entraînement à penser par métaphores, les élèves de première année montrèrent une augmentation de 363 % de la reconnaissance des lettres et des sons, de 286 % de la compréhension orale, et de 1 038 % de la lecture des mots

Pour William J. J. Gordon, auteur de ce programme, l'apprentissage est fondé sur l'aptitude à relier le nouveau au familier, grâce à des rapprochements, capacité que l'on a empêchée de se développer chez beaucoup.

Voici un échantillon des questions que comportent les exercices proposés par Synectics : « Qu'est-ce qui a besoin de plus de protection, une tortue ou un rocher ? » ; « Qu'est-ce qui pèse le plus, un gros caillou ou un cœur lourd ? » ; « Qu'est-ce qui croît le plus, un arbre ou la confiance en soi ? ». La métaphore construit un pont entre les hémisphères. Une connaissance provenant du cerveau droit muet est ainsi véhiculée vers l'hémisphère gauche au niveau du symbole, de telle sorte que cet hémisphère l'identifie comme quelque chose de déjà connu. Le programme porte aussi sur la recherche d'exemples d'attraction répulsive, d'armure fragile, de hâte lente, de liberté disciplinée, autant d'exercices qui visent à transcender les paradoxes.

Dans le flot d'information qui nous parvient, nous pouvons aller vers une économie de l'apprentissage : quelques théories et principes puissants suffisent à dégager un sens commun à de nombreuses disciplines.

Les éléments de l'univers ne peuvent être compris que dans leur totalité, comme nos meilleurs penseurs n'ont cessé de l'affirmer. Pour Albert Szent-Györgyi, par exemple « la nature est une merveilleuse unité, elle n'est pas divisée en physique, chimie, mécanique quantique... » Kenneth Boulding, économiste et président de l'Association américaine pour le progrès de la science, parle de la « profonde réorganisation et restructuration du savoir » qui se produit à notre époque : « Les vieilles murailles s'écroulent de toute part. »

Joseph Meeker, à propos de ce qu'il a appelé l' « éducation ambidextre », affirme que les gens doivent apprendre à adapter « un cerveau entier à un univers entier ».

Dans son rapport 1977, la Fondation Carnegie pour le progrès de l'enseignement dit « nous avons traversé une période où le savoir était fragmenté, mais des rêves d'intégration ont survécu... Domaine après domaine, des individus ont cherché à recréer intellectuellement une totalité après une longue période de fission. Il semble que nous entrions dans une période de nouvelles tentatives de synthèse ». De la fission à la fusion... Comme le mentionnait le rapport, cette réunion des savoirs est plus évidente au niveau universitaire parce que « les fronts de recherche en expansion dans chacun des domaines sont plus rapprochés les uns des autres que ne le sont les zones centrales de ces domaines ».

Il est difficile de visualiser le rapprochement des fronts de recherche des différents domaines scientifiques. Nous pourrions le concevoir plus aisément en parlant de profondeur : la pénétration de l'investigation humaine, quelle que soit son origine, semble nous mener vers quelques vérités et principes centraux.

Le besoin de transcender la culture

Non seulement nous apprenons à relier l'information, mais nous nous relions les uns les autres. Nous sommes de plus en plus conscients qu'aucune culture, aucune période de l'histoire, n'ont détenu toutes les réponses. Nous rassemblons une sagesse collective, nourrie du passé et de l'ensemble de la planète.

« Nous avons été les bénéficiaires de notre héritage culturel, a dit le psychologue Stanley Krippner, et les victimes de notre étroitesse culturelle. » Nos concepts du possible sont embourbés dans le matérialisme lourd et le vieux dualisme corps-esprit de notre perspective culturelle.

Tout comme les innovateurs médicaux ont fait appel aux prises de conscience sur la santé émanant d'autres cultures — le curanderisme, le chamanisme, l'acupuncture — maintenant nous découvrons et adaptons les systèmes d'enseignement, les perspectives et les outils traditionnels.

Un de ces outils est la roue indienne de la médecine, ou la roue du savoir des Cheyennes. Contrairement à nous, avec notre manière de compartimenter l'information, les Cheyennes et d'autres tribus amérindiennes tentent de montrer la nature circulaire et intriquée de la réalité en représentant le savoir dans une roue. Par exemple, la roue peut être divisée en quatre saisons, les « quatre coins de la terre », ou les saisons de la vie. Ou encore, elle peut démontrer les structures et les relations entre des groupes sociaux ou l'agriculture, comme un organigramme circulaire. Les éducateurs de l'Ecole d'éducation de Harvard ont adapté la roue à l'illustration des relations entre les disciplines.

Et, tout comme les partisans de la médecine holiste ont fait revivre des formules pertinentes de Platon et d'autres philosophes grecs, les éducateurs se mettent à examiner tardivement un concept holiste grec, *paidea*. Paidea fait allusion à la matrice éducative créée par l'ensemble de la culture athénienne, dans laquelle la communauté et toutes ses disciplines produisaient des ressources pédagogiques pour l'individu, dont le but ultime était d'atteindre le centre divin dans le soi.

L'*euphénisme,* une idée récente en génétique, suggère qu'il existe une base scientifique à des approches d'apprentissage telles que paidea. Alors que l'eugénisme avait pour but la sélection de certains traits et l'élimination d'autres, pour l'euphénisme, l'environnement peut être optimisé afin de faire apparaître des traits jusque-là potentiels. Par exemple, on pourrait dire que chacun de nous est doué, dans le sens où son répertoire génétique dispose de riches potentialités, mais que l'environnement ne permet pas à la plupart de ces dons de se manifester. Si l'environnement pédagogique est stimulant et tolérant, tout un ensemble d'aptitudes, de capacités et de talents peut être développé.

Un autre système indigène offre une nouvelle façon d'introduire la pertinence dans l'éducation. Les étudiants se sont souvent plaints de l'inadéquation des informations prodiguées par les écoles. Certains éducateurs américains ont adapté l'idée du « walkabout », un long et dangereux voyage dans le désert que doit effectuer tout aborigène australien de sexe masculin vers quatorze ans. Le fait qu'elle prépare à une initiation où leur vie est en jeu confère à l'éducation tribale des aborigènes un caractère d'urgence. Dans certaines écoles, de jeunes citadins organisent maintenant leur propre programme d'étude en vue d'une grande tâche qu'ils ont choisie : leur version personnelle du walkabout.

On rencontre une passion croissante parmi les éducateurs pour les vieux mythes et symboles, la tradition orale, les fêtes de la terre, les rites de passage et les coutumes des primitifs, ces capacités extraordinaires qu'on a enregistrées et qui proviennent de cultures moins linéaires que la nôtre.

A mesure que notre vision change, le monde change : il devient plus petit, plus riche, plus humain, comme le Village global de McLuhan, la planète-joyau du World Earth Catalog (Catalogue de la Terre entière) ou le Spaceship Earth (Vaisseau spatial Terre) de Bucksminster Fuller. Quelles structures subtiles peut-on découvrir dans un terrain de neige ou de sable ? Qu'est-ce qui se passe quand on navigue d'île en île, quand on danse sur des charbons ardents ? De quoi les humains sont-ils capables ? Quel est notre bagage collectif de connaissances ? « Aucun de nous, dit une affiche d'une école alternative, n'est aussi intelligent que nous *tous*. »

Nous découvrons que nous aussi, nous pouvons créer des mythes, une stratégie vieille comme le monde pour des cultures engagées dans une transformation.

Dans les questionnaires sur la Conspiration du Verseau concernant les changements de vie et les expériences bouleversantes, plusieurs personnes ont mentionné le choc culturel qu'elles ont éprouvé dans un autre pays, une autre partie du monde.

Les autres cultures sont pour nous riches de leçons fécondes. Par exemple, les initiations des primitifs enseignent à l'initié ce qu'est la douleur, l'identité, l'affrontement. Si un enfant eskimau se sent tendu, on l'encourage à fixer du regard un oiseau ou un poisson ; ainsi, il se retire temporairement d'une situation perturbante, car l'oiseau peut s'envoler ou le poisson filer brusquement. On enseigne également à l'enfant à refaire face à son problème après ce répit, comme s'en reviennent l'oiseau et le poisson.

Les Indiens des plaines d'Amérique du Nord enseignent à leurs enfants « la gémellité » en l'homme, c'est-à-dire l'existence de soi conflictuels qui peuvent être unifiés. Un vieux chef, cité par Hyemeyohsts Storm, dans *Sept Flèches* comparait cette gémellité aux branches fourchues d'un arbre. « Si une moitié essaye de se séparer de l'autre moitié, l'arbre va être mutilé et peut en mourir... Plutôt que d'emprunter ce chemin stérile, nous devons lier les éléments antagonistes de notre double nature aux choses de l'univers.

Notre culture avait grand besoin de sa roue du savoir inspirée des Cheyennes — une cosmologie dans laquelle elle peut ordonner l'information et l'expérience : notre place sur la planète, notre séquence dans cette représentation historique qu'est l'évolution, notre relation à l'infime électron et à l'immense galaxie, notre environnement à la naissance, dans la famille, au travail, à la mort. Tous ces aspects sont des contextes. Nous ne pouvons pas nous comprendre mutuellement, ni comprendre la nature, sans appréhender les systèmes entiers : les multiples perspectives qui se dessinent sur le tissu d'événements, sur la toile de fond des circonstances.

Le besoin de grandes espérances

La conception transpersonnelle encourage l'élève à s'identifier à ceux qui ont transcendé les limites « normales ». Ce que nous pensons être un don intellectuel est une potentialité présente en tout cerveau normal, comme l'a montré la recherche, bien que la plupart d'entre nous la laissions en jachère.

Des expériences ont aussi montré le pouvoir de l'image de soi : les espérances plus ou moins grandes que nourrissent les parents, les professeurs ou les individus. Une récente étude portant sur des hommes issus de la même classe socio-économique modeste a révélé que ceux dont la situation s'améliorait avait un atout majeur qui manquait aux autres : l'espérance de leurs parents en leur succès.

Les enseignants ont été formés pour attendre peu de leurs élèves. Dans une célèbre expérience des années soixante, Robert Rosenthal, de Harvard, et Lenore Jacobson, de San Francisco, démontrèrent ce qu'ils appelèrent « l'effet Pygmalion » : les enseignants communiquent à l'élève, de façon non intentionnelle, ce qu'ils attendent de lui, prophétie qui aura tendance à se réaliser d'elle-même. Les jeunes dont on attend qu'ils agissent bien sont habituellement épanouis, même si les *attentes des enseignants sont fondées sur une fausse information.* Au contraire, une étude a montré que les enseignants font preuve d'une attention réduite et *négative* envers les étudiants dont ils attendent peu, ces étudiants ont donc du mal à corriger leurs erreurs. L'effet Pygmalion n'a pas seulement été confirmé par des centaines d'expériences ; il s'est en outre révélé que les enseignants font preuve de préjugés mesurables quant au sexe, à la race, à l'attirance physique de leurs étudiants.

Lorsque Abraham Maslow demanda à une classe de jeunes universitaires si quelqu'un parmi eux espérait réaliser de grandes choses, personne ne répondit. « Qui d'autre le fera, alors ? » demanda-t-il, caustique. Une enseignante britannique, qui forme des professeurs, a l'habitude de dire à tous ses étudiants, « Est-ce que vous vous rendez compte, lorsque vous êtes dans votre classe, que devant vous se trouvent les Einstein, les Picasso, les Beethoven de demain ? »

Nous devons cesser de fragmenter l'image que nous nous faisons de la réussite, en étiquetant séparément l'intelligence, la créativité, les dons, l'aptitude à diriger, la moralité.

On observe dans l'éducation un mouvement en faveur de la « clarification des valeurs », un programme de développement moral. Les enfants sont sensibles aux aspects moraux si on les amène à y réfléchir.

La personnalité de l'enseignant peut tout aussi bien inspirer aux étudiants coopération, altruisme et notion de service, qu'hypocrisie, humiliations et compétitivité. Comme l'a dit quelqu'un, tous les maîtres enseignent des valeurs, consciemment ou inconsciemment.

Les possibilités sont stupéfiantes — obsédantes si nous considérons le gâchis humain, le potentiel perdu. Mais le simple fait que nous soyons en train de découvrir ce potentiel et de communiquer nos préoccupations fait naître quelque espoir. Nous vivons à l'époque des records mondiaux. Nous pouvons voir les athlètes olympiques dépasser leurs propres limites, des héros sauver des gens de leur voiture en feu. La télévision nous présente des histoires vraies telles que celle de ce père infirme, vivant dans un ghetto, et qui a parcouru treize kilomètres en chaise roulante pour atteindre un hôpital et obtenir de l'aide pour le bébé fiévreux qu'il tenait sur ses genoux.

C'est cela, *vivre* l'éducation morale, enseigner la transcendance.

La transformation des enseignants

Les réformes se sont succédé et ont échoué — même si certaines étaient vraiment pertinentes — parce que trop d'enseignants n'aimaient pas leurs concepts de base ou ne les comprenaient pas. Comme le dit Charlie Brown dans *Peanuts,* « comment peut-on faire des maths modernes avec un esprit mathématique ancien ? »

On ne peut pas plus réformer l'éducation par décret que l'on ne peut guérir par ce qu'Edward Carpenter appelait « les soins externes ». Les enseignants doivent comprendre de l'intérieur les nouvelles idées s'ils entendent en tirer bénéfice. « Les enseignants qui font un mauvais travail avec de vieux outils, dit un éducateur, vont probablement faire un travail pire encore avec des outils nouveaux et étranges. »

Certains enseignants sont ce que Bruner a appelé « des tueurs de rêve », et Aldous Huxley « des mauvais artistes », dont les défauts peuvent affecter des vies et des destinées entières. Tout comme les écoles de médecine ont eu tendance à sélectionner les esprits rompus à l'éducation académique, les têtes bien pleines plutôt que des personnalités adaptées aux soins des gens, les formateurs d'enseignants ont élaboré une course d'obstacles où se mêlaient jargon et cours suffisamment ennuyeux pour décourager même les plus obstinés des candidats créatifs.

Si l'individu brillant et imaginatif a pu survivre à cet entraînement-marathon, le système lui-même refroidit les tentatives de changement. L'enseignant créatif qui s'engage dans un programme expérimental, connaît fréquemment la lassitude, l'épuisement et la dépression dans sa lutte constante pour préserver cette innovation au milieu de la paperasserie, des contraintes et des attaques.

Nous avons accordé la plus petite prime au talent et à la sensibilité dans la profession la plus critique pour la santé mentale de la société.

Bien après les premières expériences Pygmalion, Rosenthal et ses associés de Harvard ont imaginé un test audiovisuel en 200 points, le « Profil de sensibilité non verbale », destiné à mesurer la faculté d'un individu à percevoir les émotions et les intentions d'autrui sans l'aide de signes verbaux.

Les enseignants ont obtenu en moyenne des notes relativement faibles. Au contraire, les étudiants se sont avérés très perspicaces. Ceux qui croient que les autres peuvent être manipulés, qui ont un indice élevé sur l' « échelle de Machiavel », sont relativement insensibles aux signaux non verbaux.

Les chercheurs ont appelé « auditeurs » ceux qui obtenaient des notes élevées au test et « discoureurs » des notes basses. En gros, les enseignants sont habitués à parler et non à écouter. Ou bien, comme l'indique le titre d'un livre : *Le géranium sur le rebord de la fenêtre vient juste de mourir, mais le maître a continué comme si de rien n'était.* Pendant ce temps, les étudiants, par leur sensibilité à tout ce qui n'est pas dit — l'allure de l'enseignant, ses postures de désapprobation ou de rejet — apprennent ce qu'ils doivent faire pour survivre dans ce système.

Jusqu'à récemment, l'éducation avait connu un recul — elle se souciait peu du maître, qui est une sorte de contexte dans l'apprentissage, et énormément du contenu. Pourtant, un enseignant doué peut communiquer à des générations d'élèves son enthousiasme pour certaines idées ; il peut faire naître des vocations et même des révolutions. Par exemple, Carl Cori, prix Nobel, professeur et chercheur à l'université Washington de Saint-Louis, a dirigé le travail de *six* scientifiques qui, plus tard, obtinrent le prix Nobel.

La *Harvard Educational Review* donne un exemple de l'influence que peut avoir un enseignant de premier plan tout au long de sa vie. Les deux tiers des anciens élèves de « Mademoiselle A. », tous issus d'un quartier pauvre de Montréal, sont parvenus aux plus hautes carrières une fois adultes. Les autres ont été classés comme « moyens ». Aucun ne figurait dans le groupe social « bas ».

Mademoiselle A. était convaincue que tous les enfants sont capables de lire dès la fin de leur première année scolaire, quel que soit leur bagage de départ. Elle imprégnait l'esprit de ses élèves de l'importance de l'éducation, faisait des heures supplémentaires pour ceux qui étaient plus lents, restait après l'école pour les aider, partageait son repas de midi avec les élèves qui avaient oublié le leur, et se souvenait d'eux par leur nom vingt ans plus tard. Elle s'adaptait aux maths modernes et aux nouvelles techniques pour enseigner à lire. Mais, d'après ses anciens élèves et collègues, son réel secret était qu'elle « enseignait avec amour ».

L'éducatrice Esther Rothman, auteur de *Troubled Teachers* (Maîtres en difficulté), attribue la faiblesse de l'enseignement non seulement à l'ineptie des programmes, mais aussi aux motivations, conflits et besoins qui habitent l'enseignant. La violence, les sarcasmes, les jeux de pouvoir, la permissivité, des espérances réduites conduisant à des performances réduites, particulièrement chez les enfants des minorités — tout cela contribue fortement aux échecs de l'éducation. Les crédits, l'environnement et les techniques scolaires n'ont qu'une importance secondaire, affirme cet auteur.

A mesure que les maîtres permettent à leurs motivations et sentiments les plus profonds d'émerger, à mesure qu'ils progressent dans leur quête intérieure de la conscience de soi et dans leur libération affective, ils se mettent à participer extérieurement au changement des structures sociales. *Alors,* dit Rothman, peut s'imposer l'enseignant idéaliste, le « réformateur clandestin ».

Le mouvement des « comportements facilitants » considère les enseignants comme des êtres humains capables de construire et de détruire l'apprentissage. Le but de ce mouvement est simple ; il vise à faire prendre conscience aux maîtres de leur comportement en classe et de leur attitude envers eux-mêmes et autrui. Par l'évaluation des enseignants dans la classe, ou en leur permettant de s'évaluer eux-mêmes au moyen de magnétoscopes, cette approche permet l'étude des actes positifs et négatifs.

La recherche a montré que les enfants apprennent mieux avec des adultes spontanés, créatifs, en forme physiquement, qui les soutiennent, qui ont une bonne opinion d'eux-mêmes, qui conçoivent leur rôle envers les élèves lents non pas comme un contrôle, mais comme une assistance pour les libérer. Les bons enseignants sont plus intéressés par le processus d'apprentissage que par l'atteinte des buts déterminés. Ils admettent leurs propres erreurs, évoquent leurs sentiments, favorisent la coopération, entretiennent des idées radicales chez leurs élèves, les encouragent à planifier leur travail et représentent des ressources qui vont bien au-delà de leur simple devoir. Faire mettre en rangs, humilier, réglementer, sont autant d'inhibitions au processus d'apprentissage.

Le « Projet de changement » de Los Angelès n'est qu'un exemple des programmes d'entraînement qui, dans tout le pays, ont pour but d'accroître la sensibilité de l'enseignant. D'après un moniteur, « les enseignants, sans exception, nous disent que les plus grands bénéfices se retrouvent dans leur vie personnelle, sous forme de changements complets de perspective. Ils reconnaissent qu'ils sont désormais conscients de talents qu'ils ne se savaient pas posséder, et nombre d'entre eux connaissent une réelle explosion de créativité dans leur salle de classe. Ils sont plus ouverts à autrui — moins portés à critiquer, mais plus aptes à discerner les talents chez les autres. Il existe une correspondance entre cette croissance personnelle et les performances de l'enseignant. Ils préparent mieux leurs cours, et leurs élèves et eux-mêmes reconnaissent qu'ils font montre de plus d'énergie ».

Les éducateurs engagés dans les méthodes humanistes et transpersonnelles ont commencé à s'unir en centres et réseaux nationaux ; il existe aussi des réseaux locaux, tel « Ligne de Vie » à Los Angelès, financé par l'Association pour la pyschologie humaniste, et dont l'intention est d'établir un nouveau paradigme en éducation, « coexistant avec les autres paradigmes plus traditionnels ».

Avec des programmes adéquats, ce sont de véritables secousses sismiques que peut faire naître même une minorité réduite d'enseignants, de conseillers et d'administrateurs engagés et déterminés.

Le nouveau programme

Le nouveau paradigme éducatif réunit tellement plus de sujets que l'ancien, que souvent les programmes expérimentaux n'atteignent pas leurs propres ambitions. Après tout, ce sont des innovations, des expérimentations, qui ne sont pas encore raffinées ou rationalisées. Ce n'est pas une mince entreprise que d'humaniser les écoles et de lancer des défis aux étudiants en même temps.

La nouvelle communauté scolaire est très fermée. C'est plus une famille qu'une école, avec ses querelles occasionnelles.

Les enseignants, les parents et les étudiants décident ensemble des sujets importants concernant la règle et le programme, de même que de l'introduction de nouveaux membres dans l'équipe. Les étudiants appellent les enseignants par leur prénom et les considèrent plus comme des amis que comme des figures autoritaires.

Les groupes d'âges sont habituellement flexibles, au contraire de la structure en échelons de l'éducation traditionnelle. La plupart des programmes d'éducation innovatrice apprennent finalement à inclure une structure suffisante pour rappeler aux étudiants leur responsabilité et pour les préparer à certaines des attentes de l'ancien paradigme lorsqu'ils quitteront l'école.

Le nouveau programme est une tapisserie riche et subtile qui n'a de contraintes que la bureaucratie, les crédits scolaires et les ressources énergétiques de l'enseignant. Virtuellement, aucun sujet n'est trop difficile, discutable ou excentrique pour être abordé.

Il est évident que dans la plupart des Etats, certaines matières du programme sont prescrites par la loi. Même dans ce cas, les éducateurs peuvent intégrer nombre de sujets académiques à des activités du cerveau droit « musique, expression corporelle, arts, stimulation sensorielle) ou les présenter sous forme de spectacles, comme dans des reconstitutions de jugements historiques, de telle façon que les étudiants abordent ces sujets avec intérêt et avec une vision neuve. Ces derniers peuvent aussi faire l'expérience d'autres périodes historiques et d'autres cultures en mettant en scène des foires et des festivals, en apprenant l'artisanat et la musique d'autres époques et d'autres pays.

Ils appliquent leur savoir mathématique à construire des dômes. Leur communauté est leur campus. Les parents et les « experts » de la communauté se font enseignants bénévoles pour des sujets particuliers ; de même, les étudiants s'assistent entre eux. Ce qui est typique du nouveau programme, c'est la place réservée aux arts et aux humanités ; les étudiants peuvent apprendre la calligraphie ou le batik, monter une pièce de théâtre, écrire et tourner leur propre scénario de télévision. Ils apprennent les sources et les pratiques du pouvoir politique en assistant aux conseils de classe et aux séances des conseils municipaux. Ils apprennent la biologie en prenant soin d'animaux et la botanique en entretenant des jardins.

Ils étudient le conditionnement, apprennent à reconnaître leurs propres structures de comportement, à identifier une peur et un conflit, à agir avec responsabilité, à communiquer ce qu'ils ressentent et ce dont ils ont besoin.

Les états non ordinaires de conscience sont pris au sérieux : des exercices de « centration », de méditation, de relaxation et d'imagination sont pratiqués pour maintenir ouverts les voies intuitives et l'apprentissage par tout le cerveau. Les étudiants sont encouragés à se mettre à l'écoute de leur vie intérieure, à imaginer et à identifier les sensations particulières des expériences paroxystiques. Ils s'adonnent à des techniques de conscience du corps comme la respiration, le yoga, la relaxation, le shia tsu, le biofeedback

Les étudiants sont invités à penser à la signification, à la façon dont le fait d'étiqueter affecte notre mode de pensée. Ils étudient des thèmes qui seraient considérés comme discutables pour la plupart des classes, comme par exemple la naissance et la mort. Une langue étrangère peut être enseignée au moyen de techniques comme le Mode silencieux, une méthode dans laquelle l'enseignant parle peu et où l'étudiant est mis au défi d'utiliser la nouvelle langue immédiatement ; ou bien la « suggestologie », méthode d'apprentissage accéléré d'origine bulgare qui emploie la musique et la respiration rythmique afin d'impliquer l'hémisphère droit. Des cours sont donnés sur l'écologie, pour distinguer les aliments de pacotille de la bonne nourriture, pour être un consommateur intelligent.

Les étudiants sont poussés à se frotter aux paradoxes, aux philosophies conflictuelles, aux implications de leurs propres croyances et actions. On leur rappelle qu'il existe toujours d'autres possibilités. Ils innovent, inventent, questionnent, méditent, argumentent, vivent leur angoisse, rêvent, dressent des plans, se trompent, réévaluent, réussissent, imaginent. Ils apprennent à apprendre et viennent à comprendre que l'éducation est un voyage aussi long que la vie.

Les étudiants de tous les âges se livrent à des jeux : jeux éducatifs, jeux mathématiques, jeux de société, d'imagination, concernant l'histoire, l'exploration spatiale, les problèmes sociaux.

La compétition, le statut social, les luttes de popularité jouent un rôle relativement restreint dans la dynamique de telles écoles. La plupart des étudiants vont en classe volontairement parce que leur famille et eux-mêmes apprécient cette forme d'éducation. Ces familles tendent à relativiser la lutte et la compétition sociales, et à faire de la réussite une notion personnelle. Le programme, de même que le comportement de l'enseignant, renforce chez les étudiants l'autonomie, l'empathie et le soutien mutuel. Les chamailleries ressemblent plus aux éphémères querelles entre frères et sœurs qu'aux affrontements entre groupes qu'on rencontre habituellement dans les écoles.

L'autonomie est une ambition majeure du programme. Elle est fondée sur cette idée que si nos enfants doivent être libres, ils doivent l'être de nous-mêmes également, de nos croyances limitatives, des habitudes et des goûts que nous avons acquis. Cela peut signifier l'enseignement d'une rébellion saine et opportune, et non du conformisme. La maturité s'accompagne d'une moralité qui émane du soi le plus profond, et non de la simple obéissance aux mœurs de la culture.

Comme l'a montré tragiquement l'histoire moderne, l'obéissance fondée sur la peur ne permet pas le recul moral. Dans une série d'expériences désormais classiques, le psychologue Stanley Milgram ordonnait à des sujets expérimentaux d'administrer à une autre personne ce qu'ils croyaient être des chocs électriques douloureux. (En réalité, la victime, un comparse de l'expérimentateur, ne faisait que simuler la douleur.) La plupart des sujets, bien que visiblement angoissés devant ce qu'on leur demandait de faire, étaient incapables de dire non à l' « autorité », à ce psychologue en blouse blanche. *Soixante-cinq pour cent* de ces monsieur et madame tout-le-monde acceptaient d'infliger un dommage grave et peut-être permanent, en plaçant le faux levier de l'appareil sur la position délivrant le choc le plus fort. Même lorsqu'ils entendaient un cri terrible en provenance de l'autre pièce, ils n'étaient pas capables de se décider à s'affranchir de la volonté de l'expérimentateur. Ce phénomène, que Milgram a appelé « la soumission à l'autorité », se rencontre dans toutes les cultures et tous les groupes d'âges, les enfants étant légèrement plus impressionnables que les adultes.

Il nous faut enseigner une sorte de désobéissance créative et opportune, comme antidote à l'effet Milgram. La plupart des gens choisissent le conformisme en échange de leur acceptation par le monde. Mais si nous nous sentons déjà chez nous dans le monde, confortables et profondément apparentés, si nous n'avons pas peur, nous n'avons pas à conclure ce genre de marché. L'individu autonome navigue au moyen d'un gyroscope interne, obéissant à une autorité intérieure.

Au-delà des écoles

Malgré la montée relativement spectaculaire des méthodes alternatives d'éducation, la plupart des familles n'ont pas accès aux écoles qui innovent, aux classes ouvertes et à ces enseignants, à la fois échos, initiateurs et célébrants qui les animent.

Cependant, l'aide est à la portée de la main ; non pas une cavalerie en uniforme prête à porter secours, mais des volontaires, des renégats, des éclaireurs avancés. Car il y a de nouveaux lieux, de nouveaux modes pour apprendre, de nouvelles personnes pour enseigner, de nouvelles capacités à maîtriser, de nouvelles relations à faire. Nous entrons dans une période où l'apprentissage n'a plus de limites, comme l'âge, les conditions préalables, la moyenne, le quota. La matrice éducative élargie entraîne fortement la communauté et les personnes animées de la volonté d'entreprendre, qui ont découvert la soif d'apprendre, la soif des techniques transformatives, la soif d'activités et de savoirs utiles.

Atteindre le Centre radical, la paidea, la cité céleste, « enseigner aux deux moitiés du cerveau », voilà qui n'est pas une mince ambition. *Aucune école ne peut le faire. Aucune école ne l'a jamais fait.* Seule une communauté peut offrir une éducation holiste, et seule une personne dans sa totalité peut la suivre. La transformation personnelle et sociale simultanée peut nous mener à ce que Confucius a appelé « le grand apprentissage », comparé au « petit apprentissage » transmis par les écoles. « Très probablement, le campus universitaire ne croîtra pas aux dimensions de la ville », écrit William Irwin Thompson dans *The Edge of History*. « Il va rétrécir à mesure qu'on réalisera que c'est la ville elle-même qui est la vraie université. »

La *décentralisation* peut être la plus grande réforme de l'éducation, la mise à bas de ces murs sans fenêtres qui ont isolé l'école de la communauté, de la vie réelle.

Un responsable de l'éducation au niveau gouvernemental propose que l'on donne aux étudiants, à la place du programme obligatoire, l'équivalent de l'éducation à la carte qui se pratique chez les militaires. L'individu recevrait une solde lui permettant de suivre l'enseignement de son choix, général ou spécialisé. Ce serait « subventionner l'étudiant et non pas l'institution ». Cette idée d'une éducation à la carte à la place de l'éducation publique obligatoire rencontre un intérêt dans toutes les tendances politiques.

Démystification, décentralisation, déspécialisation sont à l'ordre du jour. La plupart des changements et des succès passionnants, dans cette nouvelle incarnation de l'éducation, reflètent son retour à ses gardiens véritables, la communauté et l'étudiant. Tout comme la volte-face de la médecine a été provoquée non seulement par des médecins ouverts aux réformes, mais aussi par des spécialistes du biofeedback, des nutritionnistes, des psychologues, des journalistes, des neurophysiologistes, et autres, de même l'introduction de nouveaux partenaires en éducation lui donne un regain de vie.

Le processus d'apprentissage voit fleurir mille initiatives : universités sans murs, « universités libres », écoles mobiles, projets étude-travail même pour de jeunes enfants, programme de tutelle de style médiéval, écoles administrées par la communauté, personnes âgées bénévoles dans les écoles et jeunes dans les milieux de travail, excursions, éducation des adultes, une explosion de pratiques artisanales et de livres-guides de toute une gamme de techniques, l'expérience de la vie comme unité de valeur pour les grades universitaires, l'instruction privée, l'enseignement aux pairs, la mise en commun des aptitudes, les services étudiants et les projets de rétablissement au sein de la communauté. En outre, la technologie devient moins chère et plus accessible ; par exemple les enseignements par cassettes ou les ordinateurs en kit.

Enseigner et apprendre sont maintenant des industries à domicile. Les projets de formation à la maison pour les enfants désavantagés, les écoles publiques administrées par des communautés, des enseignements créés par les parents, les groupes de jeux pour les préscolaires et comme activités de loisirs, les réseaux d'apprentissage, les succès du programme PUSH de Jesse Jackson, qui vise à promouvoir l'instruction de base et la fierté chez les enfants des ghettos — toutes ces initiatives sont essentiellement indépendantes du système.

La véritable éducation renforce la capacité de chacun à continuer de donner un sens à sa vie à mesure qu'elle se développe. L'apprentissage est le processus de transformation. Par l'apprentissage en communauté, nous nous donnons mutuellement le courage d'affronter l'inconnu, de nous risquer, en compagnie des autres et avec leur assistance. Nous sommes constamment engagés dans ce que quelqu'un a appelé l' « éducation mutuelle ».

C'est une caractéristique chez les Conspirateurs du Verseau de citer parmi leurs maîtres non seulement leurs anciens éducateurs mais aussi leurs amis, enfants, conjoints, anciens conjoints, parents et collègues — et les événements de la vie. Si l'on n'établit pas de compétition ou de hiérarchie en définissant les maîtres et les élèves, alors chacun est un maître, chaque expérience une leçon, chaque relation une étude en cours « Même la pierre est un maître », a dit le soufi Idries Shah.

L'intense partage intellectuel et spirituel de la Conspiration du Verseau, les expéditions communes dans un nouveau territoire, la mise en commun des richesses, créent une sorte d'inspiration mutuelle. Le jeu combiné d'idées, presque sexuel, du yin et du yang, de l'ancien et du nouveau, de l' Orient et de l'Occident, se traduit par une sorte de synthèse collective : une communauté créative, qui accueille le risque et l'imagination.

Les enfants du nouveau paradigme

Bien avant que Thomas Kuhn ne remarque que les nouvelles idées peuvent avoir à attendre d'être acceptées par une nouvelle génération, la sagesse populaire avait fait cette constatation aigre-douce. Un proverbe hébreu avertit : « Ne limitez pas vos enfants à ce que vous avez appris, car ils sont nés à une autre époque. »

Partout dans le monde, les enfants et les jeunes gens sont exposés par la révolution des communications à toutes sortes de nouvelles idées. Ils ne sont plus limités par les croyances de clocher d'une seule culture.

Paul Nash a comparé ce changement de réalités au fossé entre un couple immigrant et leurs enfants. « Les enfants apprennent habituellement la langue et adoptent les mœurs locales plus facilement que leurs parents ; ceux-ci deviennent dépendants de leurs enfants, qui deviennent des guides pour le « nouveau monde ».

L'entrée dans ce nouveau monde est suggérée par les titres de conférences sur l'éducation des enfants et l'apprentissage transpersonnel : *Enfants du nouvel âge, Célébration de l'enfant, Eduquer l'enfant du futur, l'Esprit métaphorique, l'Enfant conscient, Les Frontières transpersonnelles, Frontières infinies.*

Si l'éducation ne peut être rafistolée, elle peut éventuellement se métamorphoser. Comme l'indiquait quelqu'un, tentant d'expliquer la différence qu'il y a entre réforme et transformation : nous avons essayé d'attacher des ailes à une chenille. A ce jour, nos interventions dans le processus d'apprentissage ont été aussi grossières. Il est grand temps de nous désentraver de l'attachement aux anciennes formes et de faciliter l'envol de l'esprit humain libéré.

CHAPITRE X

TRANSFORMATION DES VALEURS ET DE LA VOCATION

Si le travail, dans sa nature même, est apprécié et appliqué dans une juste mesure, il représentera pour les plus hautes facultés ce qu'est la nourriture pour le corps physique.

J.-C. KUMARAPPA,
philosophe et économiste

S'IL est vrai que l'expérience transformative est puissante, elle doit inévitablement se répercuter sur nos valeurs et, par là, sur l'ensemble de l'économie — le marché, l'usine, les corporations, les professions, le petit commerce, le bien-être social. Alors il nous faut redéfinir ce que veulent dire les mots « riche » et « pauvre », il nous faut repenser ce que nous nous devons mutuellement, ce qui est possible, ce qui est opportun. Tôt ou tard, le nouveau paradigme modifie la relation de l'individu et de son travail. Une transformation à temps partiel est en soi impossible.

Il est essentiel pour quelqu'un cherchant la totalité de n'être pas seulement en vie, mais de faire sa vie. Il devient alors évident que nous n'avons pas tant soif de quelque chose de plus, que de quelque chose de différent. Acheter, vendre, posséder, épargner, partager, conserver, investir, donner, sont autant d'expressions extérieures de besoins intérieurs. Si ces besoins changent, comme lors de la transformation personnelle, les structures économiques se modifient. On sait bien, par exemple, que dépenser est une drogue pour de nombreuses personnes, un baume sur leurs déceptions, leurs frustrations, le vide qu'elles éprouvent. Si l'individu vient à transformer cette détresse intérieure, il a moins besoin de drogues et de distractions. L'écoute intérieure rend plus clair ce que nous désirons réellement, indépendamment de ce qu'on a pu nous dire, et cela peut n'avoir aucun prix marqué dessus. Nous pouvons aussi découvrir que la « propriété » est dans un certain sens une illusion, que le fait de détenir des objets peut nous empêcher d'en disposer librement. Une conscience plus grande peut nous donner une nouvelle appréciation des choses simples. La qualité devient importante, la fameuse « qualité de la vie ». Si, d'obligatoire, le travail devient en lui-même une récompense, c'est un autre facteur capable de réordonner les valeurs et les priorités.

Nous allons considérer l'évidence d'un nouveau paradigme, basé sur les *valeurs,* qui transcende l'ancien paradigme économique et ses préoccupations de croissance, de contrôle et de manipulation. Le changement des valeurs du paradigme se reflète dans les modifications des structures de travail, de choix de carrière, de consommation... l'évolution des styles de vie qui profitent de la synergie, du partage, de l'échange, de la coopération et de la créativité... la transformation du lieu de travail dans les affaires, l'industrie, les professions, les arts... les innovations dans la gestion et la participation des travailleurs, donc la décentralisation du pouvoir... la montée d'une nouvelle génération d'individus entreprenants, le souci d'une « technologie appropriée »... l'appel à une économie en harmonie avec la nature, à la place des conceptions mécanistes qui nous ont conduits aux crises que nous connaissons.

La crise et le refus

Nous avons prouvé notre incapacité à nous réfréner. En essayant d'atteindre la prospérité par la consommation nous avons épuisé nos ressources. Les coûts de production élevés, les pénuries, l'inflation et un taux de chômage important sont notre lot quotidien.

Parce que l'économie est politisée, elle fait l'objet de propagande, de rationalisations, de mensonges. Parce qu'elle est sensible à nos croyances à son sujet, comme le montre l' « indice de confiance », le monde des affaires et le gouvernement essayent de tamponner la réaction des investisseurs et des consommateurs en diffusant des nouvelles économiques déroutantes.

Et parce que les points de vue divergents sont poussés jusqu'à la caricature, on n'a plus qu'à choisir lequel adopter :

L'énergie solaire sera économique/hors de prix.
Les centrales nucléaires sont essentielles/mortelles.
Les réserves fossiles sont abondantes/épuisées.
Nous devrions consommer/conserver.
Un taux de plein emploi est réalisable/impossible.

Il est vrai/faux que l'automatisation/la protection de l'environnement sape l'emploi et la croissance.

Des illusions circulent sur un sauvetage par la technologie et par le recyclage de l'argent et des ressources. En fait, la phase temporaire de soulagement de cette maladie chronique que nous connaissons — les pénuries, les bouleversements du marché, le chômage, le vieillissement des technologies — est aussi dangereuse que le traitement médical de symptômes lorsque la cause de la maladie est inconnue. Notre intervention dans le corps économique, de même que l'intervention par les drogues et la chirurgie, conduit souvent à de sévères effets secondaires requérant une autre intervention plus profonde.

La crise est évidente dans la nature chronique du sous-emploi et du chômage : le vieillissement des technologies qui a frappé des millions de travailleurs spécialisés et qualifiés, le nombre croissant d'individus hautement formés et qui s'arrachent les trop rares emplois de cols-blancs, l'accroissement du nombre d'adolescents et de femmes tentant d'entrer sur le marché du travail.

Une étude du ministère du Travail des Etats-Unis a trouvé un taux de « vrai chômage » — y compris ceux qui travaillent mais dont les gains sont en dessous du seuil de pauvreté — de plus de *40 pour cent.* Moins de postes, plus de candidats. Proportionnellement moins d'emplois intéressants. L'ingéniosité technologique, double la productivité du travailleur A et permet de licencier B, ce qui fait que A peut se plaindre de payer des impôts pour venir en aide à un B démoralisé. Des programmes d'action ne font souvent que redistribuer à un autre groupe l'injustice et l'aigreur.

Périodiquement, travailleurs et patrons s'affrontent violemment, comme des frères siamois insensés qui ne savent pas que la santé de l'un dépend de celle de l'autre.

Les indices de notre économie sont souvent trompeurs. Par exemple, les chiffres du produit national brut incluent les dépenses de santé, de réparations automobiles et de la lutte contre la pollution industrielle ; c'est-à-dire qu'ils mesurent l'activité et non la production. Il est de plus en plus évident que nos efforts pour contrôler, expliquer et comprendre l'économie sont parfaitement inadéquats.

L'économie ressemble plus à un organisme vivant et intégré qu'à une machine. Elle présente aussi bien des qualités que des quantites. Comme la situation météorologique, elle n'est pas modifiable ; elle ne reste pas stable suffisamment longtemps pour permettre plus que des prévisions partielles. Même ses « lois » sont seulement des descriptions du passé.

Il est de mode de penser qu'une quelconque prévision économique vaut mieux que rien du tout, disait E.F. Schumacher en 1961. « Faites une supposition, appelez-la hypothèse de travail et tirez-en une estimation par des calculs subtils. Celle-ci est alors présentée comme le résultat de raisonnements scientifiques, quelque chose de bien supérieur à une simple supposition. » Des erreurs colossales de planification résultent de ce que cette méthode offre « une réponse bidon là où il faudrait un jugement solide ».

La conception du vieux paradigme, qui demeure dominante et non révisée depuis l'époque de John Locke, a pour principe que les êtres humains sont motivés principalement et profondément par des problèmes économiques. Pourtant, à partir d'un certain niveau de confort matériel, d'autres besoins impérieux prennent la priorité : le désir d'être en bonne santé, d'être aimé, de se sentir compétent, de participer pleinement à la vie sociale, d'avoir un emploi riche d'intérêts. Et même si Locke avait raison quant aux motivations économiques, il nous faudrait pourtant changer, car notre civilisation ne peut plus poursuivre l'escalade de sa production de biens et de sa consommation de ressources non renouvelables.

Evaluant la crise financière de la ville de New York au milieu des années soixante-dix, Julius Stulman, de l'Institut mondial, disait que notre plus grande erreur est de continuer à nous référer au passé, « ces marches que nous avons laborieusement, régulièrement escaladées depuis six mille ans, brique après brique, d'une façon surprenante dans sa linéarité. Même si ces marches ont été nécessaires à notre évolution, cette étape a pris fin. *Nous ne pourrons faire face tant que nous ne penserons pas différemment* ».

Désormais, notre meilleur espoir est d'être attentifs, de reconnaître les moyens par lesquels notre vie et nos moyens d'existence ont été influencés et même engendrés par des structures dépassées. Nos conceptions du travail, de l'argent et de la direction se sont développées à partir d'un vieil ordre social stable qui n'a rien à voir avec le flux actuel. Elles reposaient sur une vision de l'humanité et de la nature que la science a transcendée depuis longtemps. Le monde réel est régi par des principes différents de ceux qui nous ont été imposés par nos systèmes économiques partiels.

Le paradigme émergent : les valeurs remplacent l'économie traditionnelle

Les systèmes économiques du monde moderne prennent parti dans le vieux dilemme individu contre société. Par cette polarisation, ils argumentent sur un faux problème. Plutôt que de savoir si le capitalisme a raison de privilégier l'individu, ou le socialisme de faire primer la collectivité, nous devrions changer le cadre de la question : est-ce qu'une société matérialiste convient aux besoins de l'homme ? Le capitalisme et le socialisme, tels que nous les connaissons, ont tous deux le même pivot :

les valeurs matérielles. Ces philosophies ne peuvent convenir à une société transformée.

On peut attribuer les échecs de nos philosophies économiques, comme les erreurs de nos réformes politiques, à l'accent qu'elles mettent sur les questions extérieures. Les valeurs intérieures, comme la réforme intérieure, précèdent tout changement vers l'extérieur. Notre salut peut se trouver dans la synthèse — cette voie médiane entre la droite et la gauche, qu'Aldous Huxley appelait « le décentralisme et l'entreprise coopérative, le système économique et politique le plus naturel pour la spiritualité ».

Tout comme le domaine de la santé est bien plus vaste que la médecine et comme l'apprentissage transcende l'éducation, de même un système de valeurs est le contexte du fonctionnement de toute économie. Quelles que soient nos priorités — accroissement du potentiel personnel, efficacité, coopération, connaissance d'un métier, biens matériels — elles se retrouvent dans les rouages de l'économie. Une société qui apprécie les symboles externes voudra des automobiles qui attirent l'attention, quel qu'en soit le coût. Une famille qui tient à l'éducation peut faire des sacrifices considérables pour payer l'école privée. Celui qui prise l'aventure peut abandonner la sécurité financière de son métier pour aller naviguer autour du monde.

Plus fondamentalement, lorsque des individus deviennent autonomes, leurs valeurs se font *internes.* Leurs achats et le choix de leur travail viennent à refléter leurs besoins propres, leurs désirs authentiques, plutôt que les valeurs imposées par la publicité, la famille, les collègues et les médias.

Louis Mobley, ancien directeur de la formation du personnel administratif chez I.B.M. pense que ce retournement vers l'intérieur témoigne d'un revirement culturel. Vivant la fin d'une époque pendant laquelle nous n'avons fait que regarder vers l'extérieur en ignorant nos réalités intérieures, nous nous mettons à porter des jugements de valeur ; « et voilà pourquoi les réponses échappent aux économistes ». Herbert Simon, prix Nobel 1978 d'économie, critique ainsi les conceptions classiques et « rationnelles » des économistes et les échecs qu'elles rencontrent dans le traitement des changements de valeurs et d'attentes.

Comme l'a montré Ilya Prigogine, les sociétés sont les structures dissipatives les plus étranges et les plus instables. La complexité de notre société pluraliste moderne et les valeurs de plus en plus autonomes de sa population, ont conduit à une vaste incertitude économique. Nous avons besoin, maintenant, d'une approche de l'économie qui ne soit pas effarouchée par cette incertitude, mais qui y trouve au contraire matière à créativité.

Voici comment on pourrait résumer les deux paradigmes :

CONCEPTIONS DU VIEUX PARADIGME EN ÉCONOMIE	CONCEPTIONS DU NOUVEAU PARADIGME EN ÉCONOMIE
Favorise la consommation à tous prix, par l'obsolescence planifiée, la publicité, les pressions, la création de « besoins » artificiels.	Consommation appropriée. Conservation, préservation, recyclage, qualité, savoir-faire, innovation, invention pour satisfaire des besoins authentiques.
Des individus adaptés aux emplois. Rigidité. Conformisme.	Emplois qui s'adaptent aux individus. Flexibilité. Créativité. Forme et flux.
Buts imposés. Bureaucratie. Hiérarchie. Prise de décision de haut en bas.	Autonomie encouragée. Actualisation de soi. Participation du travailleur, démocratisation. Partage des buts, consensus.
Fragmentation, compartimention au travail et dans les rôles. Accent mis sur des tâches spécialisées. Description précise des emplois.	Fécondation entre différents domaines par des spécialistes trouvant pertinent d'élargir leur champ de compétence.
Identification à l'emploi, à la profession, à l'organisation.	L'identité transcende la description de l'emploi.
Modèle mécanique de l'économie, fondé sur une physique newtonnienne	Reconnaissance de l'incertitude en économie.
Agressivité, compétition. « Les affaires sont les affaires. »	Coopération. Les valeurs humaines transcendent la « réussite ».
Travail et jeu sont séparés.	Distinction entre travail et jeu s'estompe.
Le travail comme moyen pour une fin.	Le travail est en lui-même récompense.
Manipulation et domination de la nature.	Coopération avec la nature ; vision taoïste et organique du travail et de la richesse.

Lutte pour la stabilité, la position, la sécurité.	Sens du changement, du devenir. Volonté de risquer. Attitude d'entrepreneur.
Quantitatif : quotas, symboles de statut, niveau de revenus, profits, augmentations, produit national brut, biens tangibles.	Qualitatif aussi bien que quantitatif. Sens de la réalisation. Effort mutuel pour un enrichissement mutuel. Valeurs et biens intangibles (créativité, plénitude), aussi bien que tangibles.
Motivations strictement économiques, valeurs matérielles. Progrès jugé par le produit, le contenu.	Les valeurs spirituelles transcendent le gain matériel ; suffisance matérielle. Processus aussi important que le produit. Contexte du travail aussi important que le contenu — non seulement ce qu'on fait, mais *comment* on le fait.
Polarisé : travailleurs/patrons, consommateurs/producteurs, etc.	Transcende les polarités. Partage des buts et des valeurs.
A courte vue : exploitation de ressources limitées.	Sensible, écologiquement, aux coûts ultimes. Gestion de la nature.
« Rationnel », ne fait confiance qu'aux chiffres.	Rationnel et intuitif. Aux données et à la logique s'ajoutent les intuitions, les sentiments, les prises de conscience, une saisie non linéaire (holiste) des structures.
Solutions à court terme.	Reconnaissance que l'efficacité à long terme doit tenir compte de l'harmonie dans le travail, de la santé de l'employé, des relations entre individus.
Opérations centralisées.	Opérations décentralisées partout où c'est possible. Echelle humaine.
Technologie effrénée, qui s'emballe.	Technologie appropriée.
Asservissement à la technologie.	La technologie comme outil et non comme tyran.

Traitement allopathique des « symptômes » en économie.	Essai de comprendre l'ensemble; de localiser le déséquilibre, les causes sous-jacentes et profondes du manque d'harmonie. « Médecine » préventive; anticipation des bouleversements, des pénuries.

L' « éthereálisation » de l'Amérique : les nouvelles valeurs

Au XIXe siècle, John Stuart Mill prévoyait qu'une fois concrétisées les premières promesses matérialistes de l'Age industriel, « aucune amélioration majeure de la destinée humaine n'est possible tant que ne sera pas produit un grand changement dans sa façon de penser ». Dans les années trente, l'historien Arnold Toynbee parlait de l' « éthereálisation », développement de richesses élevées, intangibles, en tant que croissance ultime d'une civilisation.

Il semble se dégager une sympathie croissante à l'égard d'un revirement de la tendance matérialiste, sinon un mandat pour l'effectuer. Il est possible que l'éthéréalisation se produise. En 1977, un sondage montra qu'une majorité stupéfiante (79 %) de personnes était en faveur d'un meilleur usage des nécessités de base, au détriment d'un niveau de vie plus élevé. Un pourcentage semblable de gens préféraient consacrer plus de temps aux rapports humains, plutôt que de bénéficier d'une communication technologique améliorée, et espéraient voir la société faire passer les valeurs humaines avant les valeurs matérielles.

Beaucoup parmi les personnes interrogées souhaitaient trouver une satisfaction intérieure dans l'exercice de leur profession plutôt que d'accroître leur productivité. Les mêmes préféraient voir l'éducation de leurs enfants orientée plus vers des satisfactions abstraites que vers un niveau de vie plus élevé.

Peut-être, selon les termes d'un rapport, sommes-nous entrés dans une « société post-extravagante ». L'éthereálisation de la société est en marche.

Des êtres humains autonomes peuvent créer, inventer, changer leur mentalité en rejetant les valeurs qu'ils défendaient antérieurement. Les analystes de l'économie commencent à considérer de façon réaliste les effets rampants de ce que furent les valeurs de la contreculture.

En 1977, un économiste de la Banque d'Amérique prévoyait que l'on allait exiger désormais de façon stable des biens de consommation de qualité, destinés à durer, puisque de plus en plus d'Américains considèrent, au niveau national comme au niveau personnel, la consommation pour la consommation comme un gâchis. Les achats de biens seront de plus en plus fonction d'un besoin de remplacement d'un objet usé plutôt que des symboles voyants ou le résultat d'un changement de style ou de modèle. Et cet économiste ajoutait que la tendance était revenue à des vertus d'économie, d'intégrité et de grande valeur morale. La partie de la population qui connaîtra la plus forte expansion lors de la prochaine décennie, la tranche des vingt-cinq/trente-quatre ans, va donner une grande importance à la qualité et aux implications sociales de la consommation de biens.

Un jeune conducteur de camion, diplômé en arts libéraux, à qui on posait la question habituelle sur ce qu'il entendait faire dans la vie, compte tenu de son éducation :

> « Ma vie, je veux la vivre ; je veux développer mon intellect, ce qui, incidemment, peut contribuer à l'élévation des niveaux esthétique et culturel de la société. Je veux essayer de développer les éléments nobles et créatifs qui sont en moi, et j'entends contribuer très peu au produit national brut. »

Le combat que pendant cinq ans, il avait mené pour gagner sa vie, lui faisait encore plus apprécier et respecter son éducation. L'environnement dans lequel il travaillait était si hostile à l'imagination que ses livres et sa pratique de l'art étaient passionnants, vitaux pour lui. « Je travaille parmi des gens qui tentent d'assurer leur existence en courant après la camelote et les babioles que l'industrie américaine ne manque pas de leur offrir... »

La valeur de la synergie : une nouvelle richesse

« Dans ce pays qui se veut naturel et spontané, aucune question n'appelle jamais de réponse simple. C'est là que se développe le concept si plein d'avenir de « synergie », qui veut que 1 + 1 = plus que 2 », constate Jacqueline Grapin.

Le tout est plus riche que ses parties. Cette synergie a ouvert la voie à de nouvelles sources de biens et de services : les coopératives, le troc, les réseaux d'aide mutuelle. Les ressources mises en commun enrichissent chacun, les informations partagées rendent chacun plus intelligent. Rien n'est perdu dans la dispersion.

Antérieurs à la monnaie, les anciens raccourcis économiques comme les coopératives, les unions de crédit et le troc, donnent de la fluidité au lourd système de distribution. Ils n'impliquent en effet que ce que les gens ont à offrir ou désirent acquérir, contrairement à la production de biens qui va toujours en s'accélérant et cherche à persuader les gens à acheter ou investir.

Il existe des équivalents urbains modernes aux coopératives agricoles d'autrefois. La mise en commun des automobiles, les réseaux d'apprentissage, les coopératives alimentaires et le partage de la garde des enfants créent tout autant un sens de la communauté qu'un stimulant économique.

Les magazines féminins parmi les moins sophistiqués, ont commencé à publier des articles expliquant comment organiser des réseaux et des coopératives. Une compagnie de troc fait un chiffre d'affaires annuel de près de cent millions de dollars en accords commerciaux réciproques, recyclant les denrées en surplus ou qui présentent des défauts, des chambres d'hôtel, des espaces publicitaires. Les groupements de troc utilisent des ordinateurs pour faciliter les transactions. Le commerce aide à lutter contre l'inflation, et le troc est probablement amené à se développer en cette période de récession, selon la revue *Nouvel Age* ·

> A une époque où ces bouts de métal et de papier qui symbolisent la richesse deviennent de plus en plus indépendants du travail des hommes qu'ils sont censés représenter, le troc semble être une tendance absolument saine. Le « paiement en nature », mode original de la transaction économique, est fondé sur la coopération plus que sur la compétition ; plutôt qu'une accumulation d'argent pour l'argent il fait ressortir la qualité du travail humain.

Les entreprises de coopératives voient la création de communautés, de logements mis en commun. Dans certains cas, plusieurs familles ont aménagé ensemble des immeubles et copropriétés. Certaines ont fait l'acquisition de groupes de résidences privées et ont établi des activités communautaires, comme l'entretien de jardins et le partage de repas hebdomadaires. La communauté, composée d'individus des classes moyennes, devient une réalité de plus en plus ordinaire, comme en témoigne le recensement de 1980, qui a prévu une catégorie spéciale pour les maisonnées communautaires.

Ramagiri est un exemple d'établissement d'une vaste communauté. Après avoir fait l'expérience de groupes plus petits, ses membres se sont rassemblés, en 1971, autour du maître indien Eknath Easwaran. Il comprend maintenant quarante membres vivant sur une ferme de 125 hectares en Californie. Ramagiri possède sa propre activité de subsistance, mais la plupart des résidents travaillent à l'extérieur comme professeurs, infirmières, thérapeutes, nutritionnistes, secrétaires. Le jardin, le bureau et la cuisine sont gérés par la communauté.

Certaines des plus vastes communautés ont bien sûr établi des liens entre elles ; elles ne sont pas en compétition, et leurs conceptions sont très voisines, même si l'expression diffère. Un magazine destiné aux communautés coopératives a fait l'éloge de la mise en place d'un réseau entre les plus vastes d'entre elles, telles que Arcosanti (Arizona), Another Place (Nouvelle-Angleterre), Auroville (Inde) et Findhorn (Ecosse) : « Un élément important de ce sentiment de communauté mondiale est d'arriver à dépasser notre être propre pour atteindre l'essence de ce que nous essayons de faire. Notre travail doit pouvoir être traduit pour être utilisé. »

La nouvelle vie commence, non par une action mais par une nouvelle conscience, ***lorsqu'il devient possible pour la première fois de penser à se mettre en marche.***

Dans la communauté, dans les échanges humains, réside un type de richesse qualitativement différent.

La valeur de savoir ce que l'on veut

Nos valeurs viennent consciemment de notre compréhension — ou, inconsciemment, de notre conditionnement. A mesure que nous devenons conscients de motivations jusque-là inconscientes, nous pouvons nous éveiller à ce que nous désirons réellement et à ce que sont nos options.

Tout comme le public a considérablement retiré sa confiance dans ses autres institutions, il est devenu de plus en plus méfiant envers l'éthique de la consommation — la mystique des choses. Le mouvement des consommateurs eut le mérite de lever le voile sur certaines sombres pratiques du monde des affaires et de l'aspect trompeur de certaines marchandises. Le mouvement écologiste fit naître des questions sur la qualité de l'environnement et l'exploitation des ressources. Le développement de notre sens critique nous a rendus moins sensibles aux fictions séduisantes de la publicité.

Nos problèmes sont souvent les effets secondaires et naturels de nos succès. Par exemple, l'efficacité croissante de la production s'est traduite par une réduction du personnel nécessaire pour produire les denrées de base , on nous poussa alors, pendant des décennies, à avoir « besoin » de quelque chose de plus, ou de mieux, ou de différent. La population était là pour servir l'économie, incitée par le gouvernement aussi bien que par le monde des affaires, à entrer dans le jeu de la société de consommation, tout d'astuces et de tromperies.

On nous a forcés à manger alors que nous n'avions pas faim ; et maintenant voilà que notre appétit change. En 1936, Richard Gregg, philosophe et homme politique, proposa l'expression *simplicité volontaire* pour décrire un style de vie caractérisé par refus du désordre et la concentration des énergies sur ce qui compte réellement. Gregg disait que « le degré de simplification relève d'une décision individuelle ». Par exemple, une personne amie de la simplicité volontaire pourra choisir de posséder un système de chaîne en quadriphonie coûteux et perfectionné, et de conduire une voiture très ordinaire.

La simplicité volontaire est une attitude et non un budget : la consommation réfléchie, la résistance aux « besoins » artificiellement créés, la préoccupation des limites des ressources naturelles, un mode de vie et de travail à une échelle plus humaine. D'après un rapport de l'Institut de recherches de Stanford, les partisans de la simplicité volontaire désirent réaliser des « potentialités humaines plus élevées, à la fois psychologiques et spirituelles, en communauté avec autrui ».

Ce rapport, qui a valu plus de demandes de réimpression émanant du monde des affaires qu'aucune autre publication dans l'histoire de ce haut lieu de la réflexion, prévenait le milieu en question qu'un ordre social différent pouvait bien être en train de s'établir, qui recherche plus le nécessaire que l'abondance matérielle. Les valeurs qu'il véhicule favoriseraient un intérêt éclairé à l'égard de soi plutôt que la compétition, la coopération plutôt qu'un individualisme farouche et des jugements à la fois rationnels et intuitifs. Une fraction toujours croissante de la population se préoccupe peu de statut ou de mode, mais exige qu'on recycle les biens durables et qu'on lui vende des produits sains, non polluants, naturels et esthétiquement plaisants. Nombre de ces produits et services qui ont des chances de devenir populaires peuvent être fournis aussi bien par des entreprises locales que par des multinationales géantes.

Pour la plupart de ceux qui la pratiquent, la simplicité volontaire n'est ni altruiste, ni un sacrifice. Elle peut même relever de l'hédonisme, car un style de vie simple est un plaisir en lui-même.

Un de ses partisans l'appelait « le seul moyen d'être riche ». Elle s'inscrit habituellement parmi des tendances plus vastes : une appréciation approfondie des plaisirs ordinaires, un sentiment aigu de vivre le moment présent, la compagnie d'amis affectueux et qui partagent la même perspective. Une des profondes récompenses du processus transformatif, c'est de découvrir l'importance de notre avoir réel. Une attention plus grande révèle toutes les valeurs que nous avons égarées, oubliées, ou bien — aveuglés par l'habitude — manqué de remarquer : des livres, des disques, des gens, des animaux, des horizons, des talents artistiques en friche, des violons d'Ingres négligés, des rêves abandonnés. « Je ne suis pas du tout dédaigneux des commodités de la vie, dit un jour l'économiste E.F. Schumacher, mais elles ont leur place, et ce n'est pas la première. Moins on a de besoin, remarquait-il, et plus on devient libre. » Ou bien, comme le disait Thoreau, « il nous faut vivre en nous mêmes et dépendre de nous-mêmes, toujours en éveil et prêts pour un départ ».

Le *Whole Earth Catalog* (Catalogue de la Terre entière) expose aussi ses buts : « Un domaine de pouvoir personnel intime est en cours de développement, le pouvoir de l'individu à conduire sa propre éducation, à trouver sa propre inspiration, à modeler son propre environnement... » Les livres et les manuels, les outils et les kits, et les autres ressources recensées dans ce catalogue sont adaptés à une autre vision du monde, riche en options.

Les organisateurs de l'Exposition pour une Nouvelle Terre exprimaient le désir d'atteindre par cette foire écologiste tous ceux qui ne croient pas en l'espoir : « Il existe de nombreux moyens de recouvrer le contrôle de sa propre vie. » En venir peu à peu à se suffire à soi-même en est un.

La transformation du monde des affaires

Un nombre croissant d'hommes d'affaires tentent de mettre en forme une nouvelle perspective. Un Conspirateur du Verseau qui rencontre dans tout le pays des dirigeants d'entreprises évoque ces nouveaux « philosophes-hommes d'affaires » qui s'entretiennent jusqu'à trois heures du matin de leur propre changement de valeurs et de leurs découvertes sur les potentialités humaines. Les cadres commerciaux pourraient être le groupe social le plus ouvert à ces dimensions, bien plus que les érudits ou les professions libérales, parce que leur réussite dépend de leur faculté à percevoir les tendances et les perspectives qui se font jour.

Le monde des affaires, qui a besoin de comprendre l'effet potentiel du nouveau paradigme, prend conscience des ressources qu'offrent les réseaux de la Conspiration du Verseau. Ce fut le sujet d'un « document préliminaire sur les tendances émergentes », publié en 1978. Ses auteurs recommandaient aux cadres de tenter de se « brancher » sur de tels réseaux, où se développent et s'expérimentent de nouvelles conceptions, avant d'intervenir sur ce marché. Ils ajoutaient qu'un « changement de cette sorte, étant irrésistiblement dans le vrai, est donc inévitable et que ceux qui tentent de s'interposer ne peuvent que dépenser leur énergie et leur substance en pure perte à retenir la marée ».

La valeur de la vocation

Dans le nouveau paradigme, le travail est un véhicule de transformation. Par le travail, nous sommes pleinement engagés dans la vie. Le travail peut être ce que Milton Mayerhoff a appelé « cet autre adequat », qui exige de nous, qui nous fait nous préoccuper. En répondant à la vocation, à l'appel, aux injonctions de ce qui a besoin d'être fait, nous pouvons créer et découvrir une signification, propre à chacun de nous et toujours changeante.

La fameuse période de crise et de transition qui survient à mi-vie peut être due en partie à l'effet cumulatif de décennies de refus, au surgissement soudain dans la conscience d'une douleur qu'on ne peut plus calmer. Quelqu'un qui a observé ce phénomène avec précision dit que sa manifestation est « ou bien un cri ou bien un appel » — un cri de déception ou un appel enthousiaste vers un nouveau but — la vocation — que connaît celui qui est engagé depuis quelque temps dans le processus introspectif et transformatif. La vocation n'est pas un emploi, c'est une relation transformative en marche.

Les participants au questionnaire sur la Conspiration du Verseau représentaient à peu près tous les domaines de vocation : l'éducation, la psychologie, la médecine, les affaires, l'édition, la télévision, la recherche, le gouvernement, la justice, l'art dentaire, le clergé, l'anthropologie, la sociologie, les soins infirmiers, les arts, le théâtre, la musique, l'armée, la science politique, l'économie. Quelques autres auraient pu être considérés comme sans emploi par un agent recenseur : des retraités, des ménagères, des personnes riches et indépendantes — menant tous une vie active en poursuivant une vocation qu'il n'est pas facile de décrire.

Plusieurs fois, des individus se sont présentés de façon inhabituelle, expliquant souvent leur vrai mode de vie plutôt que la spécialité étroite à laquelle ils ont été formés. Une femme médecin se définissait comme une enseignante, et un enseignant comme un agent d'actualisation de l'avenir.

En incitant avec douceur d'autres personnes à transformer le travail et la richesse, certains Conspirateurs du Verseau s'engagent dans une sorte de rééducation des institutions, conseillant des compagnies commerciales, aplanissant le terrain pour de nouvelles expériences, de nouveaux emplois, de nouveaux produits, faisant des estimations professionnelles des changements à venir. D'autres sont des modèles de changement, ayant inventé ou transformé leurs propres moyens d'existence. Pour eux, le mode d'existence juste, plus qu'un idéal bouddhiste, est un composant de la santé mentale.

Un des conflits internes les plus aigus rapportés lors de l'enquête était celui de la difficulté à concilier l'ancien travail avec la nouvelle perspective. Pendant ce que nous avons appelé la phase du point d'entrée du processus transformatif, les nouvelles idées ne semblent pas menacer le travail et les relations. Pendant la seconde phase, l'exploration, l'espoir demeure que ce nouvel intérêt ne sera rien de plus qu'une activité de loisir intensive. A la troisième phase, l'intégration, il devient apparent que le processus transformatif ne peut être compartimenté. Comme l'a dit un homme d'affaires :

> Cela va se répercuter sur votre travail, sur vos changements de

priorité. La nouvelle conscience affecte la manière dont vous menez votre travail. Tout instant de veille y est consacré. Vous percevez le monde à travers une grille différente, avec des yeux différents.

Si le travail peut facilement perdre de son importance, il est difficile de continuer à faire n'importe quoi après avoir vu le soleil. Si votre boulot peut s'étendre à la mesure de votre vision, vous avez de la chance.

A ce moment critique, les découvertes accompagnant la transformation sont comme une boussole. Le sentiment d'une *vocation,* d'avoir découvert une direction chargée de sens, renforce la résolution d'aligner le travail sur la croyance, la tête sur le cœur. Le nouveau respect pour l'*intuition,* le savoir tacite, encourage à prendre des risques. La sécurité, au sens habituel, est une illusion. La réussite elle-même est redéfinie, comme le montre cet homme d'affaires et conspirateur :

J'avais l'habitude de me définir selon les projets particuliers que je réalisais. La réussite pouvait être une bonne note à l'école — plus tard ce furent des contrats d'affaire. Pour moi, maintenant, la réussite c'est vivre ma vie en harmonie avec l'univers. C'est une question de contexte et de contenu. On peut concevoir les événements individuels tels que les « succès » et les « échecs » comme un contenu. Mais dans le contexte de la vie, il n'y a pas de gain ou de perte, seulement le processus.

Si vous faites l'expérience d'une vie plus large, plus riche et plus complexe, les événements apparaissent différemment.

La recherche habituelle de la réussite est comme un plan dessiné par un architecte qui ne connaîtrait pas le terrain et aurait brossé une structure trop rigide pour la nature. La vocation a plutôt la qualité d'une injonction intérieure pour avancer dans une direction particulière, pour sentir sa voie, ou d'une vision, d'une perception fugitive de l'avenir qui est plus un aperçu qu'un plan. Une vision peut être réalisée de multiples façons, alors qu'un but n'en permet qu'une. Le processus transformatif nous permet d'être les artistes et les scientifiques de notre vie, de créer et de découvrir à mesure que nous allons. Se mêlent la crainte et la passion de coopérer avec le processus de la vie, de devenir plus sensible à ses indices, ses nuances, ses promesses.

Le sentiment plus clair du *soi* transcende les catégories d'emploi et les rôles. Nous ne sommes pas d'abord notre profession — charpentier, programmeur, infirmière ou juriste. A la question de savoir s'ils lisaient régulièrement « des ouvrages extérieurs à leur domaine », nombre de ceux qui ont répondu au questionnaire écrivirent qu'ils considéraient que tout relevait de leur domaine.

L'expérience de la *totalité* par le processus transformatif montre qu'il ne doit pas y avoir de cassure entre le travail et le plaisir, entre les convictions et la carrière, entre l'éthique personnelle et « les affaires sont les affaires ». Fragmenter devient de plus en plus intolérable à la personne qui s'engage vers une conscience accrue. A mesure que l'anesthésie se dissipe, on ressent le déchirement de la chair et de l'esprit. Et il devient difficile d'ignorer le *contexte* de son travail. Après tout, les produits et les services n'existent pas dans le vide. Ils se répercutent à travers tout un système.

L'expérience d'une plus grande *interaction,* de l'unité avec les autres, engendre de nouvelles façons de penser les problèmes : le chômage, la retraite forcée, la pauvreté, les revenus fixes, la fraude sur les diverses allocations, l'exploitation. Selon un analyste politique : « Si nous pensons que nous sommes une grande famille, plutôt qu'une grande usine, nous traiterons ces problèmes différemment. »

L'accroissement du réseau de soutien — la Conspiration du Verseau elle-même — encourage l'individu dans ses entreprises solitaires de changement d'emploi, de mise sur pied d'une affaire, d'évolution dans sa pratique d'une profession, de revitalisation des institutions.

Les nouvelles attitudes changent l'expérience même du travail quotidien. A mesure que notre perception se modifie, le travail devient un rituel, un jeu, une discipline, une aventure, une occasion d'apprendre et même un art. Le stress de l'ennui et le stress de l'inconnu qui sont les deux causes de souffrance dues au travail, se voient transformés. Une qualité d'attention plus vive nous permet de passer à travers des tâches qui jusque-là semblaient répétitives ou déplaisantes. Les jugements sur ce que l'on fait, du type « je déteste ça », « j'aime ça », se réduisent. L'ennui s'efface, tout comme la douleur se calme lorsqu'on cesse de lui résister.

Lorsque l'ego ne fait plus la loi, nous portons moins de jugements de valeur sur le statut de l'emploi que nous occupons. Il nous apparaît que l'on peut découvrir un sens et l'exprimer, dans tout service humain, en nettoyant, jardinant, en s'occupant d'enfants dans le commerce, en conduisant un taxi ou en faisant une besogne de charpentier.

Le stress de l'inconnu est transformé par une attitude de confiance et de patience ; lorsque nous avons appris qu'il est dans la nature des choses de détruire et de reconstruire, nous sommes moins perturbés par le besoin de changer notre mode de travail, de développer un nouveau produit, d'apprendre une nouvelle technique, de réorganiser une tâche ou même une compagnie. Le besoin d'innover devient un défi, et non une menace.

Une nouvelle compréhension des changements de fortune, de la réussite et de l'échec, déplace l'intérêt dans le travail du produit vers le processus lui-même. Se concentrer sur le but est une forme de certitude artificielle qui nous distrait des possibilités propres à notre travail. Faire un travail créatif et chargé de sens nécessite d'être à l'écoute du moment présent, de considérer nos plans comme des événements riches de possibilités. Nous avons besoin de risquer, de coopérer à de nouveaux développements, de concilier des conflits.

La transformation du travail

Le travail devient aussi un milieu par lequel l'individu peut exprimer la vision de la Conspiration du Verseau, que ce soit par l'enseignement, la musique, l'architecture, etc. Paolo Soleri, dont l'architecture Arcosanti est un essai pour « construire un pont entre la matière et l'esprit », puise chez Teilhard de Chardin son inspiration. « Je me suis passionné pour un de ses livres que j'ai découvert à la fin des années soixante. Je compris alors que, d'une façon maladroite, je traduisais ce qu'il disait sous une forme architecturale. »

Des juristes s'efforcent de trouver des moyens de pratiquer leur profession en évitant les joutes oratoires, et conçoivent le droit dans un nouveau rôle de médiateur. Un séminaire de droit humaniste destiné aux doyens des facultés de droit et qui s'est tenu à l'université Columbia en 1978, envisageait les implications du nouveau paradigme, en particulier l'accent qu'il met sur la coopération et la collaboration.

Calvin Swank, un professeur assistant de justice criminelle de l'université d'Alabama, prévoit que même les départements de police seront affectés « du fait que de plus en plus de personnes s'absorbent dans leurs croissance et potentialités personnelles ». Des « flics auto-actualisés » mettront en question l'habituel conformisme à l'autorité. Ils viendront à faire confiance en leur propre jugement, fondé sur l'expérience et l'intuition, et la police sera incapable de s'accrocher à ses anciennes pratiques face au changement des valeurs sociales.

Par plusieurs aspects, l'armée, avec sa base financière garantie, a plus d'occasions pour financer des innovations qu'aucune autre institution. Le lieutenant-colonel Jim Channon a créé un hypothétique « Premier Bataillon de la Terre », vision futuriste de ce à quoi une armée transformée pourrait ressembler. Les soldats du Premier Bataillon de la Terre recherchent des méthodes non destructives pour résoudre un conflit. Leur dévouement va d'abord à la planète. Après que Channon eut introduit cette notion lors d'un rassemblement d'experts tenu en Virginie, il fut inondé de demandes pour un surplus d'informations. Le détachement spécial Delta de l'armée l'a autorisé à préparer une présentation du Premier Bataillon de la Terre devant différents medias, une idée qui semble appuyer la réaction que William James appelait « l'équivalent moral de la guerre », une résolution aussi urgente que la confrontation d'un danger, mais sans violence.

Le détachement spécial Delta, qui est l'instrument d'innovation et de transition de l'armée, compte des systémiciens, des sémanticiens et des spécialistes en croissance personnelle et en psychologie du stress ; la structure de cette organisation est circulaire, à la place de la pyramide hiérarchique habituelle.

La constellation des valeurs transformatives — totalité, communauté, sentiment d'être porté — peut donner un sens à toutes sortes de travaux. La transformation change également les relations du travail : entre le travailleur et le patron, le travailleur et le produit, le travailleur et le consommateur.

De nouvelles relations de travail

Tocqueville observait, au milieu du XIXe siècle : « On dirait que les souverains de notre temps ne cherchent qu'à faire avec les hommes des choses grandes. Je voudrais qu'ils songeassent un peu plus à faire des grands hommes ; qu'ils attachassent moins de prix à l'œuvre et plus à l'ouvrier... une nation ne peut rester longtemps forte quand chaque homme y est individuellement faible. »

De la même façon qu'un enseignant doué libère les capacités qui sont dans l'étudiant, un employeur doué aide les travailleurs à réaliser leurs potentialités telles qu'habileté, esprit d'entreprise, créativité. S'il est soucieux de transformation, il encourage l'autodirection chez autrui.

Nous entrons dans une période de réel changement dans les relations de travail. Un nombre croissant d'employeurs préfèrent être des catalyseurs plutôt que d'exercer simplement le pouvoir, et une génération montante d'employés autonomes est prête à servir, mais pas au prix de l'asservissement. Cette évolution n'est pas sans causer quelques troubles chez ceux qui ne changent pas. Certains employés préféreraient être passifs, plutôt que de se charger de nouvelles responsabilités ou de créer leurs propres plans de travail, ce qui peut frustrer l'employeur qui n'est plus un patron traditionnel. Un cadre a raconté comment ses propres changements l'ont amené à désirer non seulement de nouveaux amis, mais aussi de nouveaux collègues. D'un autre côté, l'autonomie chez les employés s'est révélée stressante pour nombre de patrons traditionnels.

Un rapport émanant de l'Institut de recherches sociales de l'université du Michigan prévoyait que les styles de direction traditionnels devraient disparaître. Reconnaissant l'autonomie grandissante de ses employés, l'American Telephone and Telegraph a organisé en 1977 et 1978 des sessions de recyclage pour mille sept cents managers.

Les traits de caractère des managers très performants sont étonnamment semblables à ceux des bons enseignants (*cf.* chapitre IX). D'une étude portant sur seize mille managers, il se dégage que, pour eux, la réussite est associée à l'idée de confiance, à des espérances de haut niveau, à un sens de la collaboration, à la capacité d'intégrer des idées, à la volonté d'écouter les subordonnés, de prendre des risques, d'innover, au désir de voir les employés se réaliser dans leur travail, à un ego faible.

Un rapport de l'université McGill a par ailleurs décrit les managers qui réussissent comme exceptionnellement ouverts au complexe et au mystérieux, intéressés par les éléments de la connaissance nécessitant spéculation et intuition — tels l'expression faciale, l'intonation, les gestes, les attitudes. Une autre étude brossait ainsi le portrait du chef d'entreprise accompli « il passe largement en revue son environnement, intuitionne, effectue des brain-stormings, utilise le rêve éveillé ». Les cadres semblaient faire appel plus souvent que la plupart des gens à des processus relevant de l'hémisphère droit, à en juger par des études comportant un EEG, alors que les analystes du fonctionnement de l'entreprise s'appuient sur des stratégies du cerveau gauche, comme l'évaluation de la qualification.

Les théoriciens de la nouvelle forme de direction des entreprises sont intéressés par les capacités latentes qui peuvent s'épanouir sous l'effet de la motivation. Ils recommandent l'utilisation de structures flexibles, de mesures de travail adaptées aux besoins humains, capables de libérer les potentialités des individus. Il est évident que le ralentissement actuel de la productivité aux Etats-Unis révèle le besoin de mesures urgentes et sévères.

De nombreuses entreprises ont, ces dernières années, intégré à leur philosophie de la direction « l'enrichissement du travail » et « l'humanisation du lieu de travail ». On a constitué des équipes de travail semi-autonomes. Le salaire a été déterminé en fonction non pas du type de travail, mais des tests de compétence effectués. Les horloges pointeuses, ces symboles infernaux de la déshumanisation et du manque de confiance de l'employeur envers les employés ont été remplacées par des feuilles d'horaires signées. Des chaînes de montage ont été décomposées en unités plus petites. Certaines compagnies ont adopté l'idée d'une direction par accord mutuel appliquée au Japon, en Norvège et en Suède.

Le Conseil américain de l'assurance-vie analysait, en 1979, « Le Changement de nature du travail ». Il constatait l'apparition d'une nouvelle génération d'employés à la recherche d'une fonction en accord avec leurs valeurs personnelles, ainsi que d'horaires et d'un type de travail plus souples, d'une coopération accrue entre la direction et les employés, d'une organisation en structures non hiérarchiques, d'un environnement de plus en plus compatible avec la santé physique et mentale

La valeur du développement personnel

Ces changements externes ont certes été fructueux, mais ils se révèlent insuffisants. Désormais, ceux qui sont soucieux de la productivité et des individus ont pris la route intérieure et se tournent vers des méthodes conçues pour l'actualisation de soi. Le *développement personnel* est devenu le complément de l'enrichissement de l'emploi et de l'humanisation du lieu de travail. Comme l'observait un conseil en formation, « nous avons adopté ces techniques pour des raisons pragmatiques, et nombre d'entre nous en sommes devenus dépendants ».

Seuls ceux qui sont éveillés à la nouvelle conscience, reliés entre eux et motivés peuvent accroître la synergie d'une organisation. Pour réaliser des changements majeurs dans les attitudes des travailleurs, la direction se tourne de plus en plus vers les techniques d'entraînement issues de la recherche sur la conscience.

Les formateurs parlent désormais de transe culturelle, de peur de la transformation, de réalités alternatives, de changements de paradigme, de prises de conscience, de l'importance de l'apprentissage individuel pour « voir avec de nouveaux yeux ».

L'entraînement à la croissance personnelle ne promet pas et ne devrait pas promettre un rendement horaire accru, moins de sujets de plainte, moins d'heures supplémentaires ou plus de ventes. Simplement, la plupart des gens vont commencer à mieux ressentir qui ils sont et ce qu'ils font de leur vie.

De nombreuses compagnies ont entrepris de proposer à leurs employés des entraînements à la réduction du stress ou au biofeedback, des programmes de développement de la créativité. Certaines ont fait installer, à l'écart, des lieux tranquilles pour le repos et la méditation. Evidemment, les aspects des techniques transformatives portant sur la santé sont un investissement rationnel pour le soutien de l'entreprise. Un employé qui fonctionne pleinement, avec une image de soi saine, est un bon placement. Tel était, du moins, le raisonnement originel. Il se trouve pourtant que de nombreuses compagnies semblent considérer le développement des potentialités de leurs employés comme une partie de leur responsabilité sociale

La General Electric a financé des conférences concernant la recherche sur les hémisphères cérébraux et la créativité. Les séminaires « L'Autre Soi » de la Fondation Menninger ont été organisés pour de nombreux groupes appartenant à des corporations.

L'intuition ne relève pas du domaine exclusif des cadres. Des millions de travailleurs ayant découvert de nouvelles capacités au moyen des psychotechniques sont désireux de développer leur intuition et leur créativité dans leur emploi.

Un peu comme le nouveau paradigme de l'éducation voit en nous tous le potentiel créatif que nous n'attribuions jusque-là qu'aux genies, les formateurs commencent à voir en tout employé un auto-manager potentiel qui peut commencer à penser comme un entrepreneur.

Le nouvel entrepreneur

Pour beaucoup, le fait d'être entrepreneur — c'est-à-dire de se considérer soi-même comme une entreprise — est une conséquence naturelle du processus transformatif. Fort d'un sentiment accru de soi et de sa vocation, d'une volonté neuve de prendre des risques (et d'être dans la gêne pendant un temps), du soutien affectif du réseau, d'une confiance plus robuste dans leur propre volonté et créativité, ils se donnent une fonction propre. Ces nouvelles entreprises sont caractérisées par l'idéal bouddhiste du mode d'existence juste : un travail au service de la société et qui n'altère pas l'environnement.

Briarpatch, un réseau californien regroupant environ trois cents entreprises, artistes, et organisations sans but lucratif, constitue un milieu d'aide mutuelle pour les entrepreneurs « essayant de découvrir ou de révéler des principes qui peuvent nous aider à nous relier à notre communauté et à notre société, plutôt que de les exploiter ». Dick Raymond, fondateur de Briarpatch, évoque le stress que représente la mise en pratique de sa nouvelle philosophie :

> Traverser cette rivière est difficile : cela signifie qu'il faut laisser tomber certaines de nos anciennes idées concernant le travail, l'emploi... La plupart d'entre nous (dont je suis) tentent d'approcher ce point douloureux sur la pointe des pieds, mais il est important de parler de certaines des souffrances que l'on est capable d'affronter. Il ne s'agit pas simplement d'échanger un emploi pour un autre, ou d'aller d'une compagnie dans une autre qui nous convient mieux. Lorsque vous commencez à abandonner vos anciennes croyances ou valeurs, certains circuits très fondamentaux sont activés... Vous pouvez être mis sur la touche pendant deux ou trois ans. Avant de vous remettre en route, il vous faut abandonner toutes les croyances que vous chérissiez.

Des programmes d'entraînement ont été développés, comme l'Ecole des entrepreneurs de Bob Schwartz, destinée à former cette génération de catalyseurs susceptible de transformer le marché. Selon Schwartz, les entrepreneurs sont « les poètes et les conditionneurs de nouvelles idées, à la fois visionnaires et actualiseurs ». Les nouveaux entrepreneurs sont passés d'une philosophie de type Ça-Je à une relation du type Tu-Je, reliés selon un mode immédiat et personnel à la fois au consommateur et au produit. Ils sont, avec leurs clients, « la force révolutionnaire la plus puissante que l'Amérique fournit au monde. L'entrepreneur est le nouvel agent de changement non violent ». Il refuse de séparer le sens des affaires du sens de l'humain

La ré-évaluation de la technologie

Dans le paradigme qui émerge, la technologie n'est pas perçue comme négative. Elle est seulement soumise à des abus et a besoin d'être réhumanisée. Notre technologie nous avait promis la puissance, mais elle est devenue notre maître en de trop nombreux secteurs de notre vie. Il n'est pas étonnant que nombre des « nouvelles » perspectives économiques et politiques se tournent vers le passé, étant donné leur préférence pour la décentralisation, leur sensibilité aux harmonies naturelles, leur souci d'être les gérants de la terre, leur désir de « simplicité créative », d'enrichissement culturel et spirituel, la célébration de valeurs non matérielles.

La conscience de la société devrait être le contexte de son travail et de sa consommation, et sa technologie n'être que le contenu : des outils qui créent des produits et sont au service de la valeur individuelle. Le livre de E.F. Schumacher devenu célèbre sous le titre de *Small is Beautiful* s'intitulait, à l'origine, *Economics as if people mattered* (*Si l'économie tenait compte des individus*). Il déplorait particulièrement les effets des applications monumentales, inconscientes, de la technologie : la centralisation, l'urbanisation, l'épuisement des ressources, la déshumanisation des travailleurs. Dans les pays en voie de développement, en particulier, les turbines, les barrages, les bouteurs qui écorchent la terre, peuvent rompre les structures sociales au double détriment de l'environnement et des populations. Devant cette folie furieuse de la science appliquée, la réponse du Centre radical de Schumacher est ce qu'il a appelé une « technologie appropriée ».

La technologie « intermédiaire » ou appropriée ouvre une troisième voie : des outils plus perfectionnés qu'une simple pelle, mais plus pratiques et d'une échelle plus humaine qu'un bouteur. Avec ces outils supérieurs mais maniables, les populations peuvent améliorer leur sort sans aller dans les usines urbaines.

Des bureaux de technologie appropriée se sont ouverts dans de nombreux pays. Pendant les deux années qui ont précédé sa mort, Schumacher fut l'invité et le conseiller de présidents, de premiers ministres et de rois.

La philosophie économique de Schumacher reflète d'intenses valeurs spirituelles qu'il a développées dans son livre posthume, *Guide for the Perplexed* (*Guide à l'usage des gens perplexes*). Il est évident que les valeurs spirituelles sont une base essentielle aux soucis écologiques de notre temps, sous forme d'un sentiment accru de la totalité de la terre et du respect pour la matrice de notre évolution, cette nature dans laquelle s'enfoncent nos racines. C'est avec pertinence que la brochure du Bureau Californien de technologie appropriée cite Lao-Tseu : « Ce sont mes trésors. Garde-les bien. »

La valeur de la conservation

Il n'est pas de domaine où l'aspect unitaire de toute vie est plus évident que dans l'éveil de notre conscience écologique. Le souci de la planète rejoint les problèmes économiques, juridiques, spirituels, esthétiques et médicaux. Il s'étend à nos achats, à la taille de la famille, aux loisirs. Même le plus jeune enfant d'âge scolaire est conscient des problèmes : la défoliation par les militaires, la menace nucléaire, les substances cancérigènes, les transports supersoniques, les barrages inondant les cimetières amérindiens, la croissance de la population mondiale, la destruction de la couche d'ozone par le Fréon. Les jeunes craignent la mort lente de la terre comme la génération précédente craignait la bombe atomique.

Le biologiste Joël de Rosnay, défenseur de l'environnement et des énergies renouvelables, a fort bien décrit ce processus dans *Biotechnologies et bio-industrie,* « l'industrie des sociétés modernes produit des masses de déchets non recyclables et non biodégradables. Cette situation est inconnue dans le monde vivant, puisque toutes les substances utilisées par les animaux et les végétaux sont recyclées par les micro-organismes décomposeurs présents dans le sol. » Selon cet auteur, le progrès des sciences fondamentales — notamment la révolution biologique de ces trente dernières années — le progrès des sciences appliquées et la sensibilisation de l'opinion par les crises internationales — de l'énergie, de l'alimentation et de l'environnement — « ont contribué à accélérer dans les pays développés la mise en œuvre des biotechnologies et l'avènement de la bio-industrie ». L'ensemble de son ouvrage est consacré à leurs possibilités de développement et aux nombreux avantages qu'elles présentent notamment du point de vue écologique, par la réutilisation des déchets industriels, agricoles et urbains, par la diminution des pollutions.

Dans leur rapport *Sciences de la vie et société,* présenté au président de la République française, les biologistes François Gros, François Jacob et Pierre Royer écrivent que « la biologie a profondément modifié la représentation que nous nous faisons du monde vivant en général et de l'homme en particulier... Les acquis de la biologie moderne vont, pour la plupart, à l'encontre des idées les plus communément admises aujourd'hui, idées qui elles-mêmes résultaient d'une interprétation erronée de la théorie de l'évolution ». D'après ces auteurs, trois notions clés ont été mises en lumière, l'unité du monde vivant et la parenté de toutes les espèces, l'unité de la biosphère et l'interdépendance des éléments qui la constituent, enfin l'importance de la diversité dans le monde vivant : diversité des espèces sur la terre, diversité des individus au sein de l'espèce, y compris, évidemment, l'espèce humaine. Le rapport invite à préserver les équilibres de la planète et à sauvegarder la diversité biologique.

Il recommande en outre l'enseignement de la théorie de l'évolution, qui représente la théorie de base de la biologie. « La fin de ce siècle verra une prise de conscience croissante de l'interdépendance du monde vivant et des équilibres biologiques. Mais la conscience de la nature, le respect des animaux et des plantes ne s'inventent pas. Ce sont le fruit d'une éducation qui commence dès le plus jeune âge » et dont le but est de « donner le *sens de la nature* ».

Dans un autre de ses ouvrages, *Le Macroscope,* Joël de Rosnay tente de dégager les principes de base d'une éducation systémique et décrit les valeurs sur lesquelles pourrait se fonder un nouveau projet de société, qu'il illustre dans un scénario du futur dépeignant cette « écosociété ». De même, dans *Ecologie et Liberté,* Michel Bosquet (André Gorz) propose plusieurs thèses destinées à amener « l'expansion de la société civile et le dépérissement de l'Etat », et qu'il illustre par une « utopie parmi d'autres possibles... qui n'a d'autre but que de libérer l'imagination quant à ce qu'il est possible de faire pour changer la vie ».

Ecotopia, roman de Ernest Callenbach, est à l'origine d'une sorte de culte, particulièrement dans l'ouest des Etats-Unis. Ecotopia est un nouveau pays fictif né de la séparation de l'état de Washington, de l'Oregon occidental et de la Californie du Nord. Les habitants d'Ecotopia utilisent une technologie alternative et sont hyperconscients des problèmes de l'environnement. Callenbach a été invité à Sacramento pour s'entretenir avec le gouverneur de Californie et ses conseillers. Que les prémices d'un nouveau pays — d'un nouveau commencement — soient ou non tirées par les cheveux, le succès de masse que connaît ce livre présente en lui-même une signification.

Sim Van der Ryn, premier directeur du Bureau californien de technologie appropriée et ancien architecte de cet état, insiste sur le fait que des communautés du type « Ecotopie » sont dès maintenant viables, du moins « la construction de quelques premiers exemples modestes ». Il recommande aux entrepreneurs et aux politiciens éclairés de s'engager eux-mêmes dans une idée qui pourrait apporter des crédits aussi bien au gouvernement qu'au monde des affaires.

Des architectes réputés, questionnés en 1979, ont décrit un nouveau paradigme de l'esthétique urbaine : plus humain, avec des facilités communautaires et de logement mieux agencées, un soin particulier porté aux transports publics, la création d'allées piétonnières, de jardins, de lieux de distraction, l'extension des espaces verts, l'accent mis sur le bien commun. Un effort particulier doit être fait sur le développement des technologies « douces », employant des énergies renouvelables comme le soleil, le vent, les marées...

Nous pouvons être à la veille de retrouver la conscience intime de notre place dans la nature et la relation étroite que nous devons avoir avec elle. Cette tendance néo-médiévale émerge de façon évidente dans les dizaines de milliers de festivals d'art, d'artisanat, de musique, les expositions sur le nouvel âge et l'environnement, les foires de types Renaissance ou les jeux médiévaux où se recrée une communauté spontanée.

L'imagination comme source de richesse

Ici et là se produisent des insurrections enjouées, conduites par les citoyens du nouvel état démocratique, avec les premières ébauches de sa constitution, de sa déclaration d'interdépendance. Si l'on sait y regarder de plus près, on peut détecter les prémices de cette société dont les individus sont les institutions et dont l'éveil du sens de la fraternité est la loi essentielle.

La vraie source de richesse d'une société moderne n'est pas sa productivité, son produit national brut ou ses biens tangibles, mais l'intelligence créative de ses citoyens. Trop longtemps, nous avons investi le meilleur de nos énergies dans la poursuite désordonnée de buts secondaires, espérant trouver dans de telles distractions la satisfaction qui ne peut venir que de la vocation. Désormais, la possibilité d'un choix nous est offerte pour façonner un monde plus libre, où existeront un nouvel esprit d'entreprise, un cœur neuf et des valeurs adéquates à nos besoins les plus profonds.

CHAPITRE XI

L'AVENTURE SPIRITUELLE : RETOUR A LA SOURCE

Derrière la nuit... quelque part au loin
La vertigineuse blancheur d'un petit matin.

Rupert BROOKE

Le XXIe siècle sera spirituel, ou il ne sera pas.

André MALRAUX

DANS ses premières étapes, la transformation peut sembler facile, amusante même, pas du tout stressante ou menaçante. Nous savourons un sentiment intense de connexion, de vocation, de liberté et de paix. Nous *utilisons* le processus tel un outil. Nous visitons des états non ordinaires de conscience comme on se met à faire des séances de bains sous pression. Le biofeedback guérit les migraines, la méditation détend. On dissout les blocages de l'apprentissage par l'imagerie mentale.

Mais toutes les techniques transformatrices entraînent également notre attention. Peu à peu naît en nous le sentiment d'avoir trahi un harmonieux univers intérieur par nos attitudes, notre comportement et nos croyances. Un domaine d'ordre et d'intelligence exquis, de potentialités créatives commence à se révéler. Désormais, c'est la méditation qui *nous* anime. La réalité glisse vers des espaces plus vastes et plus riches. Désormais, il n'est plus seulement question de voir les choses différemment, mais de voir des choses différentes. La parole et les symboles échouent à en rendre compte. Ce territoire est trop différent de ce que nous avons connu, trop paradoxal ; c'est une dimension qu'on peut qualifier de profonde ou d'élevée, elle reste indicible. Un sage zen a dit qu' « on ne peut la saisir que par l'expérience, comme l'on sent soi-même le froid ou le chaud en buvant de l'eau. C'est fondre tout l'espace en un clin d'œil et parcourir en une pensée tous les temps, passés et à venir ».

La conscience n'est pas un outil. C'est notre être, le contexte de notre vie, de la vie elle-même. L'expansion de conscience est l'entreprise la plus risquée sur terre. Nous mettons en danger le *statu quo.* Nous menaçons notre confort. Et si nous n'avons pas le courage de résoudre les conflits qui s'ensuivent, nous y risquons notre santé mentale. Il est possible que nous nous soyons sentis mal à l'aise en certains points antérieurs du processus transformatif, comme lorsque nous avons pris la responsabilité de notre santé, mais ici, c'est bien plus fort ; il s'agit de la transformation du processus transformateur lui-même.

Au chapitre VI, nous avons exploré les découvertes scientifiques concernant l'unité sous-jacente de la nature, le rôle de la conscience dans la construction du monde des apparences, le cerveau comme interprète de structures émergeant d'une réalité primordiale, la transcendance du temps et de l'espace, l'élan de l'évolution, le réordonnancement de systèmes vivants à des niveaux toujours plus intriqués et cohérents.

L'expérience spirituelle ou mystique qui fait l'objet de ce chapitre est l'image en miroir de la science — une perception directe de l'unité de la nature, l'intérieur des mystères que la science essaye vaillamment de connaître de l'extérieur. Ce mode de compréhension précède la science de milliers d'années. Bien avant que l'humanité n'ait forgé des outils, comme la logique quantique, pour décrire des événements que la raison ordinaire ne pourrait pas saisir, des individus ont pénétré dans le domaine du paradoxe au moyen des changements de conscience. Et là, ils savent que ce qui ne peut pas être *est.* Des millions de personnes ont fait, de nos jours, l'expérience d'aspects qui transcendent la réalité, et ont intégré ce savoir à leur vie.

Une expérience mystique, même si elle est brève, prouve la justesse de leur recherche spirituelle à ceux qui sont attirés vers elle. L'esprit connaît alors ce que le cœur n'avait qu'espéré. Mais la même expérience peut être profondément affligeante pour quelqu'un qui n'y est pas préparé et qui doit ensuite essayer de la faire entrer dans un système de croyance inadéquat.

L'expérience directe d'une réalité plus vaste exige inexorablement que nous changions notre vie. Pendant un temps, nous pouvons faire des compromis, mais finalement nous réalisons que cette ambivalence équivaut à décider de ne reconnaître la loi de la gravitation que de temps en temps et en certains lieux. Cette transformation de la transformation, avec son accélération des mises en rapport et des prises de conscience, peut être une période effrayante. Finalement, par degrés, on est conduit à agir, à harmoniser sa vie avec sa conscience ; comme l'a dit T. S. Eliot, « c'est une condition de simplicité suprême, que l'on obtient au prix de tout ».

Par l'altération radicale des valeurs et de la perception du monde de l'individu, l'expérience mystique tend à créer sa propre culture, une culture aux limites invisibles, que d'autres sont nombreux à partager. Cette culture parallèle semble menacer le *statu quo;* comme l'a dit Alexandre Soljenitsyne, un individu qui consacre à son âme journellement autant d'attention qu'à sa tenue fait outrage à la société occidentale. Les déclarations et le comportement des membres de la culture émergente sont jugés par un système de croyance aussi inadéquat à leur expérience que pouvaient l'être envers Christophe Colomb les avertissements des partisans de la terre plate. Les critiques les accusent de narcissisme, ne connaissant pas le sérieux de leur recherche intérieure — d'auto-annihilation, ne sachant pas la grandeur du Soi qu'ils rejoignent — d'élitisme, ne percevant pas combien ils cherchent désespérément à faire partager ce qu'ils ont vu — d'irrationalisme, ne réalisant pas combien leur nouvelle vision du monde va plus loin dans la résolution des problèmes, combien elle est plus cohérente avec l'expérience quotidienne.

La recherche d'une signification

La quête spirituelle commence, pour la plupart des gens, par une recherche de sens. Au début, cela peut n'être que le désir impatient d'un supplément. La prescience de Tocqueville l'avait amené à remarquer la coexistence, en Amérique, d'un fort esprit religieux et d'une ambition matérielle. Mais peut-être, disait-il, est-ce un équilibre précaire.

« Si l'esprit de la grande majorité du genre humain se concentrait jamais dans la seule recherche des biens matériels, on peut s'attendre qu'il se ferait une réaction prodigieuse dans l'âme de quelques hommes... Je serais surpris si, chez un peuple uniquement préoccupé de son bien-être, le mysticisme ne faisait pas bientôt des progrès. »

Il est vrai que notre vigoureux appétit pour le matériel nous a conduits à la satiété. Zbigniew Brzezinski, président du Conseil de sécurité des Etats-Unis, a parlé d'une « aspiration croissante au spirituel » dans les sociétés occidentales avancées où le matérialisme s'est révélé insatisfaisant. Selon lui, les gens ont découvert que 5 pour cent de croissance des biens n'est pas la définition du bonheur.

Il reconnaît que la religion *traditionnelle* ne peut y suppléer :

> C'est pourquoi l'on constate une recherche d'une religion personnelle, d'une liaison directe avec le spirituel... Chaque être humain, une fois qu'il atteint le stade de la conscience de soi, veut sentir qu'il y a un sens plus profond à son existence que le simple fait d'être et de consommer, et une fois qu'il commence à sentir les choses de cette

façon, il veut que son organisation sociale corresponde à ce sentiment... Cela se produit à une échelle mondiale.

En 1975, la Corporation nationale de recherche d'opinion a rapporté que plus de 40 pour cent des adultes sondés croyaient avoir vécu une authentique expérience mystique. Ces expériences se caractérisaient par la joie, la paix, un besoin de s'associer aux autres, la conviction que l'amour est au centre de tout, par l'intensité affective, un savoir impossible à formuler, l'unité avec les autres et l'imminence d'un nouveau monde. D'après un sondage Roper de 1974, 53 pour cent croyaient en la réalité du psi, l'intensité de cette croyance étant corrélée à l'importance des revenus et de l'éducation. Pour un sondage Gallup de 1976, 12 pour cent étaient impliqués dans une discipline mystique.

Un sondage Gallup publié en février 1978 rapporte que dix millions d'Américains sont engagés dans la croyance à un certain aspect des religions orientales, neuf millions dans la guérison spirituelle. « Bien que (ceux qui sont impliqués dans les religions orientales) ne soient probablement pas des gens qui vont à l'église... ils sont tout autant prêts à dire que leurs croyances religieuses sont " très importantes " dans leurs vies. »

Selon un Conspirateur du Verseau, « Une personne n'est plus considérée comme excentrique parce qu'on la sait en quête spirituelle. Et même, on l'envie un peu, ce qui est un grand changement depuis ces quinze dernières années ».

Des psychologues occidentaux comme William James, Carl Jung, Abraham Maslow et Roberto Assagioli ont, alors qu'ils étaient en pleine maturité, concentré leurs efforts à essayer de comprendre les besoins transcendants et cette soif irrépressible de signification. Jung a comparé l'élan spirituel à la pulsion de la sexualité.

Bien qu'il y ait des raisons de penser que nous présentons tous une capacité innée pour l'expérience mystique — une liaison directe — et bien que la moitié de la population rapporte avoir vécu au moins une expérience spontanée, jamais, auparavant, cette capacité n'avait été explorée par un grand nombre d'individus.

Parmi les millions engagés actuellement dans cette recherche, beaucoup, sinon la plupart, y ont été amenés pratiquement à l'improviste. En toute innocence, ils se sont retrouvés au-delà de leur terrain familier. Sy Safransky, éditeur d'un magazine littéraire de Caroline du Nord a décrit son départ hors de la réalité du sens commun :

> Je suis un journaliste dont la capacité à prendre des notes et à poser les bonnes questions s'est évaporée il y a des années sur une plage ensoleillée d'Espagne, lorsque je pris soudain conscience que l'ensemble du monde était vivant... Je vis la terre respirer, je sentis ses rythmes et je découvris une partie manquante de moi-même. Ne

trouvant de confirmation ni dans le *New York Times* ni dans le *New Republic,* mais seulement dans une littérature que j'avais jusqu'ici évitée, la considérant comme religieuse (c'était alors une simple épithète pour moi) ou parfaitement bizarre, je commençai la longue et lente dérive hors du courant principal, en direction de rivages qui n'ont pas encore trouvé de nom.

Ces rivages sans nom font l'objet de ce chapitre. Nous considérerons l'expérience spirituelle dans l'Amérique contemporaine, comme une expérience qui a peu de rapports avec la religion telle que notre culture l'a connue. Elle a également peu de liens avec les pratiques et les cultes exotiques. Le mouvement populaire prend place tranquillement, se manifestant selon des modes uniques en *ce* temps et en *ce* lieu. La plupart de ses adhérents passent inaperçus à ceux qui cherchent les symboles habituels de la piété.

De la religion à la spiritualité

La tradition spirituelle émergente n'est pas nouvelle dans l'histoire américaine, si l'on en croit Robert Ellwood, spécialiste des religions orientales à l'université de Californie du Sud. C'est plutôt la revitalisation d'un courant « qui remonte aussi loin que le transcendantalisme ».

Avec ses grands éveils périodiques, les Etats-Unis ont toujours attiré les mystiques et les évangélistes. Bien avant la révolution spirituelle que nous connaissons aujourd'hui, les mystiques orientales et occidentales ont influencé le courant principal de la pensée américaine. Leurs idées étaient le pain quotidien des transcendantalistes et de la « génération beat ». Pourtant, comme l'a remarqué Ellwood, toutes ces exportations passent par le filtre de la psyché et de l'expérience américaine.

Nous nous tournons vers l'Orient en vue d'une complétude. Pour Whitman, c'est « le voyage du retour de l'esprit... le passage vers un au-delà de l'Inde ». Hesse a parlé des « éternels efforts de l'esprit humain vers l'Orient, ce lieu auquel on appartient ». L'Orient ne représente pas tant une culture ou une religion que la méthodologie permettant d'atteindre à une vision libératrice plus vaste. En ce sens, l' « Orient » a existé dans les traditions mystiques occidentales.

En janvier 1978, le magazine *McCall* a publié une enquête portant sur soixante mille lecteurs. Les résultats montraient un scepticisme accablant concernant la religion organisée, même parmi les pratiquants. Un sondage commandé par des groupes protestants et catholiques, paru en juin 1978, révéla ce que Gallup a résumé comme étant « une sévère mise en accusation de la religion organisée ». Quatre-vingt-six pour cent des non-pratiquants et 76 pour cent des pratiquants reconnaissaient que les individus peuvent établir leur croyance en dehors de la religion organisée.

Gilbert Durand, dans *Science de l'homme et tradition,* affirme que « le " connais-toi toi-même " de la tradition orphique et platonicienne... le verset célèbre du Coran " en se connaissant soi-même, connaître son Seigneur ", ruinent l'utilité même du cléricat, le monopole de la médiation qu'il s'attribue. On comprend que les théologiens — et saint Thomas d'Aquin le premier — séparent bien soigneusement la fonction toute humaine de connaissance et la Révélation dont l'usage et l'interprétation sont domaine réservé aux clercs. »

Christian Kerboul, ancien prêtre, écrit dans *L'Homme du Verseau :* « Ce qui monte de partout, c'est une conception spirituelle de l'Eglise, organisée sur un plan horizontal, bien plus que hiérarchisée, directement animée par l'Esprit-Saint et non dirigée par une caste sacerdotale, vivant l'Evangile de Jésus qui nourrit et unit et non obéissant au dogme qui dessèche et divise. »

La religion catholique, la plus autoritaire des institutions religieuses, a souffert de ce que l'historien John Tracy Ellis a appelé « une destruction de sa fixité », un traumatisme qui apparaît dans la nouvelle variété de doctrines et de disciplines parmi les catholiques américains. Ceux-ci poussent aux réformes, participant à des mouvements pentecôtistes et charismatiques où ils évangélisent. En 1979, on estimait à un demi-million les catholiques devenus charismatiques et engagés dans des pratiques de guérison. Le nombre de religieuses et de prêtres a dramatiquement baissé au cours des années soixante-dix, des théologiens sont entrés en dissidence avec l'autorité papale et les effectifs des écoles paroissiales ont décliné. De semblables rébellions se sont produites dans presque toutes les religions organisées de l'Union.

Une assemblée de dirigeants spirituels a lu en octobre 1975 une déclaration aux Nations unies :

> ... Les crises de notre époque mettent les religions du monde en demeure de libérer une nouvelle forme spirituelle qui transcenderait les limites religieuses, culturelles et nationales, vers une nouvelle conscience de l'unité de la communauté humaine, et se traduirait ainsi par une dynamique spirituelle qui conduirait les problèmes du monde à trouver leur solution. Nous affirmons la nécessité d'une nouvelle spiritualité dépouillée d'insularité et dirigée vers la conscience planétaire.

Un nombre croissant d'églises et de synagogues se sont mises à élargir leur contexte pour inclure des communautés de soutien à la croissance personnelle, des centres de santé holiste, des ateliers de médiation, l'induction de modification de conscience par la musique et même des entraînements au biofeedback.

Comme l'a remarqué l'historien William McLoughlin, les éveils culturels sont précédés par une crise spirituelle, un changement dans la façon dont les êtres humains se voient en relation mutuelle, et par rapport au divin. Au cours des « grands éveils », il se produit un transfert d'une religion médiatisée par les autorités à une spiritualité fondée sur l'expérience directe.

L'idée d'un Dieu intérieur est particulièrement inquiétante. Pourtant, il faut bien constater que chaque religion organisée a pour base les expériences directes qu'ont prétendu avoir vécues une ou plusieurs personnes, et dont les révélations sont ensuite transmises comme objets de la foi. Ceux qui désirent un savoir direct, les mystiques, ont toujours été plus ou moins traités d'hérétiques, qu'ils fussent mystiques médiévaux au sein de la chrétienté, soufis aux frontières de l'Islam ou encore cabalistes dans le judaïsme.

Aujourd'hui, les hérétiques gagnent du terrain, la doctrine perd de son autorité et le savoir remplace la croyance.

Le savoir direct

« Les états mystiques, disait William James, semblent être des états de savoir aux yeux de ceux qui en font l'expérience. Ce sont des prises de conscience dans les profondeurs de la vérité que l'intellect discursif n'a pas sondées. »

Le dictionnaire donne une première définition du mot mystique : « Communion directe avec la réalité ultime. » Il en propose une seconde : « Vague ou incompréhensible. » Voici un problème central : la communion directe avec la réalité ultime apparaît comme vague et incompréhensible à ceux qui n'en ont pas l'expérience.

Le mot *mystique* dérive du grec *mystos,* « qui garde le silence ». L'expérience mystique révèle des phénomènes qui sont habituellement inexprimables et inexplicables. Cette expansion de conscience, ce savoir en totalité, transcendent nos pouvoirs limités de description. La sensation, la perception et l'intuition semblent se fondre en quelque chose qui n'est aucune d'elles.

Herbert Koplowitz, psychologue canadien, a appelé ce savoir en totalité « pensée opérationnelle unitaire », un stade qui dépasse de deux échelons le niveau de développement cognitif le plus avancé dans la théorie de Jean Piaget. Les stades de Piaget — sensorimoteur, pensée pré-opérationnelle, pensée opérationnelle concrète et pensée opérationnelle formelle — recouvrent le spectre du développement mental de l'homme, depuis le monde diffus de l'enfant jusqu'à la pensée symbolique et abstraite d'un jeune adulte intellectuellement actif.

Au-delà de la pensée cognitive ordinaire, Koplowitz postule l'existence d'un cinquième stade, la pensée par systèmes, par laquelle l'individu comprend que souvent coexistent des causes simultanées qui ne peuvent être séparées. La science habituelle, considérant que la cause et l'effet *peuvent* être clairement separés n'atteint pas le niveau de la pensée par systèmes.

Dans le sixième stade — la pensée opérationnelle unitaire — nous découvrons notre propre conditionnement, comprenant que le mode de perception du monde externe n'est qu'une des nombreuses constructions possibles. « Les opposés, qui avaient été considérés comme séparés et distincts, sont perçus comme interdépendants. La causalité, qu'on pensait linéaire, est vue désormais comme pénétrant l'univers, reliant ensemble tous les événements. » Il n'y a pas de dualisme, pas de séparation de l'esprit et du corps, de soi et d'autrui.

Ayant atteint un stade cognitif qui permet une compréhension plus cohérente, le penseur unitaire est à un adulte opérationnel formel ce que celui-ci est à un enfant. Koplowitz ajoute : « Tout comme le mysticisme n'est pas un rejet de la science mais sa transcendance, la science n'est pas un rejet du mysticisme mais un précurseur. »

La pensée unitaire est holiste. Parce qu'elle va au-delà des plus lointains champs d'action de nos outils rationnels, elle ne peut être appréhendée qu'à travers des paradoxes, la méditation, l'*expérience*. Pour Koplowitz, « les traditions mystiques telles que le taoïsme peuvent offrir les corps de pensée opérationnelle unitaire les plus parfaitement développés ».

Pour faire l'expérience du domaine du savoir unitaire, nous devons abandonner nos anciens modes de perception limités. Comme l'a dit le psychologue Ron Browning, « pour saisir ce qui est par-delà le système, il faut transcender le système... A ce niveau, le changement touche à la nature même du changement ».

Browning suggère d'imaginer un système appelé « endormi ». Le domaine qui s'étend au-delà de ce système est appelé « éveillé ». A l'intérieur de l' « endormi » peut exister un signe représentant l' « éveillé », ou le mot éveil, ou des symboles ou des images — tout sauf le *fait* correspondant à un éveil réel. On peut rêver qu'on est éveillé, mais on ne peut pas, à l'intérieur du système, s'éveiller réellement.

Le savoir direct nous fait sortir du système. C'est l'éveil. Il révèle le contexte qui engendre notre réalité moindre. La nouvelle perspective modifie nos expériences en changeant notre vision.

Pour Jung, par exemple, la perspective transpersonnelle — ce qu'il a dénommé « la montée du niveau de conscience » — a permis à certains individus de dépasser des problèmes qui en ont détruit d'autres. « Qu'un intérêt plus élevé, plus large, monte à l'horizon de la personne concernée, et, du fait de cet élargissement de la vision, le problème insoluble a perdu de sa virulence. Il n'a pas été résolu logiquement, dans ses propres termes, mais s'est effacé sur le fond d'une nouvelle tendance vitale, plus forte. Il n'a pas été réprimé et rendu inconscient, il est apparu simplement sous une lumière différente. »

La psychologie transpersonnelle, qui s'inspire des disciplines spirituelles du monde entier, n'a pas pour but de réduire la souffrance à des dimensions « normales », mais de transcender la souffrance. « Se mettre en rapport avec ses sentiments » est de peu de valeur si ces sombres sentiments ne sont pas transformés. La colère, la peur, le désespoir, le ressentiment, la jalousie, l'avidité — tous peuvent être changés, et non simplement identifiés, par les psychologies du savoir direct.

Le neurochirurgien Karl Pribram a essayé de décrire le changement perceptuel qu'amène sa théorie holographique.

> Ce n'est pas que le monde des apparences soit faux ; non plus qu'il n'y ait pas d'objets externes, à un certain niveau de réalité.
>
> C'est que si l'on pénètre à travers l'univers et qu'on le considère dans le cadre d'un système holographique, on arrive à une réalité différente, capable d'expliquer des phénomènes restés jusqu'alors scientifiquement inexplicables : les phénomènes paranormaux... les synchronicités, ces coïncidences apparemment significatives d'événements.

Pribram ajoute que la théorie holographique comme mode d'étude de la conscience est plus proche de la pensée mystique et orientale que de notre perception ordinaire. « Cela va prendre du temps avant que soit acceptée l'idée qu'il existe un ordre de réalité autre que le monde des apparences. » Mais les découvertes de la science ont commencé à expliquer les expériences mystiques que des individus ont décrites depuis des millénaires. Elles suggèrent que nous pouvons percer cet ordre de réalité qui se tient *derrière* le monde des apparences. Peut-être les mystiques ont-ils trouvé un mécanisme qui leur donne accès à l'ordre replié : « J'ai la profonde intuition que l'on parvient a ces autres domaines par l'attention... que le cerveau peut, d'une certaine façon, abolir ses contraintes ordinaires et accéder à l'ordre replié. »

Selon Pribram, un tel changement pourrait se faire par l'intermédiaire d'une relation cérébrale entre le lobe frontal et la région limbique plus ancienne, par le lien entre le cortex et les structures profondes du cerveau. Cette région est un régulateur majeur de l'attention. « Peut-être pourrons-nous découvrir, finalement, les règles capables de nous brancher sur la longueur d'onde qui nous propulsera dans le domaine qui transcende l'espace et le temps. »

On sait quelle importance Simone Weil attachait à l'attention, faisant de « la formation de la faculté d'attention le but véritable et presque l'unique intérêt des études ». En tant que philosophe, elle écrivait : « l'attention extrême est ce qui constitue dans l'homme la faculté créatrice » parce qu'elle est « activité passive », « unité surnaturelle des contraires », « facilité plus difficile pour nous que tous les efforts ». Cependant, en tant que mystique, elle ne pouvait concevoir l'attention extrême autrement que religieuse, l'attention étant « la substance de la prière ». Elle en déduisait que « la quantité de génie créateur, à une époque, est rigoureusement proportionnelle à la quantité d'attention extrême, donc de religion authentique, à cette époque ».

Et le philosophe André-A. Devaux rappelle que « toute la doctrine weilienne de l'attention s'enracine dans une expérience qui fut absolument décisive. C'est, en effet, alors qu'elle s'appliquait à réciter le *Pater* « en portant à chaque mot la plénitude de l'attention » qu'elle a connu cette ouverture de l'espace, d'invasion du silence qui coïncidaient avec la présence même du Christ en elle ».

Le physicien Fritjof Capra évoque sa propre expérience. Il vint un moment où il ne fut plus seulement porté à croire en un univers dynamique, fondé sur sa compréhension intellectuelle, mais où il *sut* qu'il en était ainsi. C'était un soir d'été. Il était assis au bord de l'océan, regardant les vagues déferler, sentant le rythme de sa respiration, lorsqu'il prit soudain conscience que tout son environnement était engagé dans une gigantesque danse cosmique — non seulement comme un concept de physique, mais comme une expérience vivante et immédiate :

> Je « vis » des cascades d'énergie descendre de l'espace au sein desquelles les particules étaient créées et détruites selon des pulsations rythmiques ; je « vis » les atomes des éléments et ceux de mon corps participant à cette danse cosmique de l'énergie ; j'en sentais les rythmes et j'en entendais les sons, et à ce moment précis je *sus* que c'était la Danse de Shiva...

Les disciplines spirituelles sont conçues pour « brancher » le cerveau sur ce domaine plus étendu. Ordinairement, le cerveau est déconcentré et désynchronisé Il est aussi occupé à filtrer une énorme quantité d'informations qui ne sont pas indispensables à la survie ; sinon, nous serions bombardés par la conscience de champs électriques, de légers changements de température, de radiations cosmiques et de processus physiologiques internes. Pourtant, nous pouvons avoir accès à un domaine sensoriel plus étendu, ainsi qu'à la dimension mystique, en modifiant la biochimie du cerveau. La méditation, les exercices de respiration et le jeûne sont des techniques classiques pour changer les fonctions du cerveau. Les questionnaires sur la Conspiration du Verseau mentionnaient des expériences intérieures obtenues grâce à une variété de disciplines méditatives et spirituelles telles que le bouddhisme zen, le yoga, le mysticisme chrétien, la méditation transcendantale, le soufisme et la cabale enlever, parmi des dizaines d'autres systèmes.

Pour de nombreuses personnes, dans maintes cultures, les drogues psychédéliques ont été une piste vers la transformation, sinon la voie elle-même. Aldous Huxley, qui ne voyait pas dans les drogues des voies permanentes d'illumination, remarquait que même une autotranscendance *temporaire* ébranlerait les fondements rationnels de la société tout entière. « Bien que ces changeurs d'esprit puissent au départ être l'occasion de quelque embarras, ils tendront à la longue à approfondir la vie spirituelle des communautés... »

Huxley pensait que le renouveau religieux prévu depuis longtemps aux Etats-Unis débuterait avec les drogues et non pas les évangélistes. « Activité principalement soucieuse de symboles, la religion sera transformée en une activité principalement soucieuse d'expérience et d'intuition — un mysticisme quotidien. »

Il disait avoir été lui-même, sous l'influence de la mescaline, électrisé par la pleine compréhension de la phrase *Dieu est amour.* L'un des Conspirateurs du Verseau affirme : « Après des années de poursuite intellectuelle de la réalité par le cerveau gauche, le L.S.D. m'a appris l'existence de réalités alternatives — soudain, toutes les bibles avaient un sens. » D'autres ont écrit qu'il leur semblait faire l'expérience de la nature de la matière, de l'unité de toutes choses, de la vie comme un jeu splendide que nous jouons, d'une histoire que nous racontons. L'un d'eux a rapporté cette expérience d'un « temps présent dynamique — le monde est flux et incertitude, et non pas statique comme le conçoit notre culture ».

Le psychiatre Stanislav Grof, qui a dirigé plus de trois mille séances de L.S.D. et a eu accès à mille huit cents rapports de séances conduites par ses collègues, conçoit les substances psychédéliques comme des catalyseurs ou des *amplificateurs* des processus mentaux. Il n'existe pas d'élément de l'expérience du L.S.D. qui ne se retrouve hors de la drogue. Selon Grof, les psychédéliques semblent faciliter l'accès au domaine holographique décrit par Pribram et Bohm. L'individu peut faire l'expérience de lui-même comme un champ de conscience plutôt qu'une entité isolée. Le passé, le présent et l'avenir sont juxtaposés. L'espace lui-même semble multidimensionnel, sans limites. La matière n'est plus perçue comme tangible, mais se désintègre en structures d'énergie. Les sujets rapportent une expérience directe du microcosme et du macrocosme, de molécules vibrantes, de galaxies en rotation, d'archétypes et de déités ; ils peuvent revivre des expériences précoces, même ce qui semble être leur propre naissance ou leur existence utérine. « Lors des expériences de conscience de l'Esprit universel et du Vide, les sujets sous L.S.D... découvrent que les catégories même de temps, d'espace, de matière et de lois physiques de toutes sortes sont des catégories arbitraires et finalement sans signification. » La vision du monde cartésienne et newtonnienne devient philosophiquement insoutenable. Elle semble simpliste et arbitraire, utile aux buts pratiques de la vie quotidienne, mais « inadaptée à tout usage de spéculation et de compréhension philosophiques... L'univers est vu (désormais) comme un jeu divin et un infini réseau d'aventures de la conscience ».

Les sujets en état non ordinaire de conscience ont accès à une information exacte concernant l'univers s'ils en font l'expérience comme le représente la physique quantique et relativiste. Dans ce cas, nous pourrions avoir à abandonner l'expression péjorative d' « états altérés de conscience ». Au moins, certains de ces états peuvent être considérés comme une source valide d'informations sur la nature de l'univers et la dimension de l'esprit humain.

Selon Grof, « le conflit essentiel n'est plus entre la science et le mysticisme ». Il est plutôt entre le paradigme émergent et un paradigme de « coalition » : la jonction du vieux modèle mécaniste de la science et de la conscience ordinaire ou « pédestre ». En d'autres termes, le problème n'est pas tant celui des données contradictoires que celui des états de conscience contradictoires — conflit que, pour Grof, la vision holographique peut résoudre.

La science de l'homme

Par la reconnaissance et l'étude des états non ordinaires de conscience, le nouveau paradigme scientifique conduit à une réévaluation des domaines dont la science se désintéressait jusque-là : la mystique, l'ésotérisme, la parapsychologie, et qui retrouvent un sens dans ce contexte neuf.

C'est le retour à une tradition que Gilbert Durand qualifie d' « occulte parce qu'occultée par les scolastiques officielles » depuis cette « catastrophe métaphysique », ce « contresens historique de l'Occident » qu'Henry Corbin fait remonter à la fin du XIIe siècle, et que nous avons évoqué au chapitre VI à propos du colloque de Cordoue.

Selon le philosophe Robert Amadou : « La parapsychologie, de soi ou en collaboration forcée, en conspiration avec d'autres sciences de l'homme, signale et réintroduit dans le champ de la conscience une part de l'homme, des modes de sa connaissance et de son action, un côté du réel — un être — que la science avait non seulement exclus de sa visée, mais dont elle avait encore par construction décrété l'inexistence, puisque tout phénomène devait, par définition, entrer dans son champ. »

Pour Gilbert Durand, l'unité de la *science de l'homme* se fonde d'abord sur la reconnaissance de la complexité extrême du fait humain, et ressortit à une logique de l'antagonisme (développée notamment par Stéphane Lupasco et Marc Beigbeder). Au trièdre sur lequel Michel Foucault tente d'asseoir l'anthropologie (psychologie, sociologie, linguistique), il préfère ce tétraèdre solide sur lequel Edgar Morin fait reposer la nouvelle anthropologie : Ecosystème, Culture-Société, Individuation, Espèce.

« Toute connaissance simplifiante, donc mutilée, est mutilante, écrit Edgar Morin dans *La Méthode*, et se traduit par une manipulation, répression, dévastation du réel dès qu'elle est transformée en action, et singulièrement en action politique. La pensée simplifiante est devenue la barbarie de la science. C'est la barbarie spécifique de notre civilisation... »

« Nous pouvons entrevoir qu'une science qui apporte des possibilités d'auto-connaissance, qui s'ouvre sur de la solidarité cosmique, qui ne désintègre pas le visage des êtres et des existants, qui reconnaît le mystère en toutes choses, pourrait proposer un principe d'action qui, non pas ordonne mais organise, non pas manipule mais communique, non pas dirige mais anime. »

Depuis longtemps Raymond Abellio a annoncé *La Fin de l'ésotérisme :* « En cette fin de cycle historique, nous entrons dans une période de désoccultation de la tradition cachée (dans laquelle)... l'Occident doit tenir... un rôle éminent et faire confiance à son exigence fondamentale de rationalité... La grande question de la fin du siècle (est) la réintégration de la raison séparée, la conversion des savants. Tous les problèmes scientifiques en suspens, la parapsychologie, la mécanique quantique et ses prétendus paradoxes seront résolus par la mise en action de l'interdépendance universelle. On le sent. On sait que c'est la vérité et que toute notre civilisation avait peut-être ce but-là. » Il ajoute, à propos de l' « ère dite du Verseau », qu'elle « signifiera l'avènement pour la première fois dans l'histoire d'une véritable conscience planétaire unifiante et relativement équilibrante... Au bout du tunnel, la face claire, ce sera le triomphe de la raison non séparée, ce que saint Paul appelle l'homme intérieur et maître Eckhart le château de l'âme. »

L'aventure spirituelle

Dans le récit qu'il fait d'un apprentissage soufi, Reshad Feild déclare :

> Je compris soudain combien il est nécessaire de chercher, de poser la question ; plutôt que de repousser la réponse de plus en plus loin en courant à sa poursuite, on doit interroger et écouter en même temps... A ce moment même, je sus que j'étais entendu, que je me dissolvais et devenais un aliment du grand processus de transformation qui se déroulait dans l'univers... En même temps que je mourais, j'étais mis au monde...
>
> Hamid a dit : « l'Ame est une substance cognitive ».

En Occident, on estime que les problèmes religieux peuvent être résolus par la foi, alors que dans les traditions de savoir direct le maître encourage les questions et même les doutes. Cette spiritualité demande au chercheur d'abandonner ses croyances et non pas d'y ajouter quoi que ce soit.

Toutes sortes de dangers attendent l'aventurier spirituel. Certains d'entre eux, évidents, ont été abordés dans un précédent chapitre : le comportement régressif, les expériences perturbatrices, le fanatisme, l'abandon passif à un maître indigne, le changement pendulaire.

Mais les disciplines elles-mêmes avertissent de l'existence d'autres dangers, plus subtils. « La Voie en ce monde est comme le fil d'une lame », dit un maître hassidique et, dans la Katha Upanishad, on trouve ce célèbre avertissement : « Le sentier est étroit... acéré comme le fil d'un rasoir, la progression y est des plus difficiles. »

Alors que l'observateur extérieur pourra s'alarmer s'il perçoit chez le chercheur spirituel une perte transitoire d'équilibre interne, au contraire un maître pourra la considérer comme une étape nécessaire. Le plus grand danger, dans l'esprit du maître, est que l'étudiant puisse se persuader de la certitude des réponses et s'arrête là, sans atteindre jamais la nécessaire incertitude.

Répondant au questionnaire qui leur demandait, entre autres, de préciser quelles idées ils avaient abandonnées, à la suite du processus transformatif, de nombreux Conspirateurs répondirent : « le christianisme traditionnel », « les dogmes religieux » — et un nombre sensiblement égal mentionna « l'athéisme » ou « l'agnosticisme ».

Le Centre radical de l'expérience spirituelle semble être un savoir sans doctrine.

Un chercheur spirituel contemporain décrit ainsi sa propre expérience :

> ... Chaque fois qu'on élargit (son) savoir — ou qu'on l'accroît — on voit les choses selon une autre perspective. Non qu'auparavant ce fût réellement faux, simplement tout est vu très différemment, sous un éclairage différent... C'est là l'essence de la transformation : atteindre cette partie de nous-mêmes qui sait, qui ne se sent pas menacée et ne combat pas la métamorphose...

On doit considérer comme un tout les maîtres et les techniques des disciplines spirituelles, car le maître ne communique pas un savoir mais une technique. C'est la « transmission » du savoir par l'expérience directe.

Au contraire, la doctrine est un savoir de seconde main, un danger. « Tiens-toi au-dessus, passe ton chemin et sois libre », conseille Rinzai, le même sage qui recommandait au chercheur de tuer les patriarches ou le

Bouddha s'il venait à les rencontrer. « Ne t'empêtre dans aucun enseignement. »

Un bon moyen de ne pas s'empêtrer dans une doctrine, c'est encore d'en connaître plusieurs afin de dégager l'essentiel de chacune. Même des membres de l'Eglise catholique ont choisi une telle voie, tel le père Henri Stéphane, formé par la théologie thomiste, mais aussi par les œuvres de René Guénon, Fritjof Schuon, Ananda Coomaraswamy. On peut citer aussi le père Jules Monchanin, le moine bénédictin Henri Le Saux, dont la rencontre avec Ramana Maharshi détermina sa vocation de vivre comme un sannyâsi hindou tout en demeurant fidèle au christianisme. Selon Marie-Magdeleine Davy, « ils ont été de parfaits chrétiens tout en étant ouverts à la métaphysique présentée par les Upanishads ». Elle ajoute : « Les diverses formes religieuses peuvent s'éclairer mutuellement à condition qu'on s'oriente vers un sommet. » Elle rappelle en outre que « Simone Weil a été un des premiers écrivains à signaler l'importance de la métaphysique de l'Inde envisagée dans une perspective chrétienne ».

Dans *J'ai dialogué avec des chercheurs de vérité,* Jean Biès donne un vaste aperçu des différents courants de l'actuelle « ruée vers l'âme » sous forme de dialogues avec dix « chercheurs de vérité » qui « se sont tout entiers engagés dans la voie. Les uns ont puisé dans des doctrines orientales, les autres, dans la part orientale des doctrines d'Occident. Sans doute, chacun suit-il une voie différente, en accord avec sa personnalité, sa nature, sa vocation, son rôle : non violence gandhienne (Lanza del Vasto), hindouisme traditionnel (Jean Herbert), essentialisme poétique (Pierre Oster), soufisme (Cheikh Adda Ben-Tûnis), stoïcisme (Louis Pauwels), yoga de la connaissance de soi (Arnaud Desjardins), gnose chrétienne (Emile Gillabert), bouddhisme zen (Jacques Brosse), alchimie jungienne (Etienne Perrot), supramentalisation (Satprem). Tous néanmoins savent de bonne source que les rayons de la roue convergent sur un seul et même centre préexistant, d'où tout procède... Tous sont parvenus aux mêmes conclusions : parce que le monde extérieur n'est que la projection de ce que nous sommes, on ne peut rendre ce monde meilleur qu'en s'améliorant soi-même ; la vraie révolution est d'abord intérieure, d'ordre psychique et mental. »

C'est au disciple de trouver le maître et non l'inverse. L'autorité du maître repose sur la libération personnelle. Ce ne sont pas des individus que l'on suit, mais des qualités. Comme l'ont dit Jules Monchanin et Henri Le Saux, l'important est de rencontrer « celui qui aura senti un jour le vertige de l'Absolu, de l'engouffrement au-dedans, qui de son cœur spirituel... aura plongé en son tréfonds, et là, dans l'expérience suprême et ineffable ».

Le chemin vers le savoir direct est illustré très joliment par une série de peintures chinoises du XIIe siècle : les dix tableaux de la conduite du bœuf. Le bœuf représente la « nature ultime ». Au début (recherche du bœuf), l'individu entreprend la quête de quelque chose qu'il n'appréhende que vaguement. Puis (Découverte des traces), il voit dans les traces de sa propre conscience la première preuve qu'il existe réellement un bœuf. Quelque temps après (Premier aperçu), il vit sa première expérience directe et sait maintenant que le bœuf est omniprésent. Ensuite (Capture du bœuf), il entreprend des pratiques spirituelles avancées pour l'aider à venir à bout de la force sauvage du bœuf. Peu à peu (Apprivoisement du bœuf), il parvient à une relation plus subtile, intime avec la nature ultime. Lors de cette phase, le chercheur désapprend nombre des distinctions qui étaient utiles dans les premiers stades.

A l'étape de l'illumination (Monter le bœuf et le conduire chez soi), l'ancien disciple, devenu un sage, réalise que les disciplines n'étaient pas nécessaires ; l'illumination était toujours à portée de la main. Ensuite (Oubli du bœuf, Solitude du Soi et Oubli du bœuf et du Soi) il parvient encore plus près de la pure conscience et découvre qu'il n'existe pas de sage illuminé. Il n'y a pas d'illumination. Il n'y a pas de sainteté, parce que tout est saint. Le profane est sacré. Chacun est un sage en puissance.

Lors de la phase pénultième (Retour à la source), le chercheur sage se fond dans le domaine qui engendre le monde phénoménal. Un décor de montagnes, de pins, de nuages et de vagues émerge. « Cet aspect lustré, blafard de la vie n'est pas un fantôme mais une manifestation de la source », peut-on lire en légende. Mais il existe un stade au-delà de cette idylle.

Le dernier tableau (Arrivée sur la place du marché pour offrir son aide) évoque la compassion et l'action de l'homme. Le chercheur y est maintenant dépeint comme un paysan joyeux allant de village en village. « La porte de sa chaumière est fermée et même le plus averti ne peut le trouver. » Il est allé si profondément dans l'expérience humaine qu'on ne peut le dépister. Sachant désormais que tous les sages sont un, il ne suit pas les grands maîtres. Et voyant la nature intrinsèque du Bouddha en tous les êtres humains, même les aubergistes et les poissonniers, il les mène à l'épanouissement.

Ces idées se retrouvent en partie dans toutes les traditions de savoir direct : l'aperçu de la vraie nature de la réalité, les dangers des expériences précoces, le besoin d'entraîner l'attention, la dissociation éventuelle hors de l'ego ou du soi individuel, l'illumination, la découverte que la lumière avait toujours été présente, le lien avec la source qui engendre le monde des apparences, l'unité avec tous les êtres vivants.

Le Bouddha comparait les méthodes pour atteindre la libération à un radeau qui mène au rivage lointain. Une fois sur l'autre rive, on n'a plus besoin de méthode. De même, on compare le maître à un doigt qui montre la lune. Une fois qu'on voit la lune — une fois qu'on saisit le *processus* — il ne sert à rien de regarder le doigt. Tout comme il nous faut devenir riches avant de découvrir que nous n'avions pas besoin d'être riches, nous acquérons des techniques qui nous enseignent que nous n'avions pas besoin de techniques. Le sacré nous ramène au profane, mais nous ne le considérerons plus jamais comme profane.

Blake disait que nous n'avons pas besoin de faire taire nos passions, mais seulement de « cultiver notre entendement... Tout ce qui vit est saint ».

Flux et totalité

Deux principes clefs semblent émerger de toute expérience mystique. On peut les appeler « flux » et « totalité ». L'ancien maître tibétain Tilopa les appelait « principe de non-fixité » et « principe de non-distinction », et il recommandait de ne pas leur nuire. Il est sûr que notre culture a nui à ces principes. Nous essayons de geler la non-fixité, nous tentons d'emprisonner ce qui n'existe qu'en mouvement, en liberté, en relation. Nous trahissons aussi la totalité, la non-distinction en morcelant tout ce qui tombe sous notre regard, ce qui fait que nous manquons de saisir la connexion sous-jacente de toutes choses dans l'univers.

L'expérience mystique se caractérise par le sentiment que « c'est comme ça que sont les choses ». Non pas comment nous voulons qu'elles soient, non pas comment elles nous apparaissent par l'analyse, non plus comme on nous l'a appris, mais la *nature* des choses — la Voie.

Le flux et la totalité sont vus comme de vrais principes, non pas simplement en relation avec le travail, la santé, ou la croissance psychologique, mais partout où s'élabore le tissu de la vie. Ces expériences mystiques reflètent, plus que la simple totalité en flux inhérente aux systèmes vivants (comme dans la théorie des structures dissipatives), le flux de notre monde émanant d'une autre dimension et la tendance de l'univers à créer toujours plus de « tous » complexes. Au niveau quotidien, ce savoir change notre cadre du temps, il passe du temporel à l'éternel ; nous acceptons l'impermanence et cessons de lutter pour maintenir tel quel ce qui doit changer. Nous accueillons avec une plus grande équanimité les bourrasques et les bienfaits de la vie.

« Le monde est un dé en rotation », prétend un vieux texte hassidique, « ... et toutes choses tournent, changent et évoluent, car à la racine tout est un et le salut réside dans le changement et le retour des choses ».

De même que nous devons nous confronter au fait que l'eau nous porte si nous voulons nager, de même nous pouvons nous relaxer dans ce flux, tourner avec le dé. Les novices des monastères zen sont appelés *unsui*, nuage-eau. On leur demande d'évoluer librement, d'effectuer spontanément des changements, de se frayer un chemin en contournant des obstacles. Des traditions anciennes ont dépeint la conscience elle-même comme une vague émergeant de la source, très voisine des structures d'interférence postulées dans la théorie holographique.

Le second principe, la *totalité,* la non-distinction, représente le lien entre toutes choses, le contexte. Tout comme la science démontre l'existence d'un tissu de relations sous-jacent à toutes choses dans l'univers, un réseau brillant d'événements, de même l'expérience mystique de la totalité englobe toute séparation. « Dans l'espace libre, n'existent ni droite ni gauche », dit un maître hassidique. « Toutes les âmes sont une. Chacune est une étincelle de l'âme originelle et cette âme est inhérente à toutes les âmes. » D'après le bouddhisme, chaque être humain est un Bouddha, mais tous ne sont pas éveillés à leur vraie nature. Yoga signifie littéralement « union ». La pleine illumination est un vœu pour sauver « tous les êtres doués de sensation ».

Cette totalité englobe les idées, soi, autrui.

L'amour est perçu comme un état de conscience dynamique plutôt que comme une émotion. Alors que la peur est contraction et chaos, l'amour est élargissement et cohérence — une harmonie et un flux créatifs, l'acceptation de la fragilité humaine enracinée dans une connaissance de soi profonde. C'est un pouvoir sans défense, une communication, l'effacement de la fermeture et des limites.

Nous sommes joints à un grand Soi : *Tat tvam asi,* « Tu es Cela ». Et comme ce Soi est globalité, nous sommes joints à tous les autres, comme le célèbre cette vision mystique de William Blake :

Eveille-toi ! Eveille-toi, ô dormeur du pays des ombres, debout !
Fais de toi un champ sans limite !
Je suis en toi, tu es en moi, en mutuel amour...
De l'amour les fibres lient chaque homme à l'autre...
Regarde ! Nous sommes Un.

Cette totalité unit les opposés. Le Centre radical, lieu où se cicatrisent la séparation des êtres humains et leur rupture d'avec la nature est évoquée dans toutes les traditions mystiques. Nicolas de Cuse l'a nommée *coincidentia oppositorum,* l'union des contraires. Dans les écrits hassidiques, c'est « l'union des qualités, des couples qui s'opposent comme deux couleurs... mais qui, vus par le regard intérieur, authentique, forment une simple unité ». Dans le bouddhisme, c'est *madhya,* la voie transcendante du milieu. Les indiens Kogi de Colombie parlent de la Voie des Ames, qui conduit à la fois en haut et en bas, à la jonction des polarités, au soleil noir.

Le secret avoué des disciplines spirituelles est d'atteindre la totalité, de devenir soi-même, de s'en retourner chez soi. « Le chemin du retour », a dit Colin Wilson dans son étude des mystiques et des artistes, « est la marche en avant qui s'enfonce plus profondément dans la vie ». Par définition, la Conspiration du Verseau est, de part le monde, l'analogue des yogis cachés dont a parlé Sri Ramakrishna.

De façon inattendue, c'est dans cette totalité que les vertus, qu'on a pu chercher en vain au moyen de concepts moraux, viennent spontanément. Il devient plus facile de donner, d'exprimer de la compassion.

Dieu en soi : la plus vieille hérésie

L'expérience de Dieu est un flux, une totalité, le kaléidoscope infini de la vie et de la mort, la cause ultime, le fond des êtres, ce que Alan Watts a appelé « le silence duquel proviennent tous les sons ». Dieu est la conscience qui se manifeste sous forme de *lila,* le jeu de l'univers. Dieu est la matrice organisationnelle indicible, mais qu'on peut connaître par expérience, et qui anime la matière.

Dans la nouvelle de J. D. Salinger, « Teddy », un enfant spirituellement précoce se rappelle qu'il fit l'expérience de l'immanence de Dieu un jour qu'il observait sa petite sœur en train de boire son lait. « ... Soudain, je vis qu'elle était Dieu et que le *lait* était Dieu. C'est-à-dire qu'elle ne faisait que verser Dieu en Dieu. »

Une fois qu'on a atteint l'essence de l'expérience religieuse, interrogeait Me Eckhart, qu'a-t-on besoin de la forme ? « Personne ne peut connaître Dieu qui ne se connaît d'abord. Entrez dans les profondeurs de l'âme, en ce lieu secret... les racines, les cimes ! car tout ce que Dieu peut faire y est concentré. »

Nous n'avons pas besoin de postuler une intention à cette Cause ultime ni de nous demander qui, ou ce qui a pu causer le Big Bang, ou autre, qui est à l'origine de l'univers visible. Il n'y a que l'expérience. Pour Kazantzaki, Dieu était la somme de la conscience existant dans l'univers et qui s'étendait par le canal de l'évolution humaine. Un des aspects de l'expérience mystique est le sentiment de la présence d'un pouvoir, d'une compassion, d'un amour qui embrasse tout. Des hommes qui ont été ranimés après une mort clinique disent parfois être passés par un tunnel sombre, puis avoir rencontré une lumière surnaturelle d'où semblait émaner amour et compréhension. C'est comme si la lumière elle-même était une manifestation de l'esprit universel.

Après avoir vécu une expérience mystique, on est presque toujours conduit à penser qu'un certain aspect de la conscience est impérissable. Une métaphore bouddhiste compare la conscience individuelle à une flamme qui brûle dans la nuit. Ce n'est pas la même flamme dans le temps, mais ce n'est pas pour autant une autre flamme.

Parmi ceux qui ont rempli le questionnaire sur la Conspiration du Verseau, beaucoup racontent que leurs expériences les ont contraints d'abandonner la conception selon laquelle la mort corporelle signe la fin de la conscience. Malgré leur indépendance vis-à-vis de la religion traditionnelle, 53 pour cent ont exprimé une forte croyance en la survie et 23 pour cent affirmèrent en être « modérément sûrs ». Les plus assurés rapportaient également des expériences *péri mortem.* Leur croyance elle-même est fortement corrélée avec l'incidence d'expériences paroxystiques et l'implication dans des disciplines spirituelles. Une célèbre actrice fit remonter l'intérêt qu'elle a porté, sa vie durant, à la spiritualité, à l'âge de trois ans, quand elle fut près de se noyer : « L'euphorie, la musique et les couleurs surpassaient tout ce que j'avais connu dans le monde habituel. »

Bien qu'il n'ait pas mentionné l'incident dans son rapport sur son célèbre vol de 1927, Charles Lindbergh décrit, dans *The Spirit of Saint Louis* (1953) une expérience de décorporation, de transcendance de l'espace et du temps, de perte de la peur de la mort, d'un sentiment d'omniscience, d'un souvenir d'autres vies, conduisant à un changement durable dans ses valeurs.

Vers la dix-huitième heure de son voyage, il se sentit comme « une conscience s'étendant à travers l'espace, au-dessus de la terre et dans les cieux, dégagée du temps et de la substance... » Et il ajouta : « La mort ne m'apparaissait plus comme l'ultime fin, telle qu'on a l'habitude de la concevoir, mais plutôt comme l'entrée dans une existence neuve et libre. »

La vision : la lumière et la venue de la lumière

Les expériences mystiques contemporaines vécues par de nombreux individus en maints endroits du monde convergent ces dernières années, en une vision collective, qui va s'intensifiant, c'est le sentiment d'une transition imminente de l'histoire humaine : une évolution de conscience aussi significative que chacune des étapes de la longue chaîne de notre évolution biologique. Cette vision commune, par-delà les variations, conçoit cette transformation de la conscience comme la période que mentionnent les plus anciennes prophéties dans toutes les traditions du savoir direct — la mort d'un monde et la naissance d'un nouveau, une apocalypse, la période de la fin des jours de la cabale, la prise de conscience par un nombre croissant d'êtres humains de leur potentiel divin. « La graine de Dieu est en nous, disait Me Eckhart, les graines de poire deviennent des poiriers, les graines de noix des noyers et la graine de Dieu devient Dieu Lui-même. »

Cette vision est toujours une évolution vers la lumière. La lumière est la métamorphose la plus ancienne et la plus répandue de l'expérience spirituelle. Témoins ces expressions : l'illumination, la cité de la lumière, la lumière du monde, les enfants de la lumière, l '« expérience de la blanche lumière ».

« Laisse la lumière pénétrer dans l'obscurité jusqu'à ce que l'obscurité resplendisse et qu'il n'y ait plus de division entre les deux », dit un texte hassidique. Avant que l'âme n'entre dans le monde, elle est conduite à travers tous les mondes et la première lumière lui est montrée de façon qu'elle aspire à jamais à l'atteindre. Le *sadik* de la tradition hassidique, de même que le Bodhisattva du bouddhisme, a permis à la lumière de le pénétrer et de resplendir de nouveau dans le monde. Le chamane doit atteindre un état d'équilibre parfait pour qu'il puisse voir une lumière aveuglante.

Ce rêve de la lumière et de la libération est exprimé poétiquement dans l'*Evangile de Jésus-Christ pour l'Ere du Verseau,* texte apocryphe et contemporain. Selon lui, nos temples sont plongés dans l'obscurité depuis trop longtemps. Nous avons été incapables de voir les structures. « Dans la lumière n'existent pas de choses secrètes... Il n'y a pas de pèlerin solitaire sur le chemin de la lumière. On ne peut gagner les cimes qu'en aidant autrui à gagner les cimes... »

CHAPITRE XII

LES RELATIONS ENTRE LES ÊTRES CHANGENT

Toute vie réelle est une rencontre.

Martin BUBER

Chacun de nous est responsable de toute chose devant tout autre que lui.

Fiodor DOSTOÏEVSKY

LE changement de paradigme personnel ressemble à une traversée de l'Océan pour atteindre le Nouveau Monde. Quoi qu'il fasse, l'immigrant ne peut persuader tous ceux qui lui sont chers d'entreprendre ce voyage. Ceux qui restent ne peuvent comprendre pourquoi son univers familier n'a pas retenu l'immigrant. Pourquoi a-t-il abandonné son pays d'origine auquel il était accoutumé ? Et, plus triste encore, comment leur affection pour lui n'a-t-elle pu le retenir ?

Quant à l'immigrant, il apprend qu'il ne peut pas vraiment reconstruire l'Ancien Monde sur le nouveau continent. La Nouvelle-Angleterre n'est pas l'Angleterre, la Nouvelle-Ecosse n'est pas l'Ecosse. La distance relativise l'ancienne réalité, les communications deviennent difficiles et poignantes. Les lettres envoyées au Vieux Monde ne peuvent rendre compte de tous les canyons, de tous les pics qui ont inexorablement incité l'immigrant à s'avancer dans l'inconnu.

Quiconque entreprend une transformation personnelle quitte le Vieux Monde — parfois d'un seul coup, plus souvent sur des années. Comme nous l'avons vu dans un chapitre précédent, les individus sont amenés à changer d'emploi et même de vocation sous l'effet de l'éveil à une perspective nouvelle. Si l'un des deux partenaires d'un couple ne partage pas ce profond intérêt pour le processus transformatif et la recherche de sens, il est probable que ce couple ait à en souffrir. Avec le temps, les différences pourront s'approfondir et d'anciennes blessures se rouvrir. Nombre d'amitiés et de connaissances se rompent, remplacées par de nouvelles, et même par tout un nouveau réseau de soutien. Ces relations neuves, fondées sur de communes valeurs et perspectives ont des chances d'être plus intenses.

Il est compréhensible que la famille, les collègues, les amis et les partenaires conjugaux se sentent menacés par ces changements. Il leur arrive souvent d'exercer une pression sur l'individu pour qu'il abandonne les pratiques ou les amitiés impliquées dans ce changement. Mais ces pressions ne font qu'élargir le fossé. On ne peut arrêter un émigrant en tentant de ranimer son espoir envers le Vieux Monde.

Ce chapitre traite du changement des relations personnelles et des effets du processus transformatif sur les transitions ou les « passages » de la vie.

Les relations sont l'épreuve du processus transformatif. Elles sont tenues de se modifier en fonction de l'intensité de la volonté propre à l'individu de prendre des risques, d'avoir confiance en son intuition, d'entretenir une relation plus élargie avec autrui et de reconnaître le conditionnement culturel.

Nous découvrons l'influence subtile que la *coutume* exerce sur notre vie. Les normes et les mœurs culturelles représentent le réservoir de conceptions toutes faites qui mènent notre existence. Nous nous *accoutumons* aux rôles ; ils deviennent une seconde nature que l'on ne songe pas à mettre en question. La coutume est comme une accumulation de brouillard et de fumée. On ne la remarque que lorsqu'elle a été dissipée un jour que l'atmosphère est claire et nette. Les grandes lignes d'un nouveau développement culturel peuvent passer inaperçues jusqu'à ce que ses effets deviennent sensibles.

Ces structures bien implantées que sont le mariage, la famille, les mœurs sexuelles et les institutions sociales sont ébranlées par des structures radicalement nouvelles ou bien radicalement anciennes. Comme il n'existe pas de formule toute faite, on peut rencontrer de nombreux échecs ; pourtant, un nombre croissant d'individus essayent d'y voir plus clair, d'aimer plus honnêtement et d'être moins amenés à nuire. Vu l'absence de réponses toutes faites, la clef réside dans l'attitude qu'ils adoptent.

Les chapitres antérieurs ont décrit les modes par lesquels un nouveau consensus émerge dans des institutions collectives, telles que le gouvernement, la médecine, l'éducation et les affaires. Mais « la famille », « le mariage » et les relations sociales en général ne peuvent pas être repensés par un comité ou réformés par un programme. Ce ne sont pas vraiment des institutions, mais des millions et des millions de relations — de connexions — qui ne peuvent être comprises qu'au niveau de l'individu, et seulement comme un processus dynamique. La coutume sociale est peut-être la plus profonde des transes culturelles.

Transcender les rôles culturels

Lorsqu'on commence le processus de transformation, la mort et la naissance sont imminentes : la mort de la coutume comme autorité, la naissance du soi.

Dans un sens, notre effort simultané vers l'autonomie et la relation, même s'il peut sembler contradictoire, est une tentative pour être réel. Nous nous dépouillons des fioritures et des contraintes de notre culture : la fausse masculinité, les faux cils, les barrières, les limites.

Plusieurs hommes ayant rempli le questionnaire sur la Conspiration du Verseau remarquaient que le mouvement féministe était important pour leur propre changement — non seulement parce qu'il montre les potentialités réprimées de la moitié de l'espèce humaine, mais aussi parce qu'il met en question la suprématie de ces caractéristiques masculines valorisées par la société, telles la compétition, la manipulation, l'agression et l'objectivité. L'un d'eux a écrit : « Une bonne part de ma transformation a été catalysée par les relations. D'avoir aimé des femmes m'a aidé à laisser tomber les attitudes sexistes et a contribué grandement au développement de la nature « yin » que j'ai reconnue en moi-même et qui m'a permis d'unifier ma vie et mon travail. »

Tandis que les femmes en cours de transformation découvrent le sentiment du soi et de la vocation, les hommes viennent à découvrir les satisfactions des relations sensibles. Pendant ces changements d'égalisation, la base de l'interaction homme-femme subit une redéfinition. Les hommes deviennent plus sensibles, plus intuitifs, les femmes plus autonomes, plus résolues.

D'après la plus ancienne sagesse, la découverte de soi implique inévitablement l'éveil de traits de caractère habituellement associés au sexe opposé. Tous les dons de l'esprit humain sont accessibles au soi conscient : l'instinct de protection comme l'esprit d'indépendance, la sensibilité comme la force. Si nous réalisons une telle palette de qualités en nous-mêmes, nous dépendons moins des autres, qui nous les offraient en quelque sorte par intérim. Une bonne part de ce qu'on place sous le vocable amour dans notre culture, correspond à un engouement pour notre moitié intérieure manquante et au besoin que l'on a d'elle.

Le soi transformé échappe aux compartimentations structurées par les attributions de rôle culturel, non seulement en prêtant attention aux aspects longtemps réprimés, mais aussi en reconnaissant combien les traits de caractère attribués à tel ou tel sexe peuvent être formés. La force peut se changer en une forme de caricature comme le machisme, l'agression, la taciturnité, et l'instinct de protection dégénérer en étouffement. Que les courts-circuits de notre spontanéité soient dus au refus ou à l'exagération, ils contribuent à l'inconscience et à l'irréalité.

Les rôles joués dans nos relations habituelles, tels que mari, femme, père, fils, fille, sœur, gendre, amant, ami de la famille, ne nous identifient pas comme des personnes et risquent de masquer notre soi authentique si nous continuons à essayer d'adapter notre comportement et nos sentiments à cette « description d'emploi ».

La menace des anciennes relations

La transformation personnelle a un plus grand effet sur les relations que sur tout autre domaine de la vie. On peut même affirmer que le *premier* effet porte sur les relations ; celles-ci s'améliorent ou se détériorent, mais restent rarement inchangées.

Il existe d'innombrables modes de changements : les façons dont nous utilisons le pouvoir, notre ouverture à l'expérimentation, la capacité d'intimité, les nouvelles valeurs, la réduction de la compétition, une autonomie accrue face aux pressions sociales. Une personne au départ autoritaire peut ne plus éprouver de satisfaction à exercer son pouvoir sur les autres, et une personne passive peut s'affirmer.

Dans certains cas, ces changements sont bien accueillis. Plus fréquemment, ils menacent. Le jeu de rôles qui sous-tend la plupart des relations se voit compromis par le départ d'un des joueurs. Si la transe culturelle en général est secouée par une transformation, il en est de même de la transe de cette miniculture qu'est la relation. Nous pouvons découvrir que ses habitudes et ses barrières nous ont empêchés de mener une vie plus riche et plus créative, d'être nous-mêmes. Si l'un des partenaires vient à ressentir que la vocation et la vie au jour le jour sont plus urgentes que des buts à long terme, l'autre partenaire qui soutient toujours l'ancien programme peut éprouver du ressentiment et se sentir abandonné.

« Gus est parti et il ne revient pas », a dit une femme évoquant le nouveau monde de son mari. Leur incapacité à vivre en commun le voyage transformatif a créé un fossé de plus en plus large et elle sentait qu'elle n'était pas capable de le franchir.

L'aspect le plus significatif des changements dans les relations, c'est la transformation de la peur. En dessous de la surface, la plupart des relations intimes ont la peur pour pivot : peur de l'inconnu, peur du rejet, peur de perdre. Nombre d'individus ne cherchent pas seulement dans leurs liens les plus intimes un sanctuaire, mais une forteresse. Si par un moyen quelconque — la méditation, un mouvement social, un entraînement à l'affirmation, une réflexion tranquille, un stage e.s.t. —

un partenaire se libère de la peur et du conditionnement, sa relation avec l'autre devient un territoire étranger.

Le réconfort est de peu d'utilité. Le partenaire menacé peut montrer ouvertement son désaccord par la colère, la moquerie ou l'argumentation. Si les gens veulent que nous changions, c'est pour rencontrer leurs besoins et non les nôtres. Le partenaire qui se sent menacé ne peut pas comprendre pourquoi l'autre ne redevient pas comme avant (« Si tu m'aimais... ») — ou bien il espère que c'est une passade, comme la rébellion de l'adolescence ou la crise de la quarantaine.

Mais on ne peut pas abandonner toute une conception de la réalité comme on peut quitter un emploi, un parti politique ou une Eglise. Cette nouvelle perspective nous bouleverse, tout à la fois amorçant des peurs, électrisant la conscience, nous reliant à la société humaine et égayant nos jours.

Si le partenaire apeuré ne peut pas s'adapter ou nous rejoindre, il se produira finalement une séparation, soit psychologique, soit réelle. On ressent une profonde tristesse, non seulement pour la perte de ce qui a pu être un voyage en commun mais surtout pour ce que le compagnon semble vouloir rejeter : la liberté, la plénitude, l'espoir. Pourtant, tenter de pousser quelqu'un à effectuer un changement de paradigme par des arguments, lui demandant de dépasser le vieux cynisme ou les croyances qui limitent, est aussi vain que de dire à quelqu'un aveuglé par la cataracte d'ouvrir plus grands ses yeux. Nos pleurs, nos besoins et nos motivations nous sont propres. Nous parvenons à comprendre en notre temps et par nos propres moyens. Nous-mêmes nous souvenons avoir initialement rejeté des idées qui plus tard sont devenues centrales dans notre vie, une fois que nous avons fait l'*expérience* de leur véracité.

Quel qu'en soit le coût sur le plan des relations personnelles, nous découvrons que notre responsabilité la plus haute est finalement, inévitablement, la gestion de nos potentialités — devenir tout ce que nous pouvons être. Sinon, nous trahissons cette confiance en nous au péril de notre santé physique et mentale. Au fond, comme l'a observé Theodore Roszak, la plupart d'entre nous sommes « malades de culpabilité d'avoir vécu en dessous de notre niveau authentique ».

Selon le psychologue Dennis Jaffe, deux individus peuvent être une source de croissance, de santé et de soutien mutuels, ou bien ils peuvent devenir ce qu'il nomme des « dyades léthales ».

Les relations transformatives

Une relation transformative est un tout dont la valeur depasse la somme de ses parties. Elle est synergétique, holiste. Comme une structure dissipative, elle est ouverte au monde ; c'est une célébration et une exploration, et non un lieu pour s'y dissimuler.

A mesure que nous devenons plus soucieux de l'essence de la relation, et moins de sa forme, la qualité de l'interaction humaine évolue. Les expériences d'unité, de plénitude, de sentiment d'éveil, d'empathie, d'acceptation, de flux — tous ces aspects nous ouvrent à des possibilités accrues de modes relationnels.

Cette dimension, le Tu-Je, est une conspiration de deux êtres, un circuit de conscience momentanément polarisé, une liaison électrisée de deux esprits. Elle n'est ni question ni réponse, ne faisant que relier. Comme l'a dit Buber, ce peut n'être qu'un regard échangé dans le métro, et, dans son aspect le plus complexe, le plus dynamique, c'est le cerveau de la planète, le mouvement de conscience et de fraternité toujours plus grand qu'ont aussi prévu Teilhard de Chardin, Abraham Maslow et d'autres penseurs.

Elle est étrangement impartiale, changeant les grenouilles en princes, les bêtes en belles. A mesure que plus d'individus s'ouvrent à autrui, se témoignant chaleur et encouragements, l'amour devient une source d'approbation et d'énergie plus disponible. Cela peut être un phénomène déroutant s'il est vu dans l'optique de l'ancien paradigme.

Celui qui croit en nous, qui encourage notre transformation, dont la croissance interagit avec la nôtre et la renforce, celui-ci, Milton Mayerhoff l'a appelé « l'autre opportun ». Ces relations attentives nous aident à nous mettre « en place ». Teilhard disait que nous ne pouvons trouver seuls la substance de notre croissance. Lui-même avait noué d'intenses amitiés, dont beaucoup avec des femmes, bien que l'Eglise soit hostile à un rapprochement, même platonique, entre les prêtres et l'autre sexe. « Une impasse à éviter : l'isolement... Rien sur la planète ne peut croître si ce n'est pas convergence. »

Un grand nombre de réponses au questionnaire affirmaient l'importance d'amitiés puissantes qui les guide à travers le nouveau territoire. Une femme, thérapeute elle-même, notait l'importance qu'avait eue dans sa vie le fait de rencontrer une personne forte et essentielle lorsqu'elle en avait besoin. « Chacune me mène jusqu'à un certain point, puis se produit une période d'intégration ; alors la suivante apparaît. Ces rencontres sont toujours accompagnées d'un profond sentiment de reconnaissance et d'intense implication de l' “ âme ”. »

La relation amoureuse et transformative est une boussole qui nous oriente vers nos potentialités ; elle est libération, plénitude, éveil, et renforcement. On n'a pas besoin d'y « travailler ». Avec son curieux mélange d'intensité, d'aise et de lien spirituel, la relation transformative contraste avec les relations moins profondes de notre vie et devient aussi vitale que l'oxygène. Chacune de ces relations est également une boussole qui pointe vers une autre forme de société, un modèle d'enrichissement mutuel qui peut être étendu à l'ensemble du tissu de notre vie. Cependant, elle requiert d'abord de redéfinir nos concepts.

« Quand on demande ce qu'est l'amour, a dit Krishnamurti, on peut être trop effrayé pour saisir la réponse... Elle pourrait vous amener à détruire la maison que vous avez construite et à ne plus jamais retourner au temple. » D'après lui, l'amour n'est pas la peur. Il n'est pas la dépendance, la jalousie, la possessivité, la domination, la responsabilité, le devoir, l'apitoiement sur soi-même, ou tout autre aspect qui passe habituellement pour de l'amour. « Si l'on peut les éliminer, non pas en les forçant, mais en les faisant s'écouler, comme la pluie fait s'écouler la poussière déposée sur une feuille depuis de nombreux jours, alors peut-être pourra-t-on surprendre cette fleur étrange que l'homme s'efforce de trouver. »

Il est plus aisé de décrire la relation transformative en énumérant ce qu'elle n'est pas. Notre conception culturelle des possibilités de l'amour a été à ce point réduite que nous ne disposons pas du vocabulaire adéquat pour décrire une expérience holiste d'amour, englobant sentiment, savoir et sensation.

Pour vivre une relation transformative, il faut être ouvert et vulnérable. Comme l'a dit le maître indien Rajneesh, la plupart des gens ne se rencontrent qu'à leur périphérie. « Rencontrer une personne en son centre nécessite de passer par une révolution de soi-même. Si nous désirons rencontrer quelqu'un en son centre, on doit alors lui permettre d'atteindre notre centre. »

Les relations transformatives sont caractérisées par la confiance. Les partenaires sont sans défense, sachant que ni l'un ni l'autre n'en profitera ou ne fera inutilement souffrir son compagnon. Chacun peut risquer, explorer, trébucher. Ces relations sont dépourvues d'affectation et de façade. Tous les aspects de chaque partenaire sont accueillis par l'autre, et non pas seulement les comportements de convention. « L'amour est plus important que l'idylle, précise un éditeur de magazine, l'acceptation est plus importante que l'approbation. »

Le vieux conditionnement de la compétition étant aboli, les partenaires coopèrent ; ils sont plus de deux individus. Ils osent et se défient mutuellement. Ils prennent plaisir à découvrir leur capacité mutuelle de se surprendre.

La relation transformative est un voyage en commun en direction de la signification. Le processus lui-même est suprême et ne souffre pas de compromis. C'est en une vocation qu'on a foi, et non en une personne.

Pour Simone de Beauvoir, le véritable amour devrait être fondé sur la reconnaissance mutuelle de deux libertés. Il devrait faire se percevoir chacun à la fois comme soi et comme l'autre, sans abandon de la transcendance, sans mutilation. Ensemble, ils seraient porteurs de valeurs et de buts.

La relation transformative étant changement continuel, rien n'est définitivement établi. Chaque partenaire est éveillé à l'autre. La relation est toujours neuve comme une expérience, libre d'évoluer a son gré. Elle repose sur la sécurité qui naît de l'abandon de la certitude absolue.

La relation transformative tire sa définition d'elle-même ; elle ne tente pas de se conformer aux canons de la société, mais ne fait que servir les besoins de ceux qu'elle relie. Il n'existe pas de rôles, simplement, peut-être, des principes-guides ou des accords flexibles.

L'amour est un contexte, non un comportement. Ce n'est pas une denrée « gagnée », « perdue », « possédée », « dérobée » ou « confisquée ». La relation n'est pas diminuée par l'intérêt porté par l'un des partenaires à autrui. On peut aisément avoir plus d'une relation transformative en même temps.

Les deux partenaires se sentent reliés au tout, à la communauté. De nouvelles possibilités se font jour pour échanger amour, joie et sympathie avec de nombreuses personnes. Cette intense communion avec le monde ne peut être contenue dans un canal étroit. Selon un médecin, « c'est comme si on voulait faire l'amour avec le cosmos. Comment voulez-vous expliquer ça à quelqu'un ? »

La transformation du romantisme amoureux

Au départ, nous pouvons tenter d'adapter cette nouvelle bienveillance cosmique à des structures habituelles. Mais nous apprenons bientôt que les anciennes formes de relation ne sont pas appropriées aux exigences du voyage transformatif.

A mesure qu'évoluent dans notre vie les relations transformatives, nous pouvons trouver en elles des qualités qui évoquent la signification *originale* du romantisme, tel qu'il a émergé au XIXe siècle. Le romantisme se rapportait alors à l'infini et l'insondable, à ces forces de la nature qui sont toujours en formation. Bien qu'il privilégiât une vision du monde naturelle et non mécaniste, le mouvement romantique n'était en aucun cas anti-intellectuel ou anti-rationnel. Mieux, dans leur empressement à examiner les mystères de la nature, les romantiques ont été à l'origine de la curiosité scientifique qui, ironiquement, a conduit à la glorification de la raison. Le romantisme fut alors réduit à un rôle esthétique et insignifiant, représentant tout ce qui est irréel, la dorure qui cache l'aspect terne de la vie.

A son apogée, le mouvement romantique célébrait la famille, l'amitié, la nature, l'art, la musique, la littérature, encourageant ce qu'un historien a appelé « le mystère de l'esprit, le soi plus vaste, le sens de la quête ». Dans un sens très réel, le romantisme était identique à ce que nous appelons maintenant le spirituel. Il invitait à avoir confiance dans l'expérience directe, à chercher un sens aux choses.

De nos jours, le romantisme culturel vient de l'extérieur. Il est le produit du conditionnement : les films, la télévision, le commerce, la coutume. Comment s'étonner alors que nous soyons devenus des renégats du romantisme originel ? Nous éprouvons envers lui le même sentiment de perte et de désillusion que lorsque nous nous rebellons contre la religion organisée. Nous abandonnons l'aventure en la traitant d'imposture. Pourtant, l'aspiration est toujours là, ce soupçon qui nous obsède de passer à côté de quelque chose de central à la vie.

Dans le processus transformatif, le romantisme, en tant que qualité numineuse, spirituelle et *intérieure,* est exprimé dans une aventure qui suscite ses propres langage et symboles, qui se sent comme « la chose réelle », un rêve duquel on ne peut s'éveiller.

Selon les termes d'une méditation taoïste : « Ne cherche pas de contrat et tu trouveras l'union. » L'un des changements transformatifs consiste dans le déclin de ce que les philosophies orientales nomment l' « attachement ». Le non-attachement est une compassion qui ne s'accroche pas, un amour qui accepte la réalité et n'a besoin de rien. Le non-attachement est l'opposé de l'attitude qui consiste à prendre ses désirs pour des réalités.

Il est peu probable que les vieilles émotions bien familières comme la jalousie, la peur, l'insécurité et la culpabilité s'évaporent. Mais les structures d'ensemble se transforment. Pour certains, cela signifie qu'il faut confronter et transcender des contradictions internes ; par exemple, le désir d'autonomie et la fidélité envers un partenaire. Faire face à des conflits profonds est difficile et douloureux, mais, dans bien des cas, riche de satisfactions.

Une femme raconte dans le questionnaire : « J'ai passé deux ans à apprendre comment aimer sans qu'il y ait possession. J'avais décidé que lorsque je me marierais, j'en ferais ma ligne de conduite, et c'est ainsi depuis treize ans. J'ai appris que l'on peut aimer plus qu'une seule personne, que l'on peut éprouver de la jalousie, mais qu'on ne peut jamais posséder quelqu'un, seulement faire des tentatives désespérées dans ce but. *Nous ne possédons rien, et autrui encore moins.* » Une autre femme a écrit, dans un bulletin édité par les quakers : « Nous apprendrons que nous ne pouvons garder que ce que nous libérons. »

Dans les relations perçues d'après le nouveau paradigme, ce n'est pas tant la sexualité que l'intimité qui compte. Celle-ci est appréciée pour sa profondeur relationnelle riche en possibilités transformatives. La sexualité n'en est qu'un aspect, et souvent un aspect latent.

Pour de nombreux individus, l'abandon de l'idée d'une relation exclusive est le changement de paradigme le plus difficile de leur propre transformation. Certains ont choisi de limiter leur expression sexuelle à une relation unique et pérenne. D'autres peuvent avoir une relation privilégiée, mais non exclusive. L'aspect désirable de l'exclusivité des relations est une profonde croyance culturelle, en dépit des preuves et des comportements contradictoires. L'abandon du besoin d'exclusivité a été pour de nombreuses personnes le changement de paradigme le plus difficile de tous, et pourtant nécessaire, s'ils voulaient être en accord avec leurs propres valeurs.

Dans des ateliers qu'ils organisent dans tout le pays, Joel Kramer et Diana Alstad invitent à libérer la sexualité du « contexte de conquête » qui s'oppose à une confiance et à une intimité profondes. Selon eux, les désirs et les stéréotypes conditionnés par la société doivent changer si nous voulons apprécier la personne intégrée = une femme autonome, un homme sensible.

La famille transformative

La famille peut offrir toutes les conditions d'un bon développement des potentialités de l'enfant : la chaleur affective, la stimulation intellectuelle. Mais si la famille n'est pas ce terrain propice, si les liens affectifs sont faibles, l'enfant évoluera mal. Des études effectuées sur des enfants placés dans des institutions ont montré que le développement de l'intelligence normale requiert des interactions humaines. Sans amour, sans stimulation extérieure, le monde n'a plus de sens. On observe un retard chez les bébés qui sont certes nourris et en sécurité, mais avec lesquels on ne parle ni ne joue.

Une atmosphère de confiance, d'amour et d'humour peut être un stimulant extraordinaire des capacités humaines. Une des clefs est l'authenticité ; les parents doivent agir comme des personnes et non jouer des rôles. Si les parents choisissent d'approuver les rôles, les institutions et les comportements stéréotypés, c'est souvent parce qu'ils ont plus confiance dans ces formes d'autorité que dans leurs propres expériences et intuitions. Ainsi se perpétue, de génération en génération, l'hypocrisie et le pouvoir des institutions. Les enfants, et spécialement les adolescents, viennent alors à supposer que leurs propres sentiments sont inacceptables, et ils réduisent leurs relations avec leurs parents.

Henri Laborit interroge : « A quand l'autogestion dans le groupe familial, si celui-ci doit subsister encore, sans hiérarchie, sans dominance, en pleine connaissance des pulsions primitives et des automatismes socioculturels ? En pleine conscience des ouvertures possibles, seules capables de transformer un système inexorablement fermé en un système largement ouvert sur le monde. »

Comme la relation transformative entre adultes, la famille transformative est un système ouvert, riche en amis et en ressources, hospitalière et capable de donner. Elle est flexible et peut s'adapter aux réalités d'un monde en changement. Elle procure à ses membres liberté et autonomie, aussi bien que le sentiment d'un groupe uni.

Le célèbre psychologue Frederick Perls a dit un jour que la dissociation — le clivage entre les émotions et la pensée consciente — commence avec un amour parental *conditionnel.* Les enfants sont trompés, n'ayant droit à une approbation qu'en se conformant aux vœux des parents ; ils ne sont pas récompensés d'être eux-mêmes, mais toujours poussés à « faire mieux », quels que soient leurs efforts. Devenus adultes, il leur est difficile de croire qu'on les aime. La chaîne se perpétue s'ils deviennent parents, car ils peuvent trouver difficile d'accepter inconditionnellement leurs propres enfants. Ce n'est pas avant d'avoir découvert l'étendue de nos propres peurs programmées que nous pouvons pardonner les imperfections et les faiblesses des autres. Lorsque nous avons atteint le centre de santé qui est en nous, nous savons alors qu'il existe chez autrui, quel que soit son comportement extérieur. Cette prise de conscience nous permet alors de nous soucier de lui.

Le processus transformatif est pour beaucoup d'individus une nouvelle chance pour atteindre l'estime de soi qu'on leur a refusée étant enfants. En atteignant le centre d'eux-mêmes, en retrouvant la santé dans le soi, ils découvrent leur propre totalité.

La famille planétaire

Le paradigme plus élargi des relations et de la famille transcende les anciennes définitions de groupe. La découverte de notre relation à tous les autres hommes, femmes et enfants, nous joint à une autre famille. En effet, nous considérer comme une famille planétaire luttant pour résoudre ses problèmes, plutôt qu'un assortiment de peuples et de nations jugeant et blâmant, déterminant les responsabilités ou exportant leurs solutions, pourrait être le changement ultime de perspective.

Si nous considérons que tout enfant maltraité est *notre* enfant, alors le problème change. Lorsque nous voyons notre culture, notre conditionnement social ou notre classe comme un artefact plutôt qu'une mesure universelle, alors notre parenté s'étend. Nous ne sommes plus « ethnocentriques », centrés sur notre propre culture.

Einstein dit un jour que les êtres humains souffrent d'une sorte d'illusion d'optique. Nous nous croyons séparés plutôt qu'une partie du tout. Ainsi notre affection est emprisonnée et n'atteint que quelques proches. « Notre tâche doit être de nous libérer de cette prison, en élargissant notre cercle pour embrasser toutes les créatures vivantes... Personne ne peut le réaliser complètement, mais l'effort lui-même est une partie de la libération. »

« J'ai vu la vérité, a dit Dostoïevsky. Ce n'est pas comme si je l'avais inventée, je l'ai vue, *vue*, et son image vivante a rempli mon âme à jamais... En un jour, en une heure, tout pourrait être concilié : *L'important, c'est d'aimer.* » Il ajoutait qu'il réalisait combien cette vérité avait été dite et redite un milliard de fois, et pourtant elle n'avait jamais transformé la vie humaine.

L'amour et la fraternité, autrefois parties d'un idéal, sont devenus cruciaux pour notre survie. Jésus a enjoint à ses disciples de s'aimer les uns les autres ; Teilhard de Chardin ajoutait : « ou vous périrez ». Sans affection humaine, on devient malade, effrayé, hostile. Le manque d'amour est un circuit brisé, une perte d'ordre. La quête d'une communauté mondiale, que montrent les réseaux de la Conspiration du Verseau, est une tentative de développer cette potentialité refrénée, pour donner de la cohérence, pour provoquer l'étincelle d'où naîtra une conscience plus large. « Quand l'homme réclame cette source d'énergie qu'est la sublimation de l'amour spirituel-sensuel, a dit un jour Teilhard, une deuxième fois dans l'histoire du Monde, l'Homme aura trouvé le Feu. »

CHAPITRE XIII

LA CONSPIRATION DE LA TERRE ENTIÈRE

Si l'on vient à être touché dans notre sensibilité, les squames tomberont de nos yeux ; et par les yeux pénétrants de l'amour on discernera ce que nos autres yeux ne verront jamais.

François FÉNELON

LA terre entière est un pays sans frontières, un paradigme de l'humanité où il y a suffisamment de place pour les étrangers et les traditionalistes, pour tous nos modes de savoir humain, pour tous les mystères et toutes les cultures. Une thérapeute en milieu familial raconte qu'elle préconise à ses clients de découvrir non pas ce qui est juste ou faux, mais *ce qu'ils ont en tant que famille.* Nous commençons à faire un tel inventaire de la Terre entière. Chaque fois qu'une culture en découvre une autre et l'apprécie, chaque fois qu'un individu savoure les talents ou les idées uniques d'une autre personne, chaque fois que nous accueillons un savoir inattendu émanant de l'intérieur du soi, nous ajoutons à cet inventaire.

Riches comme nous le sommes, tous ensemble, nous pouvons tout faire. Nous avons en notre pouvoir de pacifier notre soi déchiré et de faire la paix entre nous, de guérir notre pays natal, la Terre entière.

Nous cherchons alentour toutes les raisons de dire Non : les projets sociaux caducs, les traités rompus, les chances perdues. Et pourtant, le Oui est là, cette même quête obstinée qui nous a menés de la caverne à la lune, en un clin d'œil au regard des temps cosmiques.

Une génération nouvelle se développe dans un paradigme élargi ; il en a toujours été ainsi. Ceux d'entre nous qui sont nés dans le paradigme de

« la terre brisée » sont placés devant l'alternative suivante : ou bien emporter une conception périmée dans la tombe, comme ces générations de scientifiques inébranlables qui maintenaient que des choses comme les météorites, les microbes, les ondes cérébrales ou les vitamines n'existent pas ou bien tirer un trait sur nos vieilles croyances sans faire de sentiments et adopter la perspective qui se révèle plus solide et plus vraie.

Nous pouvons être nos propres enfants.

Un nouvel esprit, un nouveau monde

Même la Renaissance n'avait pas annoncé un renouveau aussi radical, comme nous l'avons vu, les voyages, la technologie nous relient, nous rendent de plus en plus conscients les uns des autres, ouverts les uns aux autres. Nous sommes de plus en plus nombreux à découvrir comment on peut s'enrichir et s'aider mutuellement à développer ses potentialités, à être plus sensibles à notre place dans la nature, à apprendre comment le cerveau peut transformer la douleur et les conflits, et à témoigner plus de respect pour la totalité du soi, considéré comme la matrice de la santé. Par la science et par les expériences spirituelles de millions de personnes, nous découvrons notre capacité inépuisable d'éveil dans un univers aux surprises sans fin.

Au premier regard, il peut sembler utopique d'imaginer que le monde pourra sortir de sa situation désespérée. Chaque année, quinze millions de personnes meurent de faim et bien plus encore souffrent d'une malnutrition implacable ; toutes les quatre-vingt-dix secondes, l'ensemble des nations du monde dépensent un million de dollars en armements ; chacune des paix est une paix anxieuse ; nombre des ressources non renouvelables de la planète ont été pillées. Pourtant, des progrès remarquables ont quand même été réalisés. Depuis la fin de la Seconde Guerre mondiale, trente-deux pays, représentant 40 pour cent de la population mondiale, ont vaincu leurs problèmes de pénurie alimentaire ; la Chine devient autosuffisante pour l'essentiel et a contrôlé la croissance de sa population, jusqu'ici accablante. L'alphabétisation gagne du terrain dans le monde, de même que le nombre de gouvernements issus du peuple ; le respect international des droits de l'homme est défendu avec opiniâtreté. Dans sa *Radioscopie des Etats-Unis,* Jacqueline Grapin constate fort justement : « Le plan Marshall a pu apparaître comme un épiphénomène de générosité dans la continuité d'une histoire où la politique est le règne de l'égoïsme. N'a-t-il pas plutôt été une sorte d'action pilote correspondant à une vision « cybernétique » du monde, sans laquelle la misère des grands pays pauvres et l'atome des nations en armes auront raison de l'homme ? Donner, c'est toujours recevoir. »

Notre conception de la Terre entière s'est, en effet, profondément modifiée. Désormais, elle nous apparaît comme un joyau dans l'espace, une fragile planète bleue. Nous avons vu qu'elle ne présente pas de frontières naturelles, au contraire de nos globes scolaires tachetés de couleurs représentant des nations.

En outre, d'autres domaines nous ont révélé notre interdépendance. Une insurrection ou une mauvaise récolte dans un pays lointain peut se traduire par un changement dans notre vie quotidienne. Nos anciennes attitudes ne conviennent plus. Tous les pays s'avèrent économiquement et écologiquement intriqués, politiquement empêtrés. Les dieux anciens de l'isolationnisme et du nationalisme s'écroulent, simples artefacts, comme les déités de pierre de l'île de Pâques.

N'est-il pas symbolique de voir la planète bleue orner la couverture du volumineux rapport *Face aux futurs,* publié en 1979 par l'Organisation de coopération et de développement économiques (O.C.D.E.) ? Ce travail de recherche, d'une durée de trois ans, propose une approche analytique, globale et à long terme, et des scénarios de futurs possibles ou plausibles. Ce rapport ne se veut pas message de pessimisme ou d'optimisme, mais « incitation à la prise de conscience et à l'action », et fait une grande place à l'analyse de l' « écosphère » (démographie, environnement). On y note « un changement socioculturel incontestable... un courant « post-matérialiste » qui se caractérise par des exigences de libération et d'enracinement ». De ces aspirations à de nouveaux styles de vie pourra peut-être émerger un nouveau projet unitaire car, précise le rapport, « derrière les difficultés économiques, ce dont souffrent certains pays développés, c'est l'absence d'un projet autour duquel s'organise le consensus social ».

> « Un nouveau projet peut-il naître ? De toute manière, il ne résultera pas d'un décret ni du programme d'un parti, mais de l'alchimie complexe qui gouverne l'évolution des sociétés. Il faudra qu'il soit suffisamment large pour fédérer des convictions fort différentes quant aux modes d'organisation sociale. Il ne pourra pas se limiter à des objectifs purement nationaux, car, à l'heure de l'interdépendance, les sociétés industrielles avancées ne peuvent plus concevoir leur avenir de manière isolée et indépendamment de l'évolution du reste du monde. »

Nous apprenons à approcher les problèmes différemment, sachant que la plupart des crises mondiales sont issues de l'ancien paradigme — c'est-à-dire de formes, de structures et de croyances émanant d'une compréhension dépassée de la réalité. Maintenant, nous pouvons chercher des réponses hors des anciens cadres, poser de nouvelles questions, faire des synthèses, imaginer. La science nous a éclairés sur les systèmes et les totalités, le stress et la transformation. Nous apprenons à déceler les tendances, à reconnaître les signes précurseurs d'un autre paradigme plus prometteur.

Nous pouvons imaginer tout un choix de scénarios du futur, échanger nos commentaires sur les échecs des anciens systèmes, ce qui nous contraint à élaborer de nouveaux cadres afin de résoudre les problèmes dans chaque domaine. Sensibles à notre crise écologique, nous franchissons océans et frontières pour coopérer. En éveil, pris de peur, nous partons à la recherche de solutions chez les uns et les autres.

Cela peut être le changement de paradigme le plus important de tous ; *les individus apprennent à avoir confiance — et à communiquer leur changement d'état d'esprit.* Le plus viable de mes espoirs d'un monde nouveau réside dans la question de savoir si un nouveau monde est possible. Cette question même, cette anxiété, montrent que nous nous en soucions. Et cet intérêt, nous pouvons inférer que les autres le partagent aussi.

Le plus grand obstacle, et le plus simple, à la résolution des grands problèmes du passé, résidait dans la pensée qu'ils ne pourraient pas être résolus, conviction fondée sur une méfiance mutuelle. Pour les psychologues et les sociologues, la plupart d'entre nous présentons chacun un niveau de motivation plus élevé que celui que nous estimons exister chez les autres ! Par exemple, la plupart des Américains interrogés se déclarent en faveur du contrôle des armes, mais se croient en minorité. Ainsi, également, de ces étudiants qui ont affirmé que la publicité ne les influençait pas, mais qui pensaient que tous les autres y étaient sensibles. La recherche a montré qu'habituellement les individus croient qu'ils possèdent une personnalité supérieure à « la plupart des gens ». Les autres sont considérés comme moins ouverts, moins soucieux d'autrui, moins prêts à faire des sacrifices, plus rigides. C'est là que se tient la suprême ironie, dans notre erreur d'évaluation mutuelle.

Nous avons vu dans tous ceux que nous ne comprenons pas l'étranger, l'ennemi. Ne parvenant pas à saisir le pourquoi de nos différentes politiques, cultures et subcultures, qui souvent sont fondées sur diverses visions du monde, nous avons mis en doute nos motivations mutuelles... nous nous sommes, les uns les autres, refusé l'humanité. Nous sommes passés à côté de l'évidence : « la plupart des gens », quelle que soit la philosophie qu'ils préconisent pour y arriver, désirent une société sans guerre et dans laquelle nous serions tous nourris, féconds et réalisés.

Si nous nous voyons mutuellement comme des obstacles à une progression, alors cette conception est le premier et le plus grand obstacle. La méfiance est une prophétie qui se réalise toute seule. Notre conscience issue du vieux paradigme a forgé ses propres et sombres attentes, notre image collective et négative de nous-mêmes.

Maintenant que nous apprenons à communiquer, qu'un nombre croissant d'individus se mettent à transformer leurs peurs et à découvrir leurs liens avec le reste de l'humanité, à ressentir des aspirations communes nombre de problèmes planétaires les plus anciens et les plus profonds montrent des promesses de rupture et de résolution. Le changement tant attendu commence, c'est une révolution, caractérisée par une confiance opportune qui nous fait chercher partout des alliés plutôt que des ennemis.

Les anthropologues nous ont appris que sous les ornements de la culture s'étend tout un autre monde. Qu'on le comprenne, et notre vision de la nature humaine changera radicalement. Désormais nous sommes entrés dans le domaine du possible ; le village global est une réalité. Nous voilà reliés par les satellites, les avions supersoniques, quatre mille congrès internationaux chaque année, des dizaines de milliers de compagnies multinationales, les organisations internationales, des bulletins, des journaux ; une pan-culture émerge même dans les domaines de la musique, des films, de l'art, de l'humour, etc.

La prolifération des petits groupes et des réseaux dans le monde rappelle beaucoup les réseaux de coalition du cerveau humain. Si quelques cellules peuvent engendrer un effet de résonance dans le cerveau, ordonnant l'activité de l'ensemble, de même, ces individus qui coopèrent peuvent aider à créer la cohérence et l'ordre, susceptibles d'amener la cristallisation d'une transformation plus étendue.

Les mouvements, les réseaux et les publications rassemblent les individus partout dans le monde en une cause commune ; ces trafiquants d'idées transformatives propagent les messages d'espoir sans attendre la sanction d'aucun gouvernement. La transformation est apatride.

Ces groupes qui s'auto-organisent n'ont presque rien de commun avec les anciennes structures politiques ; ils se recouvrent, forment des coalitions et se soutiennent mutuellement, sans que naisse une structure de pouvoir habituelle. Ce peuvent être des groupes qui se préoccupent de l'environnement, des groupes féministes, pacifistes, ou qui défendent les droits de l'homme, ou bien qui luttent contre la faim dans le monde ; des milliers de centres et de réseaux soutenant la « nouvelle conscience », comme Nexus, à Stockholm ; des publications comme *Alterna* au Danemark, *New Humanities* et *New Life* en Grande-Bretagne, qui relient de nombreux groupes ; des symposiums sur la conscience en Finlande, au Brésil, en Afrique du Sud, en Islande, au Chili, au Mexique, en Roumanie, en Italie, au Japon, en U.R.S.S.

Ces initiatives transcendent les frontières nationales traditionnelles ; on voit des Allemands rejoindre les manifestants français pour protester contre les centrales nucléaires. Johann Quanier, directeur du journal *New Humanities* a pu dire : « Malgré les conflits, les tensions et les différences, (l'Europe) est par excellence un territoire propice à l'émergence du nouveau cadre politico-spirituel. »

Selon Aurelio Peccei, fondateur du club de Rome, ces groupes représentent « le levain du changement... des myriades de groupements spontanés d'individus surgissant ici et là comme des anticorps dans un organisme malade ». Un organisateur d'un groupement pour la paix faisait état de sa découverte de ces réseaux et de leur signification de « transformation mondiale imminente ».

La *Fondation du Seuil,* basée en Suisse, a affirmé son intention de contribuer à la transition vers une culture planétaire, de « favoriser un changement de paradigme, un nouveau modèle de l'univers dans lequel l'art, la religion, la philosophie et la science convergent », et de promouvoir la compréhension que « nous existons dans un cosmos dont les nombreux niveaux de réalité forment un tout unique et sacré ».

Roland de Miller écrit dans *Nature mon amour* qu'il nous faut restaurer le sentiment de la nature, une spiritualité de la terre, « non pas comme adoration d'un dieu mais comme une mentalité écologique, l'amour de la nature sauvage d'où découlent un mode de vie et un mysticisme cosmique ». Il ajoute : « De plus en plus d'individus, de groupes et de mouvements spiritualisés, créeront ainsi le fameux *réseau de lumière — netword of light,* disent les Anglais — qui nous permettra d'entrer dans l'Ere du Verseau. »

Du pouvoir à la paix

Nous sommes en train de changer parce qu'il le faut.

Historiquement, les efforts de paix ont eu pour but de terminer ou de prévenir les guerres. Tout comme nous avons défini la santé en termes négatifs, comme l'absence de maladie, nous avons défini la paix comme l'absence de conflits. Mais la paix est plus fondamentale que cela ; elle est un état d'esprit et non pas un état de la nation. Sans transformation personnelle, les peuples du monde sont à jamais condamnés à être pris dans des conflits.

Si nous nous limitons au concept du vieux paradigme pour prévenir la guerre, nous essayons de vaincre l'obscurité plutôt que de mettre la lumière. Au contraire, si nous reformulons le problème — pensant à favoriser la communauté, la santé, l'innovation, la découverte de soi et d'intentions — nous sommes déjà engagés dans le processus de paix. Dans un environnement riche, créatif et plein de sens, il n'y a pas de place pour l'hostilité.

La guerre est impensable dans une société d'individus autonomes qui ont découvert la liaison de toute l'humanité, qui n'ont pas peur des idées et des cultures étrangères, qui savent que toutes les révolutions commencent à l'intérieur et que l'on ne peut imposer à qui que ce soit son illumination.

Les protestations contre la guerre du Vietnam aux Etats-Unis ont marqué un tournant critique, la venue d'un âge, comme des millions de personnes l'ont dit, en ce sens qu'on ne peut envoyer des individus autonomes à une guerre à laquelle ils ne croient pas. Ces dernières années, d'autres phénomènes ont été tout aussi significatifs : quinze mille Allemands défilant à Cologne pour s'opposer à une nouvelle flambée de nazisme et exprimer leur douleur au souvenir de l'holocauste. Des catholiques et des protestants risquant leur vie pour s'embrasser sur un pont en Irlande du Nord, se promettant mutuellement de travailler pour la paix... « La paix, maintenant », ce mouvement israélien lancé par des soldats combattants qui demande : « Donnez une chance à la paix. »

Peut-on faire marche arrière dans la course aux armements ? Patricia Mische, qui a participé à un récent congrès à Vienne sur le rôle des femmes dans la paix mondiale, propose cette autre question : « Est-ce que les peuples — et les nations — sont capables de changer leur cœur et leur esprit ? » Les membres du congrès de Vienne ont paru être le témoignage vivant que la réponse est Oui. Quand vint l'heure de la clôture, une participante demanda, dans un tonnerre d'applaudissements, que lors des futures rencontres, les orateurs n'aient pas à s'identifier par nationalité. « Je suis ici en tant que citoyenne *planétaire,* dit-elle, et ces problèmes, nous les partageons. »

Dans *The Whole Earth Papers,* une série de monographies, James Baines distingue un « paradigme du pouvoir » et un « paradigme de la paix ». D'après lui, pendant des millénaires, nous avons vécu sous le paradigme du pouvoir, c'est-à-dire un système de croyances fondé sur l'indépendance et la domination. Pourtant, il a toujours existé, en marge, les composants d'un paradigme de paix : une société fondée sur la créativité, la liberté, la démocratie, la spiritualité. Baines ajoute que, pour favoriser un changement global, nous pouvons créer maintenant « un tissu de renforcement » : des dirigeants à l'aise dans l'incertitude, une conscience publique accrue des contradictions dans le paradigme du pouvoir, des modèles plaisants de nouveaux styles de vie, une technologie appropriée, des techniques d'expansion de conscience et d'éveil spirituel. Une fois ces idées unies dans un nouveau paradigme cohérent et dont la base est la transformation, nous verrons que l'humanité est à la fois une partie de la création tout autant que son gérant, « un produit de l'évolution et un instrument de l'évolution ».

Nous n'avons pas besoin d'attendre qu'on nous dirige. L'amorce du changement peut s'effectuer en tout point d'un système complexe : une vie humaine, une famille, une nation. Par sa confiance et son amitié, une personne peut créer un environnement transformatif pour autrui. Il suffit d'une famille ou d'une communauté chaleureuse, et un étranger peut se sentir à son aise. Une société peut encourager la croissance et le renouveau chez ses membres.

Nous pouvons commencer n'importe où — partout. « Que la paix soit.

Que je sois le premier à la faire », propose un auto-collant. Que la santé soit, et un usage juste du pouvoir, du travail intéressant, des occasions d'apprendre et de tisser des liens... *Que la transformation soit, que je sois le premier à l'effectuer.*

Tout début est invisible ; il s'agit d'un mouvement intérieur, d'une révolution de conscience. Parce que le choix individuel demeure une chose mystérieuse et qu'il faut respecter, aucun de nous ne peut garantir une transformation de société. Pourtant, il est des raisons de faire confiance au processus transformatif. Il est naturel, puissant, riche en satisfactions, et il offre ce que la plupart des gens désirent.

C'est peut-être pourquoi la société transformée existe déjà comme une prémonition dans l'esprit de millions d'individus. C'est le « un jour » de nos mythes. Le mot « nouveau », si librement utilisé (nouvelle médecine, nouvelle politique, nouvelle spiritualité) ne renvoie pas tant à quelque chose de moderne qu'à quelque chose d'imminent et de longtemps attendu.

Le nouveau monde, c'est l'ancien — transformé.

Abolir la faim : — créer un changement de paradigme

Historiquement, les mouvements de changement social ont tous opéré, en gros, de la même façon. Une autorité paternelle a convaincu le peuple d'un besoin de changement, puis l'a recruté pour des tâches particulières, lui disant ce qu'il faut faire et quand il faut le faire. Au contraire, les nouveaux mouvements sociaux opèrent selon une conception différente des potentialités humaines : la croyance que les individus, une fois qu'ils sont profondément convaincus d'un besoin de changement, peuvent engendrer des solutions, de par leur engagement et leur créativité propres.

Joël de Rosnay a bien illustré cette potentialité des individus à produire un changement social étendu par « la recherche d'une vision globale de l'univers compatible avec une éthique personnelle et une action individuelle et collective », recherche qui passe par l'intelligence de l'approche systématique et la volonté d'autogestion, d'autonorme. De Rosnay montre combien et comment cette attitude peut être cruciale dans les problèmes agricoles, alimentaires et de la faim dans le monde.

Dans son livre *Biotechnologies et bio-industrie,* il affirme : « Nous allons faire face prochainement à une grave crise des protéines se traduisant déjà par l'augmentation du prix de la viande. Le rendement actuel de la « machine » agricole globale est défavorable. En effet, le rendement de la photosynthèse, permettant de produire du maïs, par exemple, n'est que de 0,5 %. Si ce maïs est utilisé pour nourrir des bœufs servant à la consommation, le rendement diminue encore puisqu'il faut 16 kg d'aliments du bétail pour faire un kg de protéines. » Et un peu plus tard, dans *La Mal-bouffe,* l'ouvrage qu'il a réalisé en collaboration avec sa femme Stella, il en tire les conséquences suivantes : « Notre hyperconsommation de viande a une influence directe sur l'épanouissement et le développement du tiers monde... La quantité de céréales qui sert à élever des animaux dans les pays développés producteurs de viande... est supérieure à la totalité des céréales utilisées pour la nourriture des habitants des pays du tiers monde. » Les auteurs concluent que la production de viande des pays développés est un concurrent direct pour l'alimentation des régions défavorisées. Ils préconisent une « attitude anti-bouffe dont le but est de montrer comment une action individuelle permettant une démultiplication collective peut conduire à des modifications radicales des modes alimentaires et des styles de vie » et dont l'un des fondements est représenté par le refus de la viande comme aliment de base, par le « boycott de la viande de boucherie ». « L'acte d'acheter est assimilable à un vote permanent, une sorte de référendum, un sondage quotidien essentiel aux industriels qui préparent et vendent ce que nous consommons tous les jours. » L'effet d'une telle attitude peut être considérable, non seulement sur l'industrie et la santé, mais sur l'environnement, la politique et, plus généralement sur ce qu'Ivan Illich a nommé — à la suite de Brillat-Savarin — la convivialité.

Une conception analogue est à la base du Hunger Project, une organisation internationale charitable lancée en 1977 par le fondateur de e.s.t., Werner Erhard, et dont le siège principal est à San Francisco. Le but de ce projet est d'accélérer la résolution du problème de la faim dans le monde, en agissant comme un *catalyseur.* Il s'agit d'un effort intense, judicieux et à grande échelle pour hâter un changement de paradigme.

Les promoteurs du projet pensent que les solutions ne résident pas dans la refonte des programmes existants ou l'élaboration de nouveaux. D'après les autorités et les agences les mieux informées, notre compétence pour mettre un terme à la famine en deux décennies *existe déjà.* Si la faim persiste, c'est à cause de la conception du vieux paradigme selon laquelle il n'est pas possible de nourrir toute la population mondiale.

En moins de deux ans, sept cent cinquante mille individus dans des dizaines de pays ont promis de s'engager personnellement pour aider à l'éradication de la famine vers 1997 ; l'enrôlement dans ce « Projet de la faim » s'accroît à la vitesse de plus de soixante mille personnes par mois. Trois millions de dollars ont été récoltés explicitement pour sensibiliser la conscience du public aux proportions tragiques du problème, aux solutions envisageables et aux moyens par lesquels groupes et individus peuvent accélérer la disparition de la sous-alimentation.

Le « Projet de la faim » n'entre pas en compétition avec les organisations contre la faim plus anciennes ; au contraire, il fait connaître leurs activités et recommande à ses membres de les soutenir.

Pour créer un sentiment d'urgence, le projet utilise le pouvoir du symbole et de la métaphore, estimant que le tribut à la famine s'élève à « un Hiroshima tous les trois jours ». Ou encore, il utilise des modèles provenant de la nature et des découvertes scientifiques ; par exemple, l'hologramme étant « un tout à l'intérieur du tout », chaque membre est « tout le projet ». Le projet est « un alignement de tout ».

Chaque personne qui s'engage dans le projet est encouragée à en enrôler d'autres. On explique aux membres comment attirer l'attention de clubs, de comités scolaires, de législateurs, comment adresser des lettres, comment faire des présentations publiques. On demande à chaque membre de devenir un enseignant.

Les prisonniers sont parmi les membres qui se consacrent avec le plus d'intensité au projet. Comme le dit une prisonnière condamnée à une longue peine, « les femmes deviennent amères et sévères, enfermées entre ces murs. Chaque jour est dur. Finalement on abandonne et on se referme sur soi... J'ai réalisé que le « Projet de la Faim » est un moyen de s'en sortir, en s'ouvrant pour aider les autres ».

Tant qu'on pensait qu'il n'y avait rien à faire pour les millions d'affamés du monde, la plupart d'entre nous tentaient de ne pas y penser. Dans *L'Afrique étranglée* l'agronome René Dumont et Marie-France Mottin font ce réquisitoire terrible : « Nous, les développés, constituons la plus grande masse de « privilégiés » abusifs de la planète ; donc, les premiers responsables de la faim du monde : des hypocrites, voilà ce que nous sommes... ». Mais ce refus s'est payé cher. Le « Projet de la faim » met l'accent sur un principe clef de transformation, la nécessité d'affronter une connaissance douloureuse :

> Nous nous sommes engourdis de façon à ne pas sentir la douleur. Il nous faut dormir pour nous protéger de l'horreur de savoir que vingt-huit personnes, la plupart de jeunes enfants, meurent en cette minute même — vingt-huit personnes qui ne diffèrent de vous, de moi ou de nos enfants, que par le fait que nous avons de la nourriture et qu'ils n'en ont pas.
>
> Nous avons abaissé notre conscience et notre vitalité à un niveau qui nous permet de ne pas être ennuyés par ce problème. Et si vous vous demandez si cela nous coûte quelque chose de laisser des millions de personnes mourir de faim, la réponse est oui ; *cela nous coûte notre vitalité.*

Un point clef est rappelé à ceux qui s'engagent : un monde dans lequel la faim a disparu ne sera pas simplement différent, ou meilleur, mais *transformé.* Et ceux qui y prennent part seront transformés par leur propre participation — en parlant de leur engagement à leurs amis, leur famille et leurs collègues, même si cela les gêne, et en cherchant des réponses.

Re-choisir

La Conspiration du Verseau travaille aussi à assouvir une autre faim, une autre soif de signification, de relation, d'achèvement, et chacun d'entre nous est « tout le projet », le noyau d'une masse critique, un gérant de la transformation du monde.

En ce siècle, nous sommes descendus au cœur de l'atome. Nous l'avons transformé, lui et l'histoire, à jamais. Mais nous sommes descendus aussi au cœur du cœur. Nous connaissons les conditions nécessaires au changement des esprits. Maintenant que nous saisissons la profonde pathologie de notre passé, nous pouvons nous ouvrir à de nouvelles structures, de nouveaux paradigmes. « La somme de (tous) nos jours n'est que notre début... »

La transformation n'est plus comparable à la foudre, mais à l'électricité. Nous avons apprivoisé une force plus puissante que celle de l'atome, un gardien digne de toutes nos autres potentialités.

Notre liberté individuelle réside dans le choix non pas d'une destination, mais d'une direction. On ne s'engage pas dans le voyage transformatif parce qu'on sait où il nous mènera, mais parce que c'est le seul voyage qui ait un sens.

C'est le retour chez soi si longtemps espéré. « Condamnez-*moi*, mais ne condamnez pas le chemin », disait Tolstoï. « Si je connais la route qui mène chez moi et si j'y déambule, ivre, titubant, cela prouve-t-il que la route n'est pas la bonne ? Si j'erre et je chancelle, venez à mon aide... Vous êtes aussi des êtres humains et vous aussi, vous rentrez chez vous. »

Les pays du monde, a dit un jour Tocqueville, sont comme des voyageurs dans une forêt. Bien que chacun ne sache pas la destination des autres, leurs sentiers conduisent inévitablement au centre de la forêt. En ce siècle de guerre et de crise planétaire, nous sommes perdus dans la forêt de notre plus sombre aliénation. L'une après l'autre, les stratégies auxquelles sont accoutumées les nations — l'isolement, la fortification, la retraite, la domination — ont été coupées.

Nous sommes poussés toujours plus profondément dans la forêt, vers une issue plus radicale qu'aucune imaginée jusqu'ici : être libéré avec autrui, et non pas être libéré d'autrui. Après une histoire de séparation et de méfiance, voilà que nous convergeons dans la clairière.

Nos métaphores de la transcendance ont parlé de nous avec plus de vérité que nos guerres : la clairière, la fin de l'hiver, l'irrigation des déserts, la guérison des blessures, la lumière après l'obscurité — non pas un achèvement des troubles, mais la fin de la défaite.

Durant des siècles, les visionnaires d'une société transformée savaient que relativement peu d'individus partageaient leur vision. Comme Moïse, ils sentaient la brise venant d'une patrie qu'ils pouvaient voir dans le lointain, mais non pas habiter. Pourtant, ils incitaient les autres à marcher vers cet avenir possible. Leurs rêves sont notre richesse, l'histoire non réalisée, le legs qui a toujours existé au long de nos guerres et de nos folies.

Dans un état de conscience élargi, on peut parfois revivre avec clarté un traumatisme passé et, en retour, y répondre différemment par l'imagination. Ainsi, en touchant à la source de nos vieilles peurs, on peut les exorciser. Nous ne sommes pas tant hantés par les événements que par nos croyances envers eux, l'image mutilée de nous-mêmes que nous portons en nous. Nous pouvons transformer le présent et l'avenir en réveillant l'énergie que détient le passé, mais que bloque le message récurrent de la défaite. Il nous est possible, de nouveau, de nous tenir à la croisée des chemins et de rechoisir.

Dans un esprit semblable, nous pouvons répondre différemment aux tragédies de l'histoire moderne. Notre passé n'est pas notre potentiel. A toute heure, forts de l'obstination des maîtres et des guérisseurs que compte l'histoire, et qui nous ont conviés à la recherche d'un soi plus profond, nous pouvons libérer l'avenir. L'un après l'autre, nous pouvons re-choisir — nous éveiller. Quitter la prison de notre conditionnement, aimer, prendre la route qui ramène chez soi. Conspirer avec et pour autrui.

L'éveil apporte sa propre mission, unique à chacun de nous, choisie par chacun de nous. Quoi que vous pensiez de vous-même, et même si vous l'avez pensé longtemps, vous n'êtes pas seulement vous. Vous êtes une graine, une promesse silencieuse. Vous êtes la conspiration.

ANNEXES

QUELQUES DOCUMENTS UTILES POUR CHANGER LA VIE

Voici une liste des réseaux, associations et publications susceptibles d'être utiles au lecteur, liste aussi complète que possible, mais qui ne prétend pas à l'exhaustivité. Nous avons choisi de mentionner les organisations, réseaux et publications qui nous paraissent se trouver, autant que faire se peut, au cœur de *La Conspiration du Verseau* et pouvoir intéresser un public francophone.

Il est possible de se procurer un guide — en anglais — réunissant les idées abordées dans le présent ouvrage, et destiné à des discussions de groupe. Pour cela, écrire à P.O. Box 42211, Los Angeles, Calif. 90042. Etats-Unis.

ANNEXE A

UN CHOIX DE PÉRIODIQUES

EN FRANÇAIS

Ark'all Communications

Recueil trimestriel de textes d'un centre de recherche pluridisciplinaire sur toutes les sciences nouvelles et notamment les émissions dues aux formes.
21, rue Louis Scocard
91400 Orsay

Atlantis

Tradition. Association et revue.
30, rue de la Marseillaise
94300 Vincennes

Aurores

Tradition. Mensuel
Editions Awac. Le Haut Blosne
35100 Rennes

Autrement

Regard critique sur les mutations, les innovations culturelles et sociales.
Bimestriel. Le Seuil diffuseur.
27, rue Jacob
75006 Paris

Bulletin Psilog

Bulletin bimestriel de l'association *Psilog*.
Recherche, information et théorie sur les phénomènes psi.
Saint-François-du-Lac
Québec Canada JOG 1MO

Bulletin de la Société de Thanatologie

Traite des aspects physico-chimiques, somatiques, sociologiques, psychologiques, moraux et juridiques de la mort.
72, rue Nanterre
92600 Asnières-sur-Seine

Bulletin suisse de Parapsychologie
Bulletin de l'Association suisse romande de Parapsychologie
C P. 3,
1000 Lausanne 1. Suisse

Cahiers de psychologie jungienne
Un approfondissement de la psychologie analytique
5, rue Las Cases 75007 Paris

Chaman
Expérience intérieure et écologie
Semestriel BP 17
09200 Saint-Girons

CoEvolution.
Revue trimestrielle du Nouvel Age
Science, spiritualité et société
Courrier et abonnements :
B.P. 43 — 75661 Paris Cedex 14

Combat Nature
Revue des associations écologiques et de défense de l'environnement
BP 80, 24003 Périgueux Cedex

Cosmose
Organe de contre-culture mystique
Matareou-Cannet
32400 Riscle

Dico
Dialogue communautaire
Jacques Hoeben
BP 684 B 1000 Bruxelles. Belgique

La Fontaine de Pierre
Cahiers de gaie science et d'alchimie selon C. G. Jung
25, bd Arago 75013 Paris

Médecine biotique
Association mondiale de médecine naturelle
Avenue Becquerel BP 37
26700 Pierrelatte

Nature et Progrès
Revue de l'Association européenne d'Agriculture et d'Hygiène biologique.
Trimestriel
91370 Chamarande

Le Naturel
Écologie, diététique, médecines douces. Trimestriel
Le Grenier de Notre Dame
18, rue de la Bucherie
75005 Paris

Nouvelles de l'Ecodéveloppement
Centre international de recherches sur l'environnement et le développement
Maison des Sciences de l'homme
54, Bld Raspail
75270 Paris Cedex 6.

Parapsychologie
Revue trimestrielle de la Fédération des Organismes de recherche en parapsychologie et psychotronique (GERP, etc.)
Recherche, information et théorie sur les phénomènes psi.
22, rue Tiquetonne
75002 Paris

Question de
Racines, pensées, sciences éclairées
Éditions Retz
2, rue du Roule
75001 Paris

Revue métapsychique
Revue de l'Institut métapsychique international
Recherche, information et théorie sur les phénomènes psi.
1, place Wagram
75017 Paris

Le Sauvage — Le Nouvel Observateur
Trimestriel écologique
115, Bld MacDonald.
75019 Paris

ripot
Alternatives écologiques et communautaires.
Trimestriel.
Ed. d'Utovie
64260 Lys

Vie et Action
Cérédor. Culture humaine, hygiène psychosomatique
388, Bld J. Ricord
06140 Vence

Pour plus de renseignements concernant les associations ou les publications, on peut s'adresser à la librairie Alternative qui diffuse un catalogue gratuit.
36, rue des Bourdonnais 75001 Paris

De tous les périodiques et associations francophones cités, les réseaux et la revue *CoEvolution* semblent présenter l'optique la plus voisine de celle de la Conspiration du Verseau. C'est pourquoi, en collaboration avec l'auteur et le traducteur, *CoEvolution* a mis sa boîte postale à la disposition des lecteurs de ce livre désireux de se connaître entre eux. Ce pôle de rencontre devrait leur permettre de s'auto-organiser en réseaux selon leurs affinités et leurs sujets d'intérêt (écologie, psychotechniques, projet de la faim, etc.)

En outre, un questionnaire Conspiration du Verseau (science-parapsychologie-spiritualité-société) a été réalisé en collaboration avec le groupe *Psilog* dans le but d'une étude poussée de la Conspiration du Verseau dans les pays francophones. La contribution du lecteur à cette étude serait très précieuse.

Écrire à *CoEvolution-Conspiration du Verseau*
B.P. 43 — 75661 Paris Cedex 14
(joindre une grande enveloppe timbrée avec l'adresse)

EN ANGLAIS

Brain/mind Bulletin
Box 42211
Los Angeles, Calif. 90042 États-Unis.
Bulletin paraissant toutes les trois semaines, édité et publié par Marilyn Ferguson, $22 par an pour l'étranger.
Chaque fin d'année, tous les articles se rapportant à un sujet particulier sont réunis dans des « Theme Packs » (éducation, médecine, psychologie, psychiatrie, cerveau droit et gauche, etc.).

Co-Evolution Quarterly
Box 428
Sausalito Calif. 94965
Trimestriel, publié par Stewart Brand
$12 par an

Journal of Humanistic Psychology
325 Ninth St.
San Francisco, Calif. 94103 U.S.A.
Trimestriel, $12 par an.

Journal of Transpersonal Psychology
P.O. Box 4437
Stanford, Calif. 94305 U.S.A.
Semestriel, $10 par an.

Leading Edge : A Bulletin of Social Transformation
P.O. Box 42247
Los Angeles, Calif. 90042 U.S.A.
Paraît toutes les trois semaines. De format semblable à celui du *Brain/Mind Bulletin,* mais consacré à des aspects sociaux (politique, relations, affaires, scolarité, droit, arts, religion et autres sujets se rapportant à *La Conspiration du Verseau,* que ne couvre pas habituellement le B/MB). Abonnement : $22 par an pour l'étranger.

New Age
32 Station St.
Brookline Village, Mass. 02146 U.S.A.
Mensuel qui aborde de nombreux sujets mentionnés dans ce livre. $12 par an.

Re-Vision : A Journal Of Knowledge and Consciousness
20 Longfellow Road
Cambridge, Mass. 02138 U.S.A.
Trimestriel, $15 par an

ANNEXE B

RÉSEAUX ET ASSOCIATIONS

DANS LES PAYS FRANCOPHONES

Centre de développement du potentiel humain
Psychologie humaniste et transpersonnelle.
38, rue de Turenne
75003 Paris

CoEvolution
Réseaux auto-organisés par les lecteurs de la revue *CoEvolution.*
B.P. 43 - 75661 Paris Cedex 14

Ecovie
Réseau de coopératives écologiques
163, rue Chevaleret
75013 Paris

Espérance
Intention-réseau : dimension communautaire, écologie, autogestion, non-violence et vie intérieure.
35, rue Saint-Sébastien
75011 Paris

Fondation internationale pour un autre développement (F.I.P.A.D.)
Une stratégie de développement des Nations unies pour les années 80 et au-delà.
2, place du Marché
Nyon CH-1260 Suisse

La Fontaine de Pierre
Maison d'Edition consacrée à la diffusion des œuvres C. G. Jung
25, bd Arago 75013 Paris

Groupe d'études C. G. Jung
Association consacrée à la Psychologie Analytique
5, rue Las Cases 75007 Paris

Institut rural d'information
Documentation sur les réseaux marginaux, les pionniers, les administrations.
Centre de Ressources Gorodka
24200 Sarlat-la-Canéda

Réseau des Amis de la Terre
Association pour une action écologique et sociale
Agence de Services du R.A.T.
14 *bis*, rue de l'Arbalète
75005 Paris

Saros
Études entre sciences, psychanalyse, philosophies et traditions
Le Goré
56650 Inzinzac-Lochrist

Université des Mutants de Gorée
Fondée par le président et poète Léopold S. Senghor ; elle a pour but d'« inventer un avenir inédit ».
S'adresser à M. le Directeur de l'université des Mutants.
École normale supérieure
BP 5036 Dakar Sénégal

Université populaire de Paris
L'Université libre de la science de l'homme global
48, rue de Ponthieu
75008 Paris

DANS LES PAYS ANGLOPHONES
(parmi d'autres) :

Linkage
Réseau international ouvert par Robert Theobald et Jeanne Scott et destiné à relier ceux qui sont intéressés par la transformation personnelle et sociale. Voir au chapitre VII une description plus détaillée.
Box 2240
Wickenburg, Ariz. 85358 États-Unis.

Movement for à New Society
Publie des brochures se rapportant au changement non violent et le *Manual for a living Revolution.*
4722 Baltimore Ave., Box H
Philadelphia, Pa. 19143, États-Unis.

Tranet
Réseau transnational pour les technologies alternatives/appropriées. Bulletin trimestriel (15 $ par an)
P.O. Box 567, Rangelay, Maine 04970, États-Unis.

Turning Point
Réseau qui réunit principalement des Européens.
7 St. Ann's Villas
London W11 4RU,
Angleterre

BIBLIOGRAPHIE

Cette bibliographie comprend deux ensembles de références :
— la bibliographie de l'édition américaine, destinée, dans l'esprit de l'auteur, à favoriser la poursuite de l'exploration plutôt qu'à servir de documentation académique. Le Brain/Mind Bulletin qu'édite l'auteur (une centaine de numéros parus à ce jour) représente une source majeure d'information
— la bibliographie correspondant à l'adaptation française.

CHAPITRE PREMIER. — *La conspiration*

Parmi les sources de matériel cité autres que celles qui sont mentionnées dans le chapitre : l'essai de Béatrice Bruteau dans *Anima ;* printemps 1977 ; les conférences d'Ilya Prigogine à l'université du Texas en avril 1978 ; *The Transformations of Man* de Lewis Mumford ; *An Experiment in Depth* de P. W. Martin et *The Whole Earth Papers ; Le phénomène humain,* de Pierre Teilhard de Chardin, Le Seuil, 1955 ; *De la démocratie en Amérique,* d'Alexis de Tocqueville, Gallimard, 1951 ; et *Pour comprendre les médias* de Marshall McLunhan, Le Seuil, 1968.

CHAPITRE II. — *Les prémices*

En plus des livres cités dans le texte, certaines références proviennent de : *The Growth of Civilization* d'Arnold Toynbee, *The Hunger of Eve* de Barbara Marx Hubbard, *The New American Ideology* de George Cabot Lodge, *The Transformative Vision* de Jose Arguelles, *Between Man and Man* de Martin Buber, *Sources,* textes réunis par Theodore Roszak, lors d'une conférence de Roszak aux Claremont Colleges en 1976, les auteurs de *The Changing Image of Man* (Policy Research Report, nº 4 du Centre d'Etudes de politique publique, Institut de Recherche de Stanford, Menlo Park, Californie, préparé pour la Fondation F. Kettering) étaient Joseph Campbell, Duane Elgin, Willis Harman, Arthur Hastings, O. W. Markley, Floyd Matson, Brendan O'Regan et Leslie Schneider

Ascèse, de Nikos Kazantzaki, Plon, 1972 ; *Qui survivra ?,* de Jonas Salk, Fayard, 1978 ; et *Le Macroscope,* de Joël de Rosnay, Le Seuil, 1975.

CHAPITRE III. — *La transformation : quand les cerveaux et les esprits changent*

Sources non indiquées dans le texte : *Choices* de Frederic Flach, *The Varieties of Religious Experience* de William James, *Mein Glaube* de Hermann Hesse, *Focusing* d'Eugene Gendlin, divers écrits et conférences d'Ernest Hilgard, dont un article paru dans *Pain* 1 :213-231. L'augmentation du courant sanguin dans le cerveau sous l'influence de la méditation a été rapportée par Ron Jevning et les collaborateurs à l'Université de Californie/Irvine lors du congrès annuel de la Société américaine de Physiologie, en 1979 ; la spécialisation hémisphérique est décrite dans *Psychoanalytic Quarterly* 46 : 220-244 ; l'effet psychédélique qui naît de l'attention à sa propre conscience a été évoqué dans *Archives of General Psychiatry* 33 : 867-876 ; les bouffées d'ondes thêta dans les EEGs de méditants chevronnés sont mentionnées dans *Electroencephalography and Clinical Neurophysiology* 42 : 397-405. On peut trouver des données sur les phénomènes accompagnant la méditation, les changements d'états de conscience, les substances cérébrales, et la spécialisation hémisphérique dans de nombreux numéros du *Brain/Mind Bulletin.*

Livres abordant les mêmes sujets : *The Language of Change* de Paul Watzlawick, *The Brillant Function of Pain* de Milton Ward, *The Experience of Insight : A Natural Unfolding* de Joseph Goldstein, *The Natural Mind* de Andrew Weil, *The Stream of Consciousness,* textes réunis par Kenneth Pope et Jerome Singer, et *Consciousness : Brain, States of Awareness, and Mysticism,* textes réunis par Daniel Goleman et Richard Davidson. Et *La Révolution du Cerveau,* de Marilyn Ferguson, Calmann-Lévy, 1974.

CHAPITRE IV. — *Le passage : l'expérience intérieure*

L'intervention d'Edward Hall sur le temps figure dans *Beyond Culture* et dans une interview publiée dans *Psychology Today* de juillet 1976 ; les remarques de Jonas Salk ont été faites lors de la conférence théorique de l'Association pour la Psychologie humaniste en 1975. La déclaration de Gabriel Saul Heilig est issue de sa postface au livre de Harold Lyons, *Tenderness Is Strength.*

Livres abordant les mêmes sujets : A propos du thème essentiel de la transformation personnelle, *Man's Search for Meaning, The Farther Reaches of Human Nature* d'Abraham Maslow et *The Dévelopment of Personality* de C. G. Jung.

Une variété d'approches du processus transformatif : *Halfway through the Door* d'Alan Arkin, *The Centered Skier* de Denise McCluggage, *The Ultimate Athlete* de George Leonard, *Open Secrets : A Western Guide to Tibetan Buddhism* de Walt Anderson, *The Gurdjieff Work* de Kathleen Speeth, *The Last Barrier* de Reshad Feild, *Mindways* de Louis Savary et Margaret Ehlen-Miller, *At a Journal Workshop* de Ira Progroff, *Awakening Intuition* de Frances Vaughan, *Meditation : Journey to the Self* d'Ardis Whitman, *Journey of Awakening : A Meditator's*

Guidebook de Ram Dass, *Freedom in Meditation* de Patricia Carrington, *The TM Technique* de Peter Russel, *Mind Therapies/Body Therapies* de George Feiss, *Giving in to Get your Way* de Terry Dobson et Victor Miller, *Zen and the Art of Motorcycle Maintenance* de Robert Pirsig, *The Silva Mind Control Method* de Jose Silva et Philip Miele, *Getting there without Drugs* de Buryl Payne, *Body Awareness in Action : A Study of the Alexander Technique* de Frank Pierce Jones, *The Roots of Consciousness* de Jeffrey Mishlove, *Books for Inner Development : The Yes ! Guide,* textes réunis par Cris Popenoe ; *Mindstyles, Lifestyles* de Nathaniel Lande, *Jacob Atabet* de Michael Murphy, *Drawing on the Right Side of the Brain* de Betty Edwards ? *Est : 60 Hours That Transform Your Life* de Adelaide Bry, *Making Life Work* de Robert Hargrove, *Actualizations : Beyond Est* de James Martin, et de nombreux livres de Carlos Castaneda. Voir aussi la liste du Chapitre XI. *Psychosynthèse,* de Roberto Assagiolo, Ed. de l'Epi, 1976 ; *Vers une psychologie de l'être,* d'Abraham Maslow, Fayard, 1972 ; *L'Homme à la découverte de son âme,* de Carl Gustav Jung, Ed. du Mont Blanc, 1970 ; *Les Douze Formes de la méditation,* de Daniel Goleman, Fayard, 1977 ; *L'Art de voir,* Payot, 1978 et *Les Portes de la perception,* Pygmalion, 1975, d'Aldous Huxley ; *L'Herbe du Diable et la petite fumée,* Ed. du Soleil Noir, 1972, *Le Voyage à Ixtlan,* Gallimard, 1974, *Voir,* Gallimard, 1973, et *Histoires de pouvoirs,* Gallimard, 1975, de Carlos Castaneda.

CHAPITRE V. — *L'Amérique, matrice de la transformation*

American Transcendantalism 1830-1860 : An Intellectual Inquiry de Paul F. Boller, Jr. ; *Revivals, Awakenings, and Reform* de William McLoughlin ; California : *The Vanishing Dream* de Michael Davy ; *California : The New Society* de Remi Nadeau ; *The California Revolution* de Carey McWilliams ; *The Next Development in Man* de Lancelot Law Whyte. George Leonard a décrit sa rencontre avec Michael Murphy dans sa préface à *Out in Inner Space* du Dr Stephen A. Applebaum. L'essai d'Anthony F. C. Wallace, un classique sur les mouvements de revitalisation, a été publié d'abord dans *American Anthropology* 58 : 264-281 *Radioscopie des Etats-Unis,* de Jacqueline Grapin, Calmann-Lévy, 1980 ; *Journal de Californie,* d'Edgar Morin, Seuil, 1970. Et le numéro spécial sur la Californie de la revue *Autrement,* Printemps 1981.

CHAPITRE VI. — *Nouvelles des frontières de la science*

Les idées d'Alfred Korzybski, exposées dans *Science and Sanity,* ont été expliquées en termes plus simples par de nombreux auteurs, dont Stuart Chase, dans *Power of Words.* Les conceptions de Barbara Brown sur les implications du biofeedback ont été exprimées dans des interviews, des conférences et les livres suivants : *New Mind, New Body* et *Supermind.* Voir aussi *Beyond Biofeedbach* d'Elmer et Alice Green.

La théorie de l'équilibre ponctué en évolution a été commentée par Stephen Jay Gould dans *Natural History,* mai 1977 et par Niles Eldredge en 1978 lors de la rencontre « New Horizons in Science », financée par le Council for the Advancement of Science La preuve que les êtres humains ont eu de multiples ancêtres hominidés a été apportée par Gould dans *Natural History* d'avril 1976, dans un article sur Richard Leakey paru dans Time, le 7 novembre 1977.

Les remarques de Szent-Gyorgyi sur la mutation au hasard ont paru dans *The Journal of Individual Psychology* et dans *Synthesis,* Spring 1974. Une étude sur les gènes sauteurs a paru dans le *New Scientist* du 1er mai 1978.

Les déclarations d'Ilya Prigogine ont été extraites d'interviews, de conférences, d'une édition spéciale du *Texas Times* de décembre 1977 (publiée par l'University of Texas system, Austin) et d'un article sur la dynamique sociale dans les *Chemical and Engineering News,* du 16 avril 1979, un livre de Prigogine quelque peu technique sur la théorie des structures dissipatives, *From Being to Becoming,* a été publié par W. H. Freeman Co. en 1980 ; son livre plus facile d'accès, provisoirement appelé *A Dialogue with Nature,* sera publié par Doubleday. La théorie des structures dissipatives est au centre de *The Self-Organizing Universe : Scientific and Human Implications of the Emerging Paradigm of Evolution* d'Erich Jantsch. Des numéros spéciaux du Brain/Mind Bulletin sur la théorie de Prigogine sont disponibles. La relation entre structure dissipative et fonction du cerveau est commentée par A. K. Katchalsky et coll. dans *Neurosciences Research Progress Bulletin,* Volume 12, MIT Press.

Un long article technique dans le *Scientific American,* novembre 1979, décortique le théorème de Bell. La citation de Robert Jastrow a paru dans le *Los Angeles Times.* Pour un survol de la parapsychologie et une source bibliographique : *Advances in Parapsychological Research, Volume 1, Psychokinesis,* et *Volume 2, Extrasensory Perception,* textes réunis par Stanley Krippner (Plenum), et *Brain, Mind, and Parapsychology,* textes réunis par Betty Shapin et Lisette Coly.

La synthèse du modèle du cerveau holographique de Karl Pribram et de la conception de l'univers physique de David Bohm se trouve dans *Consciousness and the Brain,* textes réunis par Gordon Globus et coll. et dans *Perceiving, Acting, and Knowing,* textes réunis par R. E. Shaw et J. Bransford. Les remarques de Pribram insérées dans le texte ont été extraites de rapports de conférences et d'interviews (*Human Behavior,* mai 1978, et *Psychology Today,* février 1979). La théorie de David Bohm sur l'univers replié figure dans *Quantum Theory and Beyond,* textes réunis par Ted Bastin ; *Foundations of Physics* 1(4), 3(2), et 5(1) ; *Mind in Nature,* anonyme, publié par University Press of America, et une longue interview dans *Re-Visions (été-hiver 1978).*

Livres abordant les mêmes sujets : Stalking the Wild Pendulum d'Itzhak Bentov ; *The Silent Pulse* de George Leonard ; *On Aesthetics in Science,* textes réunis par Judith Weschler ; *The Reflexive Universe* et *The Bell Notes* d'Arthur Young ; *Grow or Die : The Unifying Principle of Transformation* de George T. L. Land ; *The Intelligent Universe* de David Foster ; et *Personal Knowledge* de Michael Polanyi.

Stress et Biofeedback, de Barbara Brown, Ed. de l'Etincelle, 1978 ; *Les Origines de l'homme,* de Louis Leakey, Arthaud, 1979 ; *Le Hasard de la nécessité,* de Jacques Monod, Le Seuil, 1970 ; *La Nouvelle alliance,* d'Ilya Prigogine et Isabelle Stengers, Gallimard, 1979 ; *Structure, Stabilité et fluctuation,* de P. Glandsdorff et I. Prigogine, Masson, 1971 ; *La Gnose de Princeton,* de Raymond Ruyer, Fayard, 1974 ; *L'Homme intérieur et ses métamorphoses,* de Marie-Magdeleine Davy, éditions de l'Epi, 1974 ; *Stabilité structurelle et morphogenèse,* de René Thom, Inter Edition, 1977 ; « Evolution, coévolution et approche systémique », de Patrick Blandin, in *Coevolution,* n° 1, Printemps 1980, pp 9-10 ; *La Méthode .1. La*

Nature de la nature, d'Edgar Morin, Le Seuil, 1977 et *2. La Vie de la Vie,* Le Seuil, 1980 ; *Le Paradigme perdu : la Nature humaine,* d'Edgar Morin, Le Seuil, 1973 ; *Entre le cristal et la fumée,* d'Henri Atlan, Le Seuil, 1979 ; *Eloge de la différence,* d'Albert Jacquard, Le Seuil, 1978 ; *A la recherche du réel,* de Bernard d'Espagnat, Gauthier-Villars, 1979 ; *La Parapsychologie. Quand l'irrationnel rejoint la science,* de Rémy Chauvin, Hachette, 1980 ; *La Physique moderne et les pouvoirs de l'esprit,* d'Olivier Costa de Beauregard, Michel Cazenave, Emile Noël, Le Hameau, 1980 ; *Revue des polytechniciens,* Dossier : La Parapsychologie, juin 1979. On peut se procurer ce numéro auprès de la FOREPP. A propos du colloque de Cordoue, *Le Monde* du 24 octobre 1979, pp 17-18 ; *Science et Conscience,* Stock, 1980 ; *L'Imagination créatrice dans le Soufisme d'Ibn Arabi,* de Henry Corbin, Flammarion, 1977 ; *Le Chaos sensible,* de Théodore Schwenk, Triade ; *Janus,* d'Arthur Koestler, Calmann-Lévy, 1979.

CHAPITRE VII. — *Le pouvoir juste*

En plus des livres et des auteurs mentionnés dans le chapitre : *New American Ideology* de George Cabot Lodge ; l'essai de John Stuart Mill, « On Liberty » ; *Gandhi's Truth* d'Erik Erikson ; *Gandhi the Man* de Eknath Easwaran est publié par Nilgiri Press, Box 477, Petaluma, CA 94952 ; les interviews avec Jerry Rubin et son livre *Growing (Up) at 37 ;* un article de Tom Hayden dans le *Los Angeles Times ; Step to Man* de John Platt ; un essai de Melvin Gurtov adapté de *Making Changes : Humanist Politics for the New Age ; Man for Himself* d'Erich Fromm ; *On Personal Power* de Carl Rogers ; une interview avec James MacGregor Burns dans *Psychology Today* d'octobre 1978 ; *An Incomplete Guide to the Future* de Willis Harman ; « The Pornography of Every Day Life », une étude de Warren Bennis dans le *New York Times ;* une interview avec John Vasconcellos dans *New Age,* octobre 1978 ; l'article de Harold Baron dans *Focus/Midwest,* Volume 11, n° 69, la monographie « Women and Power » émanant des *Whole Earth Papers ; After Reason* d'Arianna Stassinopoulos, des scénarios du futur par Stahrl Edmunds dans *The Futurist* de février 1979. *Revivals, Awakenings, and Reform* de William McLoughlin, et une interview de Hall dans *Psychology Today* de juillet 1976.

La description des SPINs par Virginia Hine, « The Basic Paradigm of a Future Socio-Cultural System » a paru originellement dans *World Issues,* avril/mai 1977, publié par le Center for the Study of Democratic Institutions. Hine et Luther Gerlach ont écrit *People, Power, Change : Movements of Social Transformation* et *Lifeway Leap : The Dynamics of Change in America.* Voir aussi l'article de Gerlach sur les mouvements de changement révolutionnaire dans l'*American Behavioral Scientist* 14(6) : 812-835.

Livres abordant les mêmes sujets : *A Liberating Vision* de John Vasconcellos, *New Age Politics* de Mark Satin, *Many-Dimensional Man* de James Ogilvy, *Resource Manual for a Living Revolution* de Virginia Coover et coll. peut s'obtenir auprès du Movement for a New Society. *De la démocratie en Amérique,* de Alexis de Tocqueville, Gallimard, 1951 *Désobéissance civile* de Henry David Thoreau, Ed. d'Utovie, 64260 Lys. *Société aliénée et société saine,* de Erich Fromm, Le Courrier du Livre, 1971 *Au delà de la culture,* de Edward Hall, Le Seuil, 1979 *Vers une contreculture,* Stock, 1970, *Où finit le désert,* Stock, 1973, *L'homme planète,* Stock, 1980, de Theodore Roszak

CHAPITRE VIII. — *Guérir par soi-même*

L'étude de Richard Selzer sur Yeshi Donden, le médecin tibétain, a paru dans *Harper's* de janvier 1976 et le *Reader's Digest,* d'août 1976. The U.S. Senate Subcommittee on Health report n° 946887 sur la médecine humaniste date du 14 mai 1976. La conception d'Edward Carpenter de la santé en tant qu'harmonie qui gouverne figure dans son livre *Civilization : Its Cause and Cure.* Les expériences sur le rôle de la croyance du médecin dans l'effet placebo ont été décrites dans *Persuasion and Healing* de Jerome Frank. Rick Ingrasci sur le placebo : *New Age,* mai 1979. Kenneth Pelletier sur le stress : *Medical Self-Care/5.* L'effet dû à l'affrontement ou à l'évitement : *Psychophysiology* 14 : 517-521.

Le rôle du cerveau dans la réponse immunitaire, *Science* 191 : 435-440, et *Psychosomatic Medicine* 37 : 333-340 ; le nouveau modèle du système immunitaire comme un processus cognitif, proposé par Francisco Varela du University of Colorado Medical Center, Denver, et un allergologiste brésilien, Nelson Paz, *Medical Hypothesis* et *Brain / Mind Bulletin* du 6 février 1978 ; l'effet du deuil sur le système immunitaire, *Lancet,* 16 avril 1977 ; le lien entre le cœur et le cerveau, *Journal of the American Medical Association,* 234 : 9 et *Science* 199 : 449-451 ; le stess comme « co-cancinogène », *Clinical Psychiatry News* 5 (12) : 40 et *Science News* 113 (3) : 44-45. Voir aussi *The Broken Heart : The Medical Consequences of Loneliness* de James J. Lynch ; *Getting Well Again : A Guide to Overcoming Cancer for Patients and Their Families* de Carl et Stephanie Simonton ; *Imagery of Cancer* de Jeanne Achterberg et Frank Lawlis.

Concernant le corps comme structure et processus : *Rolfing : The Integration of Human Structures* d'Ida Rolf ; l'article de Wallace Ellerbroek sur la maladie comme processus a paru d'abord dans *Perspectives in Biology and Medicine :* 16 (2) : 240-262.

Norman Cousins décrit son traitement et son rétablissement dans l'article très souvent réimprimé du *New England Journal of Medicine ;* voir aussi la *Saturday Review,* du 28 mai 1977 ; l'étude de George Engel a paru dans Science 196 : 129-136. Le nouveau test pour l'entrée dans un collège médical : l'article de l'auteur, « Once and Future Physician », dans *Human Behavior,* de février 1977. Les commentaires de Maggie Kuhn ont été tirés d'une conférence à Los Angeles en 1977.

D'autres lectures : *Healing from Within* de Dennis Jaffe, *Bodymind* de Ken Dychtwald, *Free Yourself from Pain* de David Bresler, *The Mind/Body Effect* de Herbert Benson, *Mind as Healer, Mind as Slayer* de Kenneth Pelletier ; *Therapeutic Touch* de Dolores Krieger ; *Wellness,* édité par Cris Popenoe ; *Maggie Kuhn on Aging* de Dieter Hessel ; *Your Second Life* de Gay Gaer Luce (basé sur le SAGE program) ; *Life's Second Half : The Dynamics of Aging* de Jerome Ellison ; *Maternal-Infant Attachment* de Marshall Klaus ; *The Competent Infant : Research and Commentary,* édité par Joseph Stone et coll. ; un article sur les hospices, *Science* 193 : 389-391. *Chercher,* de René Dubos, Stock, 1979 ; « Au carrefour du solitaire et du politique », de Gérard Briche, in *Autrement,* La Santé à bras le-corps, n° 26, septembre 1980 ; *Le Non-Savoir-des-Psy,* du Dr Léon Chertok,

Payot, 1979 ; *Supprimez vous-même vos douleurs par simple pression d'un doigt,* du Dr Roger Dalet, Trévise, 1978 ; *Des rythmes biologiques à la chronobiologie,* de Alain Reinberg, Gauthier-Villars, 1979 ; *La Volonté de guérir,* de Norman Cousins, le Seuil, 1980 ; *Genèse de l'homme écologique,* de Michel Odent, Editions de l'Epi, 1979 ; *Changer la mort,* de Léon Schwarzenberg et Pierre Viansson-Ponté, Albin Michel, 1977 ; *Anthropologie de la mort,* de Louis-Vincent Thomas, Payot, 1975 ; Et *Notre corps, nous-mêmes,* Albin Michel, 1977 et *Nos enfants, nous-mêmes,* Albin Michel, 1980, du Collectif de Boston pour la santé des femmes.

CHAPITRE IX. — *Apprendre à apprendre*

L'article de Leslie Hart sur les « brain-antagonistic schools », *Phi Delta Kappan,* février 1978 ; Edward Hall sur la culture de l'interview *Psychology Today,* juillet 1976 ; les étudiants de Synectics et de Title 1 : *Psychiatric Annals* numéro spécial sur la créativité 8 (3) ; Joseph Meeker sur l' « ambidextrous education » : *North American Review,* été 1975 ; les enfants eskimaux, volume 4 de *Children of Crisis* de Robert Coles ; les espérances : *Experimenter Effects in Behavioral Research* de Robert Rosenthal ; « Miss A », *Harvard Educational Review* 48 : 1-31, mouvement pour une éducation transpersonnelle, *Phi, Delta, Kappan,* avril 1977 ; soumission excessive : Stanley Milgram, in *Science News,* 20 août 1977, et *Journal of Personality and Social Psychology,* juillet 1977 ; les informations concernant des thèmes comme la spécialisation des hémisphères cérébraux, la sensibilité non verbale, le mouvement de comportements facilitants, la valeur d'un changement de cadre des problèmes, etc, ont été tirées du *Brain/Mind Bulletin,* octobre 1975, novembre 1979.

D'autres lectures : *Education and the Brain,* textes réunis par Jeanne Chall et Allan Mirsky ; *Alternatives In Education : Schools and Programs* de Allan Glatthorn ; *Beyond the Scientific,* textes réunis par Arthur Forshay et Irving Morrissett (publié par Social Education Consortium, 855 Broadway, Boulder, Colorado 80302) ; *Values in Education* de Max Lerner ; *The Metaphoric Mind* de Bob Samples ; *The Wholeschool Book* de Samples, Cheryl Charles, Dick Barnhart ; *Transpersonal Education : A Curriculum for Feeling and Beeing* de Gay Hendricks et James Fadiman ; *The Centering Book* de Hendricks et Russel Wills ; *The Second Centering Book* de Hendricks et Thomas B. Roberts ; *Meditating with Children* de Deborah Rozman ; *The New Games Book* de Andrew Fleugelman ; *The Brain Book* de Peter Russell ; *Suggestology* de Georgyi Lozanov ; *The Relevance of Education* de Jerome S. Bruner ; *The Success Fearing Personality* de Donnah Canavan-Gumpert et coll. ; *Four Psychologies Applied to Education,* édité par Thomas B. Roberts ; *Reversals* (un rapport sur la dyslexie) — de Eileen Simpson ; *Self-Fulfilling Prophecies* de Russell A. Jones. *L'Ornière* de Hermann Hesse, Calmann-Lévy, 1957 ; *Pygmalion à l'école,* de Robert Rosenthal et Leonore Jacobson, Casterman 1972 ; *La Nouvelle Grille* de Henri Laborit, Laffont, 1974 ; *Soumission à l'autorité* de Stanley Milgram, Calmann-Lévy, 1974 ; *La Révolution du cerveau* de Marilyn Ferguson, Calmann-Lévy, 1974 ; *Une révolution dans l'art d'apprendre* de Fanny Saféris, Laffont, 1978 ; *Les Fantastiques facultés du cerveau* de Sheila Ostrander et Lynn Schroeder, Laffont, 1980.

CHAPITRE X. — *Transformation des valeurs et de la vocation*

En plus des livres et des autres sources mentionnés dans le texte : Willis Harman sur les valeurs, *Fields Within Fields* 5 (1); Lawrence Peter sur la simplicité volontaire, *Human Behavior,* août 1978 ; un article de L. R. Mobley « Values Option Process », remis lors de la conférence 1978 de la General System Research Association ; *On Caring* de Milton Mayerhoff ; l'étude de la réussite des managers est résumée dans *Training,* février 1979 ; problèmes de productivité, *Training,* janvier 1979 ; information sur le rapport de simplicité volontaire et les rapports V.A.L.S., au Center for the Study of Social Policy, Stanford Research Institute, Menlo Park, California. Les stratégies du cerveau droit et gauche des managers et des planificateurs, *Psychophysiology* 14 : 387-392 ; l'étude de McGill, *Brain/Mind Bulletin,* 2 août 1976 ; intuition et inférence dans la prise de la décision exécutive : *Fortune,* 23 avril 1979 ; l'ouverture des travailleurs à l'apprentissage des méthodes intuitives : *Planning Review,* septembre 1978 ; interview avec Sim Van der Ryn, *New Age,* mars 1979 ; l'imagination créative comme richesse, *Humanomics* d'Eugen Loebl ; le danger de la technologie comme maître, *Computer Power and Human Reason* de Joseph Weizenbaum. Un livre de Bob Schwartz sur le nouvel entrepreneur doit paraître chez Simon and Schuster. *Biotechnologies et bio-industrie,* de Joël de Rosnay, Seuil, 1979 ; *Science de la Vie et Société,* de François Gros, François Jacob, Pierre Royer, La Documentation française, 1979 ; *Écologie et liberté,* de Michel Bosquet (André Gorz), Seuil, 1978.

CHAPITRE XI. — *L'aventure spirituelle : retour à la source*

Les commentaires de Zbigniew Brzezinski ont paru dans une interview de James Reston pour le syndicat du *New York Times,* 31 décembre 1978 ; l'étude de Sy Safransky dans *The Sun,* publié à Durham, North Carolina ; la vision historique de Robert Ellwood, *Alternative Altars ; Unconventional and Eastern Spirituality in America.* La monographie de Herbert Koplowitz sur la Pensée opérationnelle unitaire a été résumée dans le *Brain/Mind Bulletin,* 2 octobre 1978. La déclaration de Ron Browning sur la transcendance du système provient de son étude de 1978, « Psychotherapeutic Change East and West : Buddhist Pschological Paradigm of Change with Reference to Psychoanalysis. » Pour la réflexion de Karl Pribram sur l'accès mystique à l'ordre impliqué, voir l'interview dans *Psychology Today* de février 1979 ; pour la « vision » par Capra de cascades d'énergie, *Le Tao de la Physique* (Tchou) ; l'accès facilité par les drogues psychédéliques au domaine holographique, l'article de Stanislav Grof dans *Re-Visions,* Hiver-Printemps 1979 et son livre *L.S.D. Psychotherapy ;* voir également l'article de Karl Sperber dans le *Journal of Humanistic Psychology* 19 (1).

D'autres lectures : *Forgotten Truths* de Huston Smith ; *A Sense of the Cosmos : The Encounter of Modern Science and Ancient Truth* de Jacob Needleman ; *The Road Less Traveled* de M. Scott Peck ; *Meister Eckhart,* traduit par Raymond Blakney ; *The Way of a Pilgrim* anonyme ; *Coming Home* de Lex Hixon ; *Shamanic Voices* de Joan Halifax ; *Ten Rungs* de Martin Buber ; *Reflections of Mind* de

Tarthang Tulku ; *What is Zen ?* de D.T. Suzuki ; *The Master Game* de Robert S. de Ropp ; *Transpersonal Psychologies* textes réunis par Charles Tart ; *The Rediscovery of Meaning* de Owen Barfield ; *The Essence of Alan Watts* (une anthologie posthume) de Alan Watts ; *Process Theology : An Introductory Exposition* de John B. Cobb, Jr. et David Griffin ; *Toward Final Personality Integration* de A. Reza Aresteh. Voir aussi la liste du chapitre IV.

Une sélection bibliographique académique, « Science et Parascience » se rapportant à l'intégration des visions scientifique et mystique, a été compilée sous les auspices du Program for the Study of New Religious Movements in America ($2 à la Graduate Theological Union Library, 2451 Ridge Road, Berkeley, California 94709). *Commentaire sur le Mystère de la fleur d'or,* de Carl-Gustav Jung, Albin Michel, 1979 ; *Science de l'homme et tradition,* de Gilbert Durand, Berg International, 1979 ; *L'Homme du Verseau,* de Christian Kerboul, Dervy-Livres, 1980. « Nature et rôle de l'attention selon Simone Weil », de André A. Devaux, (s'adresser à l'Association pour l'étude de la pensée de Simone Weil, 5, rue Monticelli, 75014 Paris) ; « L'Homme, Désir et Esprit : une aspiration vers l'universel », de Robert Amadou, in *Les Cahiers de l'Homme-Esprit,* n° 1, 1973 ; *La Fin de l'ésotérisme,* de Raymond Abellio, Flammarion, 1973 ; *Introduction à l'ésotérisme chrétien,* de Henri Stéphane, Dervy-Livres, 1979 ; *L'Homme intérieur et ses métamorphoses,* de Marie-Magdeleine Davy, Editions de l'Epi, 1974 ; *J'ai dialogué avec des chercheurs de vérité,* de Jean Biès, Retz, 1979 ; *Ermites du Saccidânanda,* de Jules Monchanin et Henri Le Saux, Casterman, 1956 ; *La Vie après la Vie,* de Raymond Moody, Laffont 1977 ; *Lumières nouvelles sur la vie après la vie,* Laffont, 1978 ; *Le Nuage d'inconnaissance,* Anonyme, Le Seuil, 1977 ; *Contes Derviches,* de Idries Shah, Le Courrier du Livre, 1980 ; *Méditation et action,* de Chogyam Trungpa, Fayard 1973 ; *Essais sur le bouddhisme zen,* de D. T. Suzuki, Albin Michel, 1972 ; *Le Livre de la sagesse,* Gonthier, 1974, *Bienheureuse insécurité,* Stock, 1977, *Joyeuse cosmologie,* Fayard, 1971, de Alan Watts.

CHAPITRE XII. — *Les relations entre les êtres changent*

Se libérer du connu, de Krishnamurti, Stock, 1978.

CHAPITRE XIII. — *La conspiration de la terre entière*

La référence aux groupes qui sont le « ferment de changement », d'Aurelio Peccei a paru dans *The Futurist,* de décembre 1978 ; Jaimes Baines sur le paradigme de paix, *Whole Earth Papers* 1 (1) ; certaines informations concernant le Hunger Project ont été extraits de nombreux numéros du journal du projet, *A Shift in the Wind.* La citation de Tolstoï : *The New Spirit* textes réunis par Havelock Ellis.

Face aux futurs, Publication de l'O.C.D.E., 1979 ; (s'adresser à O.C.D.E., Bureau des Publications, 2, rue André-Pascal, 75775 Paris Cedex 16). *Nature mon amour,* de Roland de Miller, Debard, 1980 ; *La Mal bouffe,* de Stella de Rosnay et Joël de Rosnay, Olivier Orban, 1979 ; *L'Afrique étranglée, de René Dumont et*

Marie-France Mottin, Le Seuil, 1980. Il faut noter également le *Catalogue des Ressources* en 3 volumes : 1. Nourriture, vêtement, habitat, transports ; 2. Social, éducation, médias, création ; 3. Santé, sexualité, psychisme, expansion de la conscience ; Editions alternative et parallèles, 1978 ; ainsi que *Spécial Ressources*, Editions alternatives et parallèles, 1978.

INDEX DES NOMS

Voir aussi l'index par sujets

INDEX PAR SUJETS

Voir aussi index des noms

TABLE DES MATIÈRES

TABLE DES MATIÈRES

Achevé d'imprimer en février 1985
sur presse CAMERON
dans les ateliers de la S.E.P.C.
à Saint-Amand-Montrond (Cher)
pour le compte des Éditions Calmann-Lévy
3, rue Auber, Paris 9ᵉ
Nº d'édit. 11097.
Dépôt légal : février 1985.
(177)

Le coeur découvert